SUEÑOS Y DISCURSOS

DE VERDADES DESCUBRIDORAS DE ABUSOS, VICIOS Y ENGAÑOS EN TODOS LOS OFICIOS Y ESTADOS DEL MUNDO

COLECCIÓN FUNDADA POR
DON ANTONIO RODRÍGUEZ-MOÑINO

DIRECTOR
DON ALONSO ZAMORA VICENTE

Colaboradores de los volúmenes publicados:

Francisco Aguilar Piñal. Giovanni Allegra. Andrés Amorós. Farris Anderson. René Andioc. Joaquín Arce. Eugenio Asensio. Juan B. Avalle-Arce. Francisco Ayala. Hannah E. Bergman. Bernardo Blanco González. Alberto Blecua. José Manuel Blecua. Laureano Bonet. Carmen Bravo Villasante. María Josefa Canellada. José Luis Cano. Soledad Carrasco. José Caso González. Elena Catena. Biruté Ciplijauskaité. Antoni Comas. Evaristo Correa Calderón. Cyrus C. de Coster. D. W. Cruickshank. Cristóbal Cuevas. Bruno Damiani. George Demerson. Albert Dérozier. José M. Díez Borque. Ricardo Doménech. John Dowling. Manuel Durán. José Durand. Henry Ettinghausen. Rafael Ferreres. Miguel Flys. Yves-René Fonquerne. E. Inman Fox. Vicente Gaos. Salvador García. Luciano García Lorenzo. Joaquín González-Muela. F. González Ollé. Robert Jammes. Ernesto Jareño. Pablo Jauralde. R. O. Jones. A. David Kossoff. Teresa Labarta de Chaves. Carolyn R. Lee. Isaías Lerner. Juan M. Lope Blanch. Francisco López Estrada. Luisa López-Grigera. Leopoldo de Luis. Felipe C. R. Maldonado. Robert Marrast. Marina Mayoral Díaz. D. W. McPheeters. Guy Mercadier. Ian Michael. Miguel Mihura. José F. Montesinos. Edwin S. Morby. Marcos A. Morínigo. Luis Andrés Murillo. André Nougué. Berta Pallarés. Manuel A. Penella. Joseph Pérez. Jean Louis Picoche. John H. R. Polt. Antonio Prieto. Arturo Ramoneda. Jean-Pierre Ressot. Rogelio Reyes. Francisco Rico. Dionisio Ridruejo. Elias L. Rivers. Evangelina Rodríguez. Julio Rodríguez Luis. Julio Rodríguez-Puértolas. Leonardo Romero. Juan Manuel Rozas. Francisco Ruiz Ramón. Georgina Sabat de Rivers. Celina Sabor de Cortazar. Fernando G. Salinero. José Sanchis-Banús. Russell P. Sebold. Dorothy S. Severin. Margarita Smerdou Altolaguirre. Gonzalo Sobejano. N. Spadaccini. Jean Testas. Antonio Tordera. José Carlos de Torres. Isabel Uría Maqua. José María Valverde. Stanko B. Vranich. Frida Weber de Kurlat. Keith Whinnom. Anthony N. Zahareas.

FRANCISCO DE QUEVEDO Y VILLEGAS

SUEÑOS Y DISCURSOS

DE VERDADES DESCUBRIDORAS DE ABUSOS VICIOS Y ENGAÑOS EN TODOS LOS OFICIOS Y ESTADOS DEL MUNDO

Edición,
introducción y notas
de

FELIPE C. R. MALDONADO

SEGUNDA EDICIÓN

Madrid

Zurbano, 39 - 28010 Madrid - Tel. 419 58 57

Cubierta de Víctor Sanz

Impreso en España - Printed in Spain
Unigraf, S. A. Fuenlabrada (Madrid)

I.S.B.N.: 84-7039-030-9
Depósito Legal: M. 25.317-1984

SUMARIO

En memoria de don Antonio Rodríguez-Moñino, amigo entrañable, maestro de cada hora

INTRODUCCIÓN BIOGRÁFICA Y CRÍTICA

La recia personalidad de don Francisco Gómez de Quevedo y Villegas es a la vez tan cambiante, que ha podido ser mitificado en opuestas direcciones. Si en distintos tiempos puede firmar la *Tasa de las hermanitas del pecar* y la *Providencia de Dios,* adular al conde duque y atacarle sin rebozo, combatir la política de Richelieu y luego, muy posiblemente, ir a la cárcel por entendimiento con los franceses, no es de extrañar que se insista en la contradicción permanente de su vida y en su renovado desengaño. Acaso porque siempre mantuvo una esperanza que nunca acertó a poner como debiera de tejas abajo. Ascético y ambicioso, piadoso y desvergonzado, rencoroso y estoico, presumido y ridículo, Quevedo lo es casi todo y tan vulnerable al ataque como apto para la exaltación desmedida. Sólo así es comprensible que al cabo de los siglos esté por escribir su biografía, para la que contamos con el andamiaje seguro de un montón de documentos, que todavía puede incrementarse, una buena colección de cartas y el conjunto de sus obras, amén de las réplicas que suscitaron.

Nació don Francisco en Madrid el 17 de septiembre de 1580 y fue bautizado en la iglesia de San Ginés. Eran sus padres Pedro Gómez de Quevedo y María de Santibáñez, ambos de ascendencia montañesa, habían contraído matrimonio hacia 1576; diez años más tarde, diciembre de 1586, fallecía Pedro y la madre sobrevivió hasta 1601. Fueron en total cinco hermanos: Pedro, el primogénito, murió de corta edad pasando sus derechos a Francisco; Felipa de Espinosa ingresó en las Carmelitas Descalzas de Madrid trocando su nombre por el de Felipa de Jesús; Margarita de Quevedo casó con Juan de Alderete, y de ambos nacería Pedro de Alderete, heredero de nuestro poeta; por último, María de Santibáñez, que nació cuando su padre había ya fallecido, murió a su vez en abril de 1605 cuando contaba diecinueve años. Francisco cursó sus estudios en la Universidad complutense, recogiendo el título de bachiller en 1600, y los prosiguió en Valladolid por el tiempo en que la corte se trasladó a esa ciudad. Por esas fechas comienzan, al parecer, sus actividades literarias, sus buenas relaciones con Lope de Vega y la enemistad con Góngora, de igual modo que la correspondencia que sostuvo con Justo Lipsio. Se ordenó de menores en 1609, acaso para asegurarse las rentas que cobraba del obispado de Segovia. Desde 1613 a 1619 sirvió al duque de Osuna en los gobiernos de Sicilia y Nápoles, desempeñando misiones harto delicadas en Italia y en la corte madrileña por encargo del Virrey. Esto le valió verse complicado en las intrigas políticas que dieron al traste con Lerma primero y después con Uceda, así como una oscura y desagradable participación en el llamado proceso de los tres duques. Se dice que fue desterrado de la corte, pero no están muy claros los términos de este castigo, ya que si el veinticinco de febrero de 1621 se declara "preso y desterrado" en Uclés, [1] el cinco de abril dice estar preso "en mi villa de Juan Abad", [2] y de allí se le hace venir a Madrid, para que preste declaración, en la primera quincena de julio. El veintitrés de ese mes compra personalmente las casas de la calle de Cantarranas; luego se queja de estar preso con guarda de

[1] Luis Astrana Marín, *Epistolario completo de D. Francisco de Quevedo-Villegas,* Madrid, 1946, p. 101, final de la carta LIX.

[2] *Ibid.,* p. 102, final de la carta LX.

vista; [3] según Astrana, el 6 de septiembre se le puso en libertad, pero el 4 de enero de 1622 Felipe IV le destierra de nuevo a la Torre de Juan Abad, [4] desde donde pide clemencia que se le concede el 9 de marzo para llegar hasta Villanueva de los Infantes, en diciembre para ir a cualquier parte, y en marzo de 1623 para entrar en la corte; [5] sin embargo, cuando firma la dedicatoria del *Sueño de la Muerte,* pone como data "En la prisión y en la Torre, a 6 de abril de 1622", y de otra parte, el veinticinco de mayo de 1622 hace postura para comprar otras casas en la calle de Francos, esquina a Niño, y el 30 suscribe los documentos definitivos de la adquisición. Cuando menos, prisión y destierro parecen muy laxos. Para 1624 ya debía de estar plenamente rehabilitado porque acompañó al rey con motivo de su viaje a Sevilla y Cádiz. Siguieron unos años de vida cortesana, más o menos agitada por la polémica sostenida en torno al patronato de España por los partidarios de Santa Teresa y de Santiago, condicionada por el inseguro favor de Olivares, y cada vez más envenenada porque los enemigos de don Francisco no cesaban de zaherirle, bien que les respondiera con idéntica saña. 1626 queda jalonado por la publicación en Zaragoza de la primera parte de la *Política de Dios* y las sucesivas copias a que dio lugar, así como, en el mismo año, la que se estampó en Madrid con una versión totalmente distinta y autorizada por su autor. En la portada reza la dedicatoria al conde duque ratificando así el envío que le hiciera del manuscrito en 1621, recién llegado al poder. En 1627 salen a luz los *Sueños* en la edición barcelonesa de Juan Sapera, y alcanzaron tal éxito que se hicieron hasta cinco reimpresiones más en doce meses. En 1623 fue nombrado secretario del rey, cargo que nunca desempeñaría; de igual modo que cuando contrajo matrimonio un año más tarde con doña Esperanza de

3 *Ibid.*, p. 105, carta LXIV.
4 *Ibid.*, pp. 106 y 107, notas 2 y 3.
5 *Ibid.*, p. 107, notas 1 y 2.

Mendoza, apenas si fue más que marido nominal, según parece. Arreciaban los ataques de los enemigos y en el mismo año de sus esponsales apareció un libelo titulado *El tribunal de la justa venganza,* que contenía los insultos más violentos y las más graves acusaciones y calumnias que pudieron acumular don Luis Pacheco de Narváez, el padre Niseno y Montalbán. A primeros de diciembre de 1636 se sitúa el novelesco y sospechoso episodio del *Memorial* "Sacra, Real Magestad", dirigido a Felipe IV denunciando el desgobierno de Olivares, y el siete de ese mes Quevedo es detenido en casa del duque de Medinaceli, donde reside, y trasladado a San Marcos de León, que le servirá de cárcel hasta 1643. La leyenda pretende ver en esta prisión la venganza y rencor del valido por el citado memorial, pero va cobrando cuerpo la sospecha de que hubo motivos más graves, tocantes a nuestra política con Francia, como insinúa Pellicer. [6] Cesa el rigor del castigo casi a los siete años, y los últimos de su vida los pasa con preferencia en la Torre de Juan Abad y en Villanueva de los Infantes, haciendo esporádicos viajes a Madrid. Si atendemos a su correspondencia y a sus publicaciones, parece que saca fuerzas de flaqueza para desarrollar una intensa tarea literaria: escribe nuevos tratados, corrige otros, hace imprimir algunos y prepara la edición de sus obras. Nada pudo hacer en este último aspecto, su estado físico, cada vez más precario, se desmoronaba y el 8 de septiembre de 1645 expiraba en Villanueva de los Infantes.

Claro está que cuanto dejamos anotado en las líneas precedentes no es más que un sinóptico registro de fechas y sucesos, pero es que la compleja y azarosa vida de Quevedo está llena de sombras naturales y

[6] Josef Pellicer y Tovar, *Avisos históricos, que comprehenden las noticias y sucesos más particulares, ocurridos en nuestra Monarquía desde el año de 1639,* que publicó don Antonio Valladares en el *Semanario Erudito,* t. XXXI, pp. 104-105. Véase J. H. Elliot, "Nueva luz sobre la prisión de Quevedo y Adam de la Parra", en *Boletín de la Real Academia de la Historia,* t. 169, pp. 171-182.

artificiales. Su actuación en Italia, su intervención en el proceso de los tres duques, la polémica en defensa del patronato de Santiago y el alboroto que suscitó el *Tribunal de la justa venganza,* por no citar sino cuatro episodios en los que no hicimos hincapié, necesitan una profunda y documentada revisión para eliminar todas las adulteraciones que ha introducido la fantasía. Ya lo dijimos al principio, hay que empezar de nuevo, delimitar realidades incontestables, aumentar la información, reagrupar las noticias dispersas, enlazar correctamente los hechos, y sólo entonces reinterpretar la figura. Hacer otra cosa será perder el tiempo y complicar aún más la ya calidoscópica visión que tenemos de un hombre extraordinario.

El sueño del juicio final comienza planteando la credibilidad que merecen los sueños. Como no se trata de sentar doctrina sino de reclamar crédito para lo que se diga de las supuestas ensoñaciones, las citas de Homero, Propercio y Petronio, paganos los tres, sirven para autorizar los presupuestos católicos de tales visiones. La ironía no puede ser casual sino pirueta dialéctica, que la erudición bíblica de Quevedo le hubiera permitido, sin esforzarse mucho, sacar a colación pasajes acomodados de fuentes más ortodoxas. El juego de bromas y veras comienza, pues, en las primeras líneas. La mención del beato Hipólito es un simple motivo para explicar la naturaleza del suceso y no significa la menor influencia en el relato que sigue.

Justificado el sueño, su desarrollo está dividido en dos partes: la resurrección de los muertos y el juicio del género humano. El autor observa lo que sucede a su alrededor pero no sabe, o no quiere, disimular su identificación con la rigidez de los fiscales sin que una sola vez le conmueva la piedad. Las figuras que resucitan en la primera parte muestran ya el estigma de su condenación, pecadores impenitentes que airean sus almas tiznadas. La acción del juicio apenas es un poco más extensa que la etapa preliminar. Se sugiere una ordenación cronológica ("Comenzóse por Adán la cuenta...", "pasaron los primeros Padres, vino el Testamento nuevo..."), y en el curso de la gran representación surgen de vez en cuando las intervenciones guiñolescas de Judas, Herodes, Pilatos y demás bestias negras que componen el elenco de los malditos quevedianos. La sucesión temporal se rompe con el maestro de esgrima y da comienzo a un desfile gremial que va despachando a golpes de ingenio, bien que casi siempre camino del infierno. Veamos quienes se salvan: los Apóstoles, unos pobres, media docena de reyes, los sacerdotes, algunos ladrones que murieron ahorcados, dos o tres escribanos, un médico, un barbero, un sacristán y algunas damas deshonestas.

Al ensoñar el juicio, las figuras se perfilan conforme a un criterio personal ya elaborado; la ramera, el astrólogo, el pastelero, etc., carecen de rasgos específicos porque son prototipos nacidos en la imaginación del autor y no seres humanos que ejerzan tales menesteres. Los reos son símbolos predeterminados; de este modo, el fiscal no tendrá sino que subrayar las características negativas que los informan, los defensores apenas podrán balbucear ingenuas excusas, y la sentencia es obvia en cada caso porque todos estaban juzgados de antemano en la mente de su creador. Si la pasión de ánimo no fuera tan evidente, se diría que don Francisco admite la predestinación. Una de las consecuencias más curiosas de tan apasionados escritos es que, como el boomerang, se vuelven contra quien los lanzó, poniendo al descubierto sus flaquezas, le arrancan la máscara de espectador atónito y revelan su rostro de juzgador apasionado y tendencioso. Hipocresía se llama la figura, conforme a su propio lenguaje.

En efecto, Quevedo pretende asumir un papel de informador que cuenta lo que ve sin entregarse a consideraciones edificantes. La forma de llevar el relato corrobora esta intención. En el planteamiento y en el desenlace del discurso habla con más frecuencia de sí mismo, como protagonista paciente de una experiencia, pero conforme se adentra en las circunstancias de la vigilia, disminuye el uso de la primera persona. Durante la resurrección de los muertos y su marcha camino del tribunal, se percibe todavía su presencia como sujeto de verbos de percepción (9 veces *ver,* 3 *oír* y 3 *parecer*) que raramente indica sus reacciones (3 veces *reírse,* 1 *admirarse* y 1 *lastimarse*) y menos sus actos (1 vez *volverse,* 1 *apartarse* y 1 *distraerse*). Por el contrario, durante el juicio sólo habla de sí mismo en tres ocasiones (*ver, espantarse* y *oír*). La pretensión formal de aparecer como relator objetivo de los hechos, determina el eclipse del cronista; paradójicamente, sin embargo, su presencia se hace más palpable al adoptar esa actitud, porque como tan sólo ve lo que quiere y puede contarlo a su voluntad, deja de brindarnos una visión más o menos personal del juicio definitivo para ofrecernos el juicio particularísimo de la humanidad por don Francisco de Quevedo. El espectador desaparece porque asume las veces de juez.

En las notas al texto subrayamos las dos únicas ocasiones en que parece aludirse a una persona concreta. Las restantes figuras pertenecen a una galería que comentaremos separadamente. Sólo anotaremos los personajes que desaparecen con este sueño primerizo: Orfeo, Pilatos, Herodes (aunque mencionado al final de *Alguacil*) y "el que dio la bofetada a Cristo"; en la nómina de pecadores ya no habrá más reproches para los maestros de armas ni los sayones. Defecciones que no parecen significativas si consideramos la reiteración de casi cincuenta figurantes.

El andamiaje narrativo es simple: una introducción justificativa, un desfile abigarrado de personajes que resucitan y marchan al tribunal, cada cual a su talante, el juicio propiamente dicho y un brevísimo epílogo al que pone broche una consideración final. Se supone que el relato va dirigido a la misma persona que figura en la dedicatoria, ya que al terminar vuelve a encararse con ella: "Sueños son estos, que si se duerme vuestra excelencia sobre ellos..." Estructura lineal, como un reportaje al hilo del tiempo, como un entremés de figuras en el que se suceden minúsculas escenas al correr de una idea general apenas perceptible.

Juegan los equívocos alrededor de las ideas, como cuando el avaro pregunta si con todos los desenterrados resucitarán unos bolsones suyos, o cuando el autor advierte que unos mercaderes "se habían calzado las almas al revés" y mostraban "los cinco sentidos en las uñas de la mano derecha"; o bien en torno a las palabras: un abogado tiene "todos los derechos con corcobas", los genoveses llegan pidiendo "asientos", y el atiesado mancebo que pretende "ser salvado" es remitido a los diablos para que le muelan. Registramos algunos juegos conceptuales, luego tan característicos, puesto que los sastres son ladrones, los ladrones serán "sastres silvestres", Judas es "apóstol descartado", y de una adúltera se dice que tiene "un marido en ocho cuerpos". Dos rasgos del sacristán anuncian formas expresivas que se multiplicarán más tarde en sus escritos: "heredaba en vida las vinajeras" y "tomaba alforzas a los oficios".

QUEVEDO escribió *El alguacil endemoniado* en una fecha indeterminada entre 1605, año establecido para *Juicio final,* y el día "postrero de abril de 1608" en que data y firma *Infierno.* Es el único discurso que se atiene a una línea realista sin ensueños ni bambalinas alegóricas, aunque del lugar en que transcurren los hechos sólo sepamos que es la sacristía de San Pedro, templo que Fernández-Guerra identifica con el parroquial de ese título en la villa de Madrid. Los protagonistas humanos son tres: el autor, el licenciado calabrés y un alguacil endemoniado; este último, sin embargo, no pronuncia una sola palabra, siendo el diablo que le domina quien lleva la voz y hasta quien habla por los codos en cuanto le tiran de la lengua. De este modo, el ministro de justicia no pasa de ser un fantoche que grita no sabemos qué mientras se agita "con frenéticos movimientos", que se contorsiona bajo los golpes y porrazos que le asesta su inquilino; gesticulante y maltratado monigote de quien literalmente no escuchamos ni un ay siquiera. Por este motivo y porque la acción del relato tiende a ser meramente coloquial, nos hallamos ante una conversación que sostienen el espíritu de la curiosidad, que habita en el autor, el cínico y moralista espíritu del mal, y el escandalizado del clérigo hipócrita, formalista, que no entiende nada de cuanto escucha, pero es el dueño siempre de la situación con la fuerza de sus exorcismos, capaces de acallar la voz del diablo. Aquí reside, acaso, la suprema ironía del discurso: el demonio dice verdades como puños, pero ¿qué valor tiene su verdad? Él mismo lo declara, no quiere sino hacer mal a los hombres y evitar que aleguen ignorancia, no pretende atraparlos con engaños (como tantos otros demonios literarios y bachilleres), sino desengañados y pecadores conscientes, condenados irremisibles que nadie le pueda disputar. Quevedo le combate con sus propias armas y trata de utilizar la verdad del diablo para desengañar a los hombres, por eso se justifica con la autoridad de las Sagradas Escrituras.

Cuando el autor consigue del clérigo que deje hablar al demonio por un rato sin hostigarle, se inicia un diálogo entre aquél y éste, apenas interrumpido en un par de ocasiones por las protestas del licenciado. Fluyen las noticias sobre las penas de los condenados y el tono es más burlesco que severo. La caricatura de los poetas y los enamorados pone de manifiesto su ridiculez, una ristra de chistes equívocos sirve para exhibir el muestrario de los que son pecadores habituales en las obras de Quevedo, y tampoco derrama su acritud al mofarse de los adúlteros, cornudos y lujuriosos. De pronto, al tocar la tecla de los reyes, el tono adquiere más severidad y vehemencia el lenguaje: a causa de su "poder, libertad y mando", "llegan los vicios a su extremo"; quieren valer punto menos que dioses y parecerlo; uno "se condena por la crueldad" y es "ponzoña coronada" y "peste real" para sus estados; "otros se pierden por la codicia" desubstanciando a sus reinos; y "otros se van al infierno por terceras personas..., fiándose de infames ministros"; y, en fin, algunos "se traen todo el reino tras sí, pues todos se gobiernan por ellos". Lo que hoy nos parecen veladas alusiones a Felipe III, al duque de Lerma y a sus amigos, debieron de ser evidentes en aquellos tiempos. Y es muy posible que por esta causa intercalase más tarde el elogio del monarca, curándose en salud. Obsérvese que utilizó el mismo recurso al final del *Sueño del Infierno.* Este trozo y el de los mercaderes (quizá pudiéramos agregar el de la justicia, bastante largo y anunciado), pudieran ser la parte mollar del discurso y hasta su motivo principal. Aunque no falten los chistes y los rasgos cómicos, es evidente que los sujetos respectivos tampoco son meramente grotescos o reprobables, como sus compañeros, sino el objeto de graves denuncias señalándose algunos de los daños que su conducta ocasionaba.

Entendemos que la clasificación de Pselo y el paralelismo con los alguaciles no es un apéndice a la dedicatoria sino la parte preliminar del discurso, sirviendo para establecer la identificación *alguacil = demonio,* reiterada en este sueño y en otros. El prólogo al lector, por consiguiente, debiera situarse a continuación del ofrecimiento al conde de Lemos. Sin embargo, no se altera el orden clásico porque no hemos encontrado justificación evidente para nuestra opinión.

También aquí es sencilla la armadura narrativa: la presentación del escenario, personajes y situación constituye el introito al discurso, que se desarrolla luego en una sucesión de preguntas, respuestas y consideraciones a cargo de los tres interlocutores. El enojo irrefrenable del licenciado calabrés pone fin a la conversación ahogando con sus conjuros la voz del diablo. Como en el *Juicio final,* se supone que el autor estuvo narrando los hechos al personaje de la dedicatoria. Empieza diciendo: "Esté advertida vuestra excelencia...", y al terminar se dirige de nuevo a él: "Vuestra excelencia con curiosa atención mire esto..." para salvar el valor de las verdades del diablo.

Las penas de los condenados dan pie para una larga cadena de equívocos: ciegos y enamorados son todos unos, los locos acompañan a los astrólogos, los asesinos a los médicos, los mercaderes están con Judas, los necios con los verdugos, etc. El uso de elementos contrastados, en ocasiones muy elaborado todavía ("los ojos bajos... y los pensamientos tiples", "sustentaba el cuerpo a puros espíritus" y "los alguaciles son diablos calzados y nosotros alguaciles recoletos"), a veces alcanza mayor concentración expresiva mediante adjetivaciones inusitadas ("amantes crinitos", "ponzoña coronada") o extraños complementos ("mentira con alma", "fábula con voz"), que presagian la síntesis feliz de su expresión madura.

El sueño del infierno es el único en que se da la fecha de su terminación, 30 de abril de 1608; y fue remitido tres días más tarde a un amigo anónimo de Zaragoza haciendo constar que en este discurso "he rematado las pocas fuerzas de mi ingenio"; frase un tanto formularia que no permite discernir si alude a cansancio o al propósito de poner aquí fin a la serie. También se refiere en la carta de envío a la necesidad de esforzar "la paciencia a maliciosas calumnias que al parto de mis obras... suelen anticipar mis enemigos". Y a estos tales enemigos enderezó su prólogo que no remite al lector indefinido sino, concretamente, al "ingrato y desconocido"; es decir, al que se mostró desabrido y áspero con los dos relatos anteriores sin descubrirse. El epígrafe no puede ser más explícito, pero, además, luego le llama perverso y le acusa de persecución, confesándose "desengañado". No sólo rechaza el cargo de maldiciente sino que condena en cierto modo al que ha demostrado serlo ("toma el infierno que te bastare y calla"), y aunque apele cortésmente a su piedad o a su doctrina, acto seguido le llama bestia o esclavo si no fuere capaz de practicarlas. Que nadie le arguya si dice mal de los que están en el infierno, "pues no es posible que haya dentro nadie que bueno sea". Bien grabada debía de tener esta idea porque se repite al final del sueño en términos parecidos: "decir de los que están en el infierno no puede tocar a los buenos". Aunque sea evidente que si estaban en aquel infierno es porque el propio don Francisco los había metido.

Para justificar este nuevo discurso rechaza la fórmula del sueño ("burla de la fantasía y ocio del alma"), desautoriza en alguna medida la veracidad del diablo y de la visión que diera del infierno en *Alguacil,* y acredita el relato que se sigue con la fórmula más atrevida; todo lo vio "guiado del Ángel de mi Guarda" y "por particular providencia de Dios". Se comprende que la censura eclesiástica rechazase un tan alto procedimiento, de manera que en *Juguetes* (1631) el ángel se trocara en 'genio' y la permisión llegase asimismo por particular providencia pero no sabemos de quién. En fin, por autorización divinamente misteriosa o simplemente misteriosa, Quevedo visitó el infierno para escarmiento propio y de extraños.

Comienza el relato en "un lugar favorecido de naturaleza" cuyas raíces parecen enlazar con el oriental jardín de los bienaventurados, de múltiples y antiguas ramificaciones simbólicas; entre ellas el prado que se identifica con la Virgen en los *Milagros* de Berceo, y el recinto que habitan la Verdad, la Sabiduría, la Naturaleza y la Razón en la *Visión delectable* de Alfonso de la Torre. Lo más notable es que en este caso el vergel sea punto de partida y que lo abandone voluntariamente para buscar compañía en uno de los dos caminos que nacen a su vista: el de la virtud y el del placer. Dos sendas y un mismo itinerario, el de la vida, "jornada sola y breve... a la pena o a la gloria", como de mala gana explica el mendigo que transita por la primera vía. Sus asperezas y las del genio de quienes lo eligieron, mueven al autor a cambiar de ruta. Poco más sabremos de este sendero, que es angosto, lleno de abrojos y malos pasos, y con veredas secretas que lo unen al otro; de sus viajeros, aparte del citado mendigo, vislumbramos a unas gentes descalzas y desnudas, a unos taberneros, sin duda descarriados, que resbalan en las lágrimas de otros y caen en el sendero que les corresponde, y a unos soldados que caminan gloriosos con sus maestres de campo y generales. Por aquí todos van a pie, con trabajos y nadie vuelve atrás la cabeza.

Vale la pena observar que los personajes de *Juicio* y los secundarios de *Alguacil,* como los que luego hallará el autor en las zahúrdas infernales, pueden pertenecer a cualquier tiempo, pero los que marchan a su vista por el camino de la vida, necesariamente habían de ser contemporáneos suyos; y como basta echar un vistazo a la nómina de los tipos que menciona para notar que son los mismos, con ligeras variantes, en todas las ocasiones, habremos de concluir que si los vicios y defectos censurados pueden ser intemporales, Quevedo no enfoca la eterna corrupción del género humano, sino la de su época; la perennidad de la sátira consiste en el objeto, que no en la intención del autor. Las novedades del itinerario temporal son tres: cierta clase de pobres, de distinta condición que los que atravesaban la puerta defendida por los diez mandamientos en *Juicio* y de aquellos otros que desconocía el demonio enalguacilado; determinada clase de soldados, que no lo son por los hechos sino por las apariencias; y los hipócritas, que empiezan a tener características genéricas, desarrolladas luego en *Mundo.* Los restantes viajeros son figuras ya familiares, algunos incluso en sus trazos, mercaderes, joyeros, médicos, letrados, taberneros, etc. El camino, poco definido, porque la descripción se aplicó a los caminantes y a su conducta, se estrecha de repente y la humanidad pecadora, sin advertirlo casi, da en el infierno.

Aquí da comienzo la gran aventura. Lo singular es que su narrador atiende menos a la condición presente de los pecadores que a su pretérita conducta para mejor extraer la lección ejemplar, el aviso y escarmiento en piel ajena. También es patente su desinterés por la geografía infernal; sus referencias, siempre vagas, son, a lo sumo, topográficas: *puerta como de ratonera, zaguanes, pasadizo muy oscuro, zahúrda, bóvedas, corral, silos, cuesta, cumbre, laguna, charco, dehesa, cárcel, corrales, caballeriza, seno, escalones, cerro, puerta, ventana, cercado, jaula, cuartel, grada, alcoba, campos, galería, camarín.* La imprecisión es tanta que al terminar el sueño dice "Salíme fuera", sin que sea posible saber si es del camarín en que se halla, del infierno o de ambos a un tiempo.

Los pecadores suelen estar agrupados: sastres, cocheros, zapateros, pasteleros, etc. Conjuntos profesionales que en una ocasión, el de los bufones, amplía para incluir a quienes lo fueron por su conducta y no por oficio. Al cabo de siete muestras rompe con la rutina gremial para dar cuenta de un caballero y un hidalgo, del apartado de las dueñas, y entremezclar en lo sucesivo aglomerados de distinto signo que la ocupación o la condición social; aparecen asociaciones de carácter conceptual o de conducta, como la de los padres que vivieron miserablemente para fundar un mayorazgo, y las tituladas de "Oh, quién hubiera!", de "Dios es piadoso", etc., y alguna tan sorprendente como la de los zurdos. Este procedimiento de agrupar a un número de pecadores bajo un denominador común se mantiene hasta el final del relato ("suegras terceras de sus nueras"). En ocasiones se distingue a un miembro de estas colectividades para trazar su circunstancia particular, para que tome la voz de sus compañeros, o porque don Francisco, si no es uno de los demonios, le interpela directamente. El caso del hidalgo y el caballero, dos figuras concretas y un castigo, parece tener carácter simbólico, cifrando en ambos el comentario que merece un estamento más amplio. Un sentido análogo puede atribuirse a ciertos personajes singulares, como el librero con que topa en los primeros pasos y el hombre que se atormenta solo porque tiene dentro de sí el infierno. Varía la extensión de cada uno de estos apartados, y si los tintoreros merecen unas pocas líneas, el caballero y el hidalgo, el hombre solitario y los que no supieron pedir a Dios, ocupan páginas enteras. Quevedo declara conocer a un librero y a un mercader, pero la verdad es que tan sólo se declara el nombre de un personaje durante gran parte del sueño: Judas. La manera de construir las sucesivas escenas es variada, sin patrón fijo, sobre todo en las de mayor amplitud, aunque no son muchos los elementos que utiliza el autor: descripción de los personajes, atormentados y atormentadores, situación, castigos que dan o reciben, referencias a su conducta en la vida terrena, y consideraciones de índole moral, que a veces se convierten en acusación o en dicterio. Pocas son las ocasiones en que el autor cuenta directamente lo que ve; las más veces son los diablos quienes hablan con el visitante o con los condenados, y hasta muy avanzado el relato Quevedo sólo tiene una prolongada intervención personal: su diálogo con Judas.

Hemos puntualizado adrede los detalles precedentes para que resalte mejor lo que sucede cuando acaba el episodio del geomántico y ya no resta sino una cuarta parte del discurso. Los nombres propios se acumulan, y al de Judas, hasta entonces solitario, se suman por de pronto los de Pedro Abano, Cornelio Agripa, y así hasta dieciséis autores de libros de magia, hechicería y otras materias que a Quevedo se le antojaron nefastas. También de repente asume la voz cantante, y es él quien los declara, quien describe apenas su situación y quien denuncia con acritud y brevedad sus obras, a excepción del comentario dedicado a Taysnerio. El estilo decae, y en pocas líneas el verbo *estar* se repite nueve veces para encadenar la serie de los malditos. Sigue un breve juego de ingenio para meter entre aquéllos a las mujeres hermosas por sus rostros hechiceros, luego la descripción del acceso a otro antro, y de nuevo suelta una rociada de nombres propios y de doctrinas heréticas anteriores a Jesucristo, todo ello a base de frases cortas determinando la condición u origen de las respectivas herejías, enlazadas de preferencia con el verbo *estar,* y haciendo un sólo comentario de alguna extensión, el aplicado a Dositheo. Sin respiro apenas nos hace conocer a los herejes posteriores a Cristo mediante otra larga lista de nombres propios, algo mejor enlazada conforme avanza, y que incluye, sobre todo, un diálogo con Mahoma en el que volvemos a encontrar el tono percibido en las tres cuartas partes iniciales del discurso. La nómina de los herejes contemporáneos sigue abundando en la denominación personal, pero la exposición es más flexible, incorporando, además, una entrevista con Lutero que asimismo está en la línea regular que al principio señalábamos. En suma, cuando se refiere a los herejes, Quevedo altera la técnica descriptiva que venía observando, adopta la doble función de narrador y acusador, y tan sólo parece recobrar el estilo habitual en dos conversaciones, con Mahoma y Lutero, y en dos o tres párrafos aislados.

Como decimos en la nota 87 de este sueño, ninguno de los manuscritos contiene la relación de las herejías y herejes anteriores o posteriores a Cristo, a los que vislumbra en bloque, como a los demás precitos que hasta aquí visitara, sí recogen la entrevista con Mahoma y, sin apenas transición, la de Lutero, acompañado de Helio Eobano y de Melanchton, cifrando en ellos la suma de todos los heréticos, procedimiento que coincide con el que había seguido en las páginas anteriores al enfocar los distintos grupos de condenados. Un examen cuidadoso de las frases que conciertan los pasajes comunes a impresos y manuscritos, según se conservan en estos últimos, quizás pudiera revelar si se trata de una rara omisión en los códices, o más bien, como nos inclinamos a suponer, de unos añadidos que redactó exclusivamente para la imprenta. Todavía será entonces necesario meditar sobre los motivos de tales adiciones, porque si de un lado advertimos la presencia de elementos anómalos, también echamos de menos a otros que se relacionen directamente con la realidad del momento; es decir, pasajes como el del maestro de esgrima en *Juicio,* o las alusiones a reyes y privados en *Alguacil.*

A continuación, el discurso camina rápidamente hacia su fin a lo largo de dos breves escenas dedicadas a la galería de Lucifer y a su camarín. Los nombres propios parecen obsesión y todavía se reiteran con generosidad en la primera estancia, bien que con más garbo literario y acusado predominio del verbo *ver.* En cambio, el camarín se presenta con renovada fuerza descriptiva, a base de figuras múltiples, trazadas con ingeniosos y breves rasgos.

La estructura general del discurso, como se ha podido apreciar, tiene un trazado semejante al de los dos anteriores; se inicia con un pórtico que justifica el relato, sigue un desfile de personajes para producir un ambiente, y el cuerpo de la narración se cierra con unas palabras al lector pidiéndole ponderación en el juicio. Conduce la acción al hilo de su paso por el camino de la vida y por las zahúrdas infernales, conforme al curso natural del tiempo.

En cuanto a los juegos expresivos, podemos entresacar los chistes habituales fundados en términos equívocos, que le permiten identificar a porquerones y saludadores porque unos y otros viven del soplo, a boticarios y alquimistas, que quieren sacar oro de las cosas más viles; pero el doble sentido surge a veces empleado con rara facilidad (los comerciantes que vinieron "de sus rasos a estos nublados") o zigzaguea dilatando sus posibilidades (el juez condenado porque "los derechos que no hizo tuertos, los hizo bizcos" y el pastelero castigado "por el pecado de la carne, sin conocer mujer, tratando más con huesos"); también usa de los contrastes, y si en *Alguacil* los reyes fueron ponzoñas coronadas, ahora los médicos son "ponzoñas graduadas", así como ciertas virtudes convertidas en apariencia por los hipócritas, pasan de ser "mercancia del cielo" a "noviciado del infierno". De mayor importancia es el aumento de casos en que la expresión metafórica se concentra, por ejemplo, el cornudo "tomaba a su mujer en dineros, como ración"; merced a los pasteleros, muchos "estómagos pudieran ladrar"; quien acude al boticario, muchas veces "no compra sino las palabras"; y los cronistas son "aduladores de molde y con licencia".

El mundo por de dentro no lleva expresa otra fecha que la de su dedicatoria al duque de Osuna, 26 de abril de 1612, que lo separa cuatro años del discurso anterior y diez del que seguirá. Notemos, sin embargo, que en *Juguetes* varían el texto del envío y la data, 26 de abril de 1610.

Dirígese al lector glosando la idea del *nihil scitur,* que ya comentara en *Alguacil* en idéntica circunstancia, y lo primero que salta a la vista es que luego de establecer en el epígrafe dos condiciones de lector, favorable y desfavorable, desiste de atacar y de justificarse, como vino haciendo, y trueca en sorna su anterior agresividad defensiva.

Fiel al patrón general que venimos observando —y que confirma el último sueño— *El mundo por de dentro* comienza con unas disquisiciones morales que sirven a la vez para declarar el supuesto estado anímico del autor en ese momento de su vida y para confundir, mediante un lenguaje metafórico, el mundo exterior y el interior: "la calle de la ira", "la de la gula". No es la ensoñación manifiesta en *Juicio* y *Muerte*; tampoco es la disposición casi realista de la visita que hace al licenciado Calabrés en *Alguacil*; está más cerca de la justificación imprecisa con que se inicia *Infierno.* El caso es que va el autor "de una calle en otra, siendo infinitas", hasta tropezar con el Desengaño, personificado en un anciano. De esta manera se cierra el ciclo y cobran materialidad los conceptos. Juntos llegan a la calle Mayor o de la Hipocresía, "que empieza con el mundo y se acabará con él, y no hay nadie casi que no tenga, si no una casa, un cuarto o un aposento en ella"; toman puesto conveniente y se dedican a registrar lo que pasa. Queda perfectamente claro que nos hallamos en un lugar irreal, ciudad abstracta y compendio del mundo, pero de aspecto concreto. La mezcla de ficción y de realidad alcanza también a las gentes que transitan por esa calle y a los sucesos que en ella tienen lugar. El escenario es convencional, pero expresado en términos realistas, y lo mismo sucede con las anécdotas que se refieren, tanto si las contemplamos con los crédulos ojos del autor, como vistas a través del Desengaño.

Tenemos, pues, las consideraciones preliminares de costumbre, la justificación y presentación del escenario, el desfile y análisis de unas primeras figuras, y la entrada definitiva en el cuerpo del relato, que aquí se inicia con el entierro de una difunta. Luego asistimos al planto de la viuda, a la peripecia del alguacil tras el delincuente que persigue, a la visión del coche y comitiva de un rico, y al espectáculo de una mujer hermosa. En realidad, cada una de estas escenas se ve dos veces, a través de los ojos ingenuos del autor, que se fía de las apariencias, y analizadas por el Desengaño, que profundiza en busca de la verdad.

De manera repentina, cuando se pone al descubierto el engaño de la dama hermosa, el relato se corta, desde luego inconcluso, en la edición *prínceps*. Hasta llegar a este punto, su curso era fluido, autor y Desengaño caminaban por la calle de la Hipocresía, se detenían aquí o allá y observaban lo que pasaba; y ese deambular por la vía pública parecía ser el hilo de la narración. Lo más curioso es que suceda otro tanto en los tres manuscritos conocidos de este sueño. Es decir, esos tres códices y el que sirvió de original para la primera impresión (las diferencias textuales, aunque de poca monta, determinan cuatro lecciones distintas) interrumpen el discurso abruptamente en el mismo punto, por lo que no se remata de igual modo que en los otros cuatro sueños, con una frase o consideración epilogal.

Ahora bien, cuando se imprimió *Juguetes* (1631), se

agregaron cinco páginas prolongando el discurso y poniéndole un fin apropiado, de gran originalidad, ya que acaba en sueño lo que fue vigilia fantástica. Las interpolaciones, omisiones, enmiendas y corrupciones que ha sufrido el texto de los sueños, en general, convencieron al lector y al estudioso de que la primitiva era una versión imperfecta y de que la omisión se había subsanado en *Juguetes,* cuando el autor hubo de revisar el texto por imperativos de la censura.

La parte añadida en *Juguetes* empieza con dos seres estrafalarios —los primeros que aquí surgen— tendiendo una cuerda. El paseo queda interrumpido y el hilo narrativo ya no es la observación de un acontecer cotidiano, mientras el autor y su acompañante callejeaban, sino la conducta de las gentes que acuden a ponerse bajo la cuerda. Se ha quebrado la dirección inicial introduciendo un elemento nuevo, y esto no sucede en ningún otro sueño; incluso las disonancias advertidas en *Infierno* eran de estilo, pero no afectaban a la continuidad del relato. La técnica truncada, que se utilizó en la parte inicial del discurso, tiene algún parentesco intencional con la del diablo Cojuelo levantando techos para que don Cleofás se asome al interior de las viviendas, como corresponde a la idea central, ya planteada en el título, de oponer al mundo por de fuera el mundo por de dentro, desenmascarándolo de falsas apariencias. La magia del diablo sirve para destapar lo encubierto, y los ojos del Desengaño para brindar una visión exenta de ficciones. La cuerda, por el contrario, es una clave alegórica, próxima al convencionalismo del "sonó la hora" en la *Fortuna con seso,* en virtud de la cual los personajes tienen que conducirse sin tapujos. La calle parece haber desaparecido como escenario; el Desengaño, prácticamente, ha perdido su función desmixtificadora, puesto que bajo la cuerda "eran todos diferentes", y a su sombra las gentes, por sí mismas, venían "a declararse de costumbres". Con esto, el desengaño resulta evidente para el autor sin necesidad de que nadie le abra los ojos; la misión del anciano acompañante se trueca en la de un mero comentarista que repite incansablemente cuando el autor se asombra con la doblez de las conductas: Aquello era lo que parecía y esto lo que es por debajo la cuerda. Jamás, en espacio tan breve, desvirtuó Quevedo tanto a un personaje y sus circunstancias. El hecho se hace ya palpable si comparamos los rasgos, gestos y concepto del anciano en los dos momentos del discurso.

Al principio dice: "Era un viejo venerable en sus canas, maltratado, roto por mil partes el vestido y pisado; no por eso ridículo, antes severo y digno de respeto..."; "Desmintiendo sus sentimientos, riéndose, dijo..."; "Eficaces palabras tienes, buen viejo..."; "Mi hábito y traje dice que soy hombre de bien, y amigo de decir verdades en lo roto y poco medrado..."; "El viejo, moviendo la cabeza y sonriéndose, dijo..."; "El viejo, algo enojado, dijo..."; "¡Basta! —dijo el viejo...". Dígase si el retrato que perfilan las líneas anteriores y la consideración con que le trata Quevedo, tienen algo que ver con lo que sigue: "El viejo se limpiaba las legañas y daba unas carcajadas sin dientes, con tantos dobleces de mejillas, que se arremetían a sollozos..."; "Sí es —decía el vejete, con una voz trompicada en toses y con juanetes de gargajos..."; "...respondió mi ayo..."; "...dijo el buen caduco..."; "Quedé admirado de oír al buen viejo..."; "el viejo me dijo...". Como podrá observarse, tan sólo en las últimas líneas vuelve a usar el autor un lenguaje más moderado, como conviene a un viejo "no ridículo, antes severo y digno de respeto", según lo retrató al principio.

Pero algo más se quiebra de uno a otro fragmento, ya que también hay diferencias de lenguaje muy acusadas. Los recursos expresivos más notables de la primera parte son chistes muy elaborados, caso del hidalgo a quien la ejecutoria le sirve sólo de pontífice en dispensarle los casamientos que hace con sus deudas; de los que llevan las hachas, pues "a la sepultura hacen la salva en el difunto"; de los alguaciles, que "tienen sus censos sobre azotes y galeras y sus juros sobre la horca"; y de la mujer hermosa, cuya "boca era, de puro negra, un tintero, y a puros polvos se ha hecho salvadera"; o bien trazos descriptivos brevísimos, conforme a un procedimiento ya conocido, como la "taracea de mullidores", el calificar a los muchachos de la doctrina de "meninos de la muerte y lacayuelos del ataúd", el decir que las plañideras, a oscuras, "lloraban a tiento", o los retratos de la viuda ("cuerpo de responsos, ...ánima de aleluyas", "las tocas negras y los pensamientos verdes", "muy recoleta de ojos y muy estreñida de boca"), del rico ("escaso de ojos y avariento de miraduras") y de la hermosa, que "se hacía brújula mostrando un ojo sólo". Búsquese, sin embargo, por ese trozo y aun por los tres sueños que anteceden expresiones o construcciones semejantes a éstas, todas ellas del segundo fragmento: "carcajadas sin dientes"; "con una honestidad en los huesos anublada de manto"; "por los ojos está disparando las entrañas"; "se descerrajó de mohatras y de usuras, montero de necesidades que las arma trampas"; "negociar, de puro humilde, a lo guadiana"; y "con un esquilón por tos". Tan sólo en el *Sueño de la muerte*, escrito diez o doce años más tarde, hallaremos un lenguaje semejante, y, sobre todo, en la *Fortuna con seso* (1636). Tres momentos, tres puntos de madurez, que lógicamente se corresponden con los treinta y dos, cuarenta y dos, y cincuenta y seis años que contaba el autor, poco más o menos, al escribir cada uno de esos relatos.

De igual manera, si comparamos el tono usado en uno y otro fragmento para describir a las gentes y sus acciones, para expresar los juicios que merecen, advertiremos que al principio es burlón y despectivo, mientras que al final se muestra sarcástico y agresivo.

Opinamos, por consiguiente, que el fragmento de *Mundo* conservado en los manuscritos e impreso en la edición príncipe (1627) era un relato inacabado. Parece difícil, acaso imposible, averiguar qué ocasionó la interrupción, si causas ajenas, como enfermedad o viaje, si motivos intrínsecos. insatisfacción, desgana; sin desechar una omisión por razones de censura. Hoy por hoy, toda conjetura es aventurada. El final que conocemos hubo de escribirse mucho después, y, muy posiblemente, adrede para la versión que se debía publicar en *Juguetes*. La hipótesis tiene además a su favor un detalle de singular importancia: el fragmento final, lleno de construcciones e imágenes bastante más complicadas que las habituales en los sueños precedentes, no presenta, sin embargo, un sólo punto viciado ni oscuro.

EL *Sueño de la muerte* lleva una dedicatoria fechada el 6 de abril de 1622, y mediado el texto se alude dos o tres veces a la recentísima llegada de Felipe IV al trono, hecho sucedido el 31 de marzo de 1621. Ni el envío a doña María Enríquez de Guzmán ni las letras "A quien leyere" tienen sombra de mordacidad sino visos de cansancio, arrebozado en rasgos de ingenio: "podré yo decir entonces que soy dichoso por sueños"; "He querido que la muerte acabe mis discursos..."; "No me queda ya qué soñar; y si en la visita de la muerte no despierto, no hay que aguardarme". Habían transcurrido diez años desde que dedicara *Mundo* y diecisiete, aproximadamente, desde que comenzó la serie.

Vencido del desengaño, impresionado por las "animosas palabras" de Lucrecio y las de Job doloridas, queda el autor dormido como en el primer discurso y empieza un desfile de personajes familiares: médicos, boticarios, cirujanos, sacamuelas y barberos, a los que sigue una caterva de habladores, chismosos y entremetidos; la suma de todos forma la comitiva de la muerte. El acompañamiento es inusitado, la descripción hiperbólica y la figura principal desconcertante. Aquéllos destruyen la materia del hombre y éstos sus facultades anímicas a fuerza de palabras. Y Quevedo, que oye a diario el habla de los hombres, que registrara la palabra del diablo y la de los condenados, y al cabo la del Desengaño, ahora tiene que escuchar la voz de los muertos.

Si prescindimos de juegos y exageraciones, hay que admitir la sinceridad del autor cuando juzga condenables ciertas gentes y costumbres, y es consciente de que él y no Dios tomó asiento en el trono del *Juicio final*, de que era su voz la que se oía desde el *Alguacil endemoniado* y en boca de los diablos que pueblan el *Infierno*, y de que su propio desengaño es el que nos aleccionaba en *Mundo*. En esta ocasión, aunque la "Muerte predicadora" sirva también de portavoz momentáneo, la metamorfosis quevediana es más compleja porque los "muertos" que visita, cuyas quejas escucha y dicta, nunca tuvieron vida, por mucho que a veces tracen su autobiografía. Si en *Mundo* se materializan los conceptos, aquí toman entidad las supuestas ánimas de unos refranes que el autor juzga periclitados, vacíos.

¿Cuál puede ser la razón de que juegue la carta del absurdo, deforme las imágenes habituales, 'gongorice' con las ideas y parezca obsesionado por el valor de las palabras, como acertadamente ha observado R. M. Price? Cuando comenzó a denunciar las actitudes y conductas reprobables, le reprocharon sus audacias expresivas, la falta de respeto a las formas establecidas, el quebrantamiento del tabú. No quisieron admitir que el pastelero fuese símbolo del fraude, el sastre del robo, el alguacil y el juez de una justicia envilecida por el oficio interesado y el cohecho, la mujer hermosa y el cornudo del comercio con la honestidad, y todos, sucesivamente, símbolos del pecado; lo mismo que cuando aplicó el estigma infamante a gentes reunidas bajo nuevos signos, bufones, herejes o los que no supieron pedir a Dios. Quevedo avanza en el conocimiento de que todo es engaño y engañoso, y de que la verdad, para él sólo una y contenida en las Sagradas Escrituras, es incesantemente falseada por la codicia, la ambición, la cobardía y por la peor de las conductas, la hipocresía, que utiliza las apariencias de la verdad. Advierte que se han trastocado los términos, que los exponentes de la virtud, palabras y gestos, pretenden ocupar el puesto de la propia virtud, y de hecho la suplantan, como la justicia se identifica con una vara rematada en cruz. Y arremete contra las apariencias falaces, contra el disfraz de los gestos y de las palabras, que sólo encubren la ruindad humana, deformándolos, agitándolos como fantoches, con una técnica que anticipa ciertas maneras de los esperpentos de Valle Inclán.

Aunque la narración está construida en apariencia conforme al patrón ya establecido en los tratados precedentes, Quevedo inserta un episodio extravagante cuyos protagonista y contenido se salen de la tónica general. Enrique de Villena es el único personaje arrancado de la vida real y las preguntas que hace sirven de pretexto para que el autor enjuicie la situación económica de España, el "estado de la honra", la incapacidad y venalidad de los letrados y el papel que juegan Venecia y los venecianos. El panorama es desolador, pero como la esperanza nunca se pierde, Quevedo proclama la que tiene puesta en Felipe IV, y la remacha con los dichos que atribuye a los fabulosos Agrages y Pero Grullo. ¿Era ésta la causa que le movió a escribir el *Sueño de la muerte*? Lo evidente es que desde las alusiones a una realidad concreta, ya señaladas en *Juicio* y *Alguacil*, los dos sueños intermedios no tienen o no conservan referencias directas y explícitas al momento en que se redactaron.

Salvado este inciso, el cuerpo del relato está protagonizado por figuras del refranero y aun por refranes antropomorfos. Algunas, como Juan de la Encina y Vargas el averiguador, tuvieron vida cierta, pero Quevedo no lo tiene en cuenta; otras proceden del censo literario, así Calaínos y Lanzarote; no obstante, la mayoría proviene del incierto y complicado mundo folklórico. Con la ayuda del *Vocabulario de refranes* que juntó el maestro Gonzalo Correas (de consulta más fácil que las recopilaciones de Mal Lara, Hernán Núñez y demás paremiólogos de aquellas fechas o anteriores) hemos identificado no solamente los refranes y dichos que aquí se manejan, sino también los que utilizó el autor a lo largo de todo el libro con su significado habitual. El buen número de los que hallamos sin necesidad de pasar el texto por un más estrecho tamiz, demuestra que el poeta no los rechazó de manera sistemática; desaprueba, sí, el abuso, como don Quijote, y bien que lo demostró en el entremés del *Viejo celoso,* pero, sobre todo, capta perfectamente la inconsistencia de algunas expresiones acuñadas cuando se interpretan con un sentido recto ("tomar las de Villadiego" y "eso no, Miguel de Bergas", pueden servir de ejemplo), advierte el aprovechamiento burlesco y satírico que puede obtener a poco que apure la lectura (la queja de Mateo Pico es harto ilustrativa: "¿qué dijo Mateo Pico, que luego andáis si dijera más, no dijera más? ¿Cómo sabéis que no dijera más Mateo Pico?") y las contradicciones que pueden surgir de un entendimiento libre y bien aderezado (las intervenciones de Juan de la Encina y de Pero Grullo sirvan de modelo). Empero el manejo de las frases varía de continuo: la vaguedad del "como dijo el otro" vale para fustigar a los ignorantes, habladores y calumniadores, el dicho sobre el ánsar de Cantimpalos para forjar un chiste, los tocantes al alma de Garibay y a la manceba del abad para denunciar un estúpido ánimo de crueldad, y el de Juan de buen alma para resaltar lo inadecuado de su empleo. Debe notarse, sin embargo, que muchos de sus personajes responden a la imagen popular (Chisgarabís, Diego de Noche, etc.) y que otros renuncian a exponer agravios, acaso porque don Francisco entendía que se trataba de prototipos bien definidos, cualesquiera que fuese su nombre o circunstancia.

Las escenas se suceden con rapidez y bien engarzadas; la multitud de gentes y gentecillas que pueblan el sueño tienen una personalidad más acusada que de costumbre, unos en virtud de retratos magistrales (véase Dueña Quintañona y fray Jarro) y otros en función de sus propias palabras o de los comentarios del autor; el diálogo, aunque todavía peca de discursivo, encierra mayor variedad de ideas, concentradas a menudo en frases restallantes o desgranando una secuencia de agudezas y equívocos. En suma, la agilidad narrativa, el dinamismo de la acción y el dominio del lenguaje, están declarando a voces los años transcurridos desde los primeros discursos y la madurez alcanzada por el autor. A la hora de analizar los *Sueños,* y desde cualquier ángulo que se adopte, siempre habrá de tenerse presente que el libro es un conjunto de escritos empezados hacia 1605, cuando Quevedo tenía veinticinco años, y concluidos en 1622, a los cuarenta y dos de su edad. A fuer de sinceros, tendremos que reconocer que él no lo era cuando quiso justificarse a los ojos de su tía Margarita de Espinosa, achacando estos y otros escritos escandalosos a la efervescencia juvenil, ni cuando al publicarlos enmendados (1631) los intituló *Juguetes de la niñez.*

INCLUSO una lectura somera de los tres primeros sueños permite apreciar que la cólera de Quevedo descarga con preferencia sobre ciertas gentes cuya presencia se reitera. Todos los estamentos están allí representados aunque, naturalmente, la prudencia y unas convicciones arraigadas le obliguen a ser comedido con la iglesia, la nobleza y el trono. La nómina de los menestrales parece ser la más extensa, pero todo el aparato de la justicia y cuanto se relacione con la medicina son objeto de varapalo sin que nadie se libre. Completan ese mundillo los que se dedican al ejercicio de la poesía o a prácticas insólitas, nigromancia y astrología, y unas casi profesiones que la humanidad repudió siempre pero de las que no prescinde, cual son "las mujeres hermosas", los prestamistas y los cornudos. No parece que sean éstas las únicas actividades condenables a su juicio, sino que ellas cifran un estado de cosas, una manera de vivir y de comportarse, que infringe las leyes más sumarias de la moral cristiana. Dispuesto a decir verdades como puños, esas "verdades descubridoras de abusos, vicios y engaños" que proliferan "en todos los oficios y estados del mundo", se las canta sin descanso a unos pocos para que los demás se miren en el espejo y adviertan las propias faltas.

Buena parte del muestrario, si no todo, parece seleccionado por motivos personales. Los cincuenta y cuatro ducados que le reclamó el doctor Fernando de Miraval en 1602, por atenderle durante nueve días como doliente más diecisiete de convalecencia, eran una suma demasiado alta como para olvidarla en mucho tiempo, y, sobre todo, cuando al parecer ya estaba pagada y querían cobrársela de nuevo. Bien pudo estar ahí el germen de su antipatía por los galenos y sus adjuntos. Los muchos pleitos que sostuvo desde bien temprano pudieron engendrar y alimentar su encono contra el aparato judicial, bien que al respecto le hubiera bastado con abrir los ojos, sin necesidad de experiencias personales, que ese era mal del que muy pocos se libraban; ya Vasco Díaz Tanco, más de medio siglo antes, los incluía entre "Los seis aventureros de España, y como el uno va a las Indias, y el otro a Italia, y el otro a Flandes, y el otro está preso, *y el otro anda en pleitos,* y el otro anda en religión. E como en España no hay más gente destas seis personas sobredichas".[7] Y nos extendimos en estos dos puntos porque las diatribas contra unos y otros se repitieron hasta el último de los sueños.

En efecto, la enemiga contra los demás oficiales y estados disminuye o desaparece por completo en los dos discursos postreros, sustituyéndose paulatinamente aquella clasificación casi gremial por otra de conceptos que dictan los mortales con su manera de proceder. Conforme avanzamos en el libro, vemos que ya no se trata de condenar y castigar (más bien de amenazar con tales castigos), sino de observar el comportamiento de las gentes y ponerlo en solfa. No ha cambiado sólo el mecanismo sino la actitud del escritor, cuya santa ira se ha trocado en desengaño. Y precisamente al

[7] Vasco Díaz Tanco, *Palinodia de los turcos, Orense, 1547,* edición facsímil de don Antonio Rodríguez-Moñino, Badajoz, 1947, p. 61 de la introducción.

final, en el último sueño, ni siquiera precisa contemplar directamente la ruin humanidad, de la que se mostró desengañado primero y luego escéptico, le basta con analizar sus dichos tópicos para resaltar antes que su maldad, su estupidez. La indignación se ha convertido en desprecio, el hombre ha comprendido al fin y de veras que no es más que un hombre, y la suma de sus pensamientos determina un itinerario igualmente perceptible en los escritos políticos, desde la *Política de Dios* al *Marco Bruto,* pasando por *La hora de todos.*

YA dijimos que la composición de los *Sueños* se sitúa entre 1605 y 1622, pero salvo un infructuoso intento de publicar el *Juicio final* en 1610, no se imprimieron hasta 1627. Mientras tanto alcanzaron cierta resonancia entre las gentes y bastante difusión a través de copias manuscritas. Junto con las reproducciones más o menos cuidadosas de los buenos aficionados, circularon también las que estuvieron a cargo de escribientes profesionales para abastecer a libreros y curiosos. Véase lo que dicen al respecto Van der Hammen y Sapera en sus introducciones. Quiere decirse que a los inconvenientes naturales de este procedimiento, erratas por lectura defectuosa, distracciones y mala letra que originaba nuevos errores, se fueron sumando las adiciones y omisiones que el gusto particular de cada uno fue introduciendo en los discursos, convertidos en bienes mostrencos. Nuestro querido amigo el Profesor James O. Crosby lleva unos cuantos años trabajando sobre los textos manuscritos para obtener una lección prototipo. La severidad de su criterio, la sistematización científica del trabajo y el profundo conocimiento de la materia, que tiene sobradamente acreditados, garantizan sin duda los resultados que ha de obtener.

Pero, asimismo, desde 1627 existe una tradición impresa que no cabe desestimar porque tuvo su origen, cuando menos, en dos manuscritos y porque el propio Quevedo retocó a veces los textos cuando la censura le obligó a modificar ciertos pasajes. El librero catalán y el vicario de Jubiles, en las respectivas introducciones a *Sueños* y a *Desvelos,* mencionan los códices que poseen, y aunque no todo es tan claro como allí parece, no cabe duda de que para imprimir un texto y para añadir largos pasajes, necesariamente habían de poseer los correspondientes manuscritos.

La versión que nos ha transmitido Juan Sapera presenta deficiencias que son frecuentes en otros códices, algunas privativas del que sirvió de modelo y las que inevitablemente surgirían en la impresión; de las que, por cierto, se anuncia una fe de erratas que no se imprimió. Nuestras notas al texto y el cuerpo de variantes introducidas pueden ilustrar acerca de los defectos menores, los de mayor importancia son la omisión de algunos párrafos en *Infierno* y de dos largos fragmentos en el *Sueño de la Muerte.* El éxito de público fue tan grande que en ese mismo año se reimprimió el libro en Valencia [8] y simultáneamente casi en Zaragoza por Cabarte [9] y Pedro Vergés. [10] Si las dos primeras no merecen mayor atención porque se atuvieron a la edición príncipe, la última requiere un comentario más extenso.

Examinando el índice de contenido y la disposición de los discursos en *Desvelos* se advierte la supresión de dos sueños, la suma de un escrito apócrifo y el hecho de que *Muerte* pase a encabezar el volumen, cuando cronológicamente es el último de los relatos. ¿A qué obedecen tantas alteraciones? Si comparamos las versiones que dan de *Muerte* la edición príncipe y *Desvelos,* el resultado es francamente favorable a la segunda, bien que se perciba la intervención estilística de Vander Hammen: desaparecen ciertas erratas, aunque aparezcan otras, e incorpora unos fragmentos que faltaban en *Sueños.* La intervención depuradora del vicario es casi nula, comparativamente, en los otros dos relatos;

[8] Véase NOTICIA BIBLIOGRÁFICA, n.º 2.
[9] Véase NOTICIA BIBLIOGRÁFICA, n.º 3.
[10] Véase NOTICIA BIBLIOGRÁFICA, n.º 4.

más aún, se vale del texto que imprimió Sapera retocándolo de vez en cuando.

De otra parte, la presencia de cuatro ediciones de los *Sueños* en el año 1627 se ha interpretado simplemente hasta hoy como señal del éxito alcanzado. Desde luego es así, pero conviene ver los datos más de cerca y con mayor cuidado.

Barcelona:	Aprobación de Tomás Roca,	18 enero 1627
	Licencia del Obispo,	6 marzo 1627
	Carta de Sapera,	31 marzo 1627
Valencia:	Aprobación de I. Novella,	10 mayo 1627
	Licencia,	14 mayo 1627
Zaragoza, Cabarte:	Aprobación,	10 mayo 1627
	Licencia,	19 mayo 1627
Zaragoza, *Desvelos*:	Aprobación,	31 mayo 1627
	(no lleva licencia).	

A poco que se observen esas fechas, sobre todo el corto plazo que separa las cinco últimas, veintiún días, se advierte que nos encontramos ante lo que hoy se llamaría un "best-seller", tras de cuyas huellas frescas se precipitan el impresor de Valencia y los dos de Zaragoza. Un hecho normal, pero no lo es tanto que en una misma ciudad dos editores pugnen por el triunfo imprimiendo poco menos que al mismo tiempo, con un ligero retraso por parte del que componía *Desvelos*. Ahora bien, la edición de Cabarte repetía la versión de Barcelona, mientras que Pedro Vergés jugaba la importante baza de ofrecer un texto más acabado de *Muerte*. La competición entre ambos, o entre los libreros que corrían con los gastos, y la ventaja de fechas que Cabarte llevaba, hubo sin duda de contar en la primacía que se concedió a *Muerte*, en la inclusión del escrito apócrifo que suponía otra novedad, por más que fuera falsa, y muy posiblemente en la supresión de *Alguacil* y *Mundo* para ganar tiempo.

Un año más tarde salen a luz una segunda edición valenciana [11] y otra barcelonesa [12] que anuncian un texto "corregido y emendado agora nueuamente por el mismo Autor, y añadidas muchas cosas, singularmente en el Sueño de la Muerte, y a la fin va la Casa de Locos de Amor y Prematica del Tiempo". En realidad, lo único que han hecho es corregir la edición primitiva con arreglo a la lección de *Desvelos,* y sustituir los escritos finales de la edición *princeps* prohijando el escrito espurio. En lo sucesivo todos se limitarán a copiar los textos mejorados; y aunque la difusión decayó al surgir la versión 'oficial' de *Juguetes* —de la que luego nos ocuparemos— llegando a sufrir un largo eclipse, una débil línea de continuidad mantuvo la tradición impresa de *Sueños,* que alcanza los primeros años del siglo XIX con los tomitos que tiraba en Barcelona la veterana casa de los Piferrer.

Los enemigos de Quevedo, quizás a causa del extraordinario éxito que obtenía la obra y explotando el escándalo que produjo entre las gentes miopes y timoratas, acabaron por forzar la intervención del Santo Oficio. El fruto de sus diligencias fue la renovada versión de *Juguetes,* [13] que apareció en 1631. Los evidentes rastros que en ella se advierten de la impresión de Barcelona 1628 permiten sospechar que el censor debió de tachar sobre un ejemplar de aquella edición los pasajes y vocablos que le parecían irreverentes; luego el autor, punto menos que improvisando, rellenó huecos y trató de mantener la ilación. El cotejo de ambas versiones pone de manifiesto la desgana o precipitación con que a menudo se hicieron los arreglos, dando lugar a incoherencias gramaticales y textuales (Júpiter resulta vendido por Judas), que solamente se comprenden imaginando que la palabra censurada se suplía sobre la

[11] Sveños, / y Discursos... / En Valencia, Por Iuan Bautista Marçal, junto / a San Martin. 1628. / A costa de Claudio Mace mercader de libros, junto / al Colegio del Patriarca. [8] + 124 ff.

[12] Véase NOTICIA BIBLIOGRÁFICA, n.º 5.

[13] Véase NOTICIA BIBLIOGRÁFICA, n.º 6.

marcha, sin leer tan siquiera la frase de que formaba parte. Por el contrario, en algunas ocasiones corrigió pequeños errores de la edición príncipe, y lo más curioso es que casi nunca empleó la palabra en que los manuscritos se muestran contestes, sino que utilizó un término semejante, como si recordase la intención que quiso dar a la frase y la reconstruyera de memoria. Como el volumen quedaba sensiblemente disminuido, Quevedo redactó nuevos fragmentos para compensar aquellas mermas. No cabe hacer aquí un estudio comparativo de las dos versiones y lo dejamos para ocasión más oportuna.

A partir de este momento, y hecha salvedad de la débil corriente que mantenía la tradición textual de *Sueños,* tan sólo se difunde la versión 'castigada' de *Juguetes.* Las desastrosas impresiones españolas de fines del siglo XVII y buena parte del XVIII, copiándose las unas a las otras sucesivamente, corrompieron el texto cada vez más. Luego comenzó una tímida tarea de corrección que alcanza su más alto nivel con las impresiones de Ibarra, Sancha y Rivadeneyra; pero tan benemérita labor quedaba ensombrecida por la libre incrustación de palabras y frases procedentes de la versión de *Sueños,* que al hacerse caprichosamente y sobre la versión de *Juguetes,* ni restauraba ésta conforme a la lección de 1631, ni reconstruía de veras la lección primitiva. Tal mescolanza de textos llegó a su apogeo con la edición que Astrana Marín hizo de la obra quevediana; la primera que ofreció de los *Sueños* era pura y simplemente la versión de Fernández-Guerra modificada con las variantes que don Aureliano puso a pie de página o reunió al final del tomo XXIII (pp. 535-541) de la Biblioteca de Autores Españoles. Y si más adelante recurrió a los manuscritos con un regular tino literario, lo estropeó con maneras totalmente acientíficas.

FELIPE C. R. MALDONADO

NOTICIA BIBLIOGRÁFICA

MANUSCRITOS

La tradición manuscrita constituye una rama independiente que requiere un estudio especial y ajeno a nuestros fines, según hemos comentado al final de nuestra introducción. No obstante, diremos que una nómina provisional de los códices conocidos puede hallarse en la edición de Don Francisco de Quevedo y Villegas, *Obras completas,* tomo II, *Verso,* Aguilar, Madrid, 1932, pp. 1301-1303, y asimismo en el trabajo de Juan Antonio Tamayo, *El texto de los* Sueños *de Quevedo,* pp. 478-480. La relación de manuscritos correspondientes al *Sueño del infierno* puede verse en la edición que Amédée Mas hizo con el título de *Las zahúrdas de Plutón,* p. 9.

IMPRESOS

Ediciones antiguas más importantes

Quevedo escribió los *Sueños* desde 1605 a 1622, aproximadamente, conforme a la fecha que llevan un manuscrito del primer discurso y la dedicatoria que puso al último, pero el conjunto no se imprimió hasta 1627. El librero catalán Juan Sapera lo hizo estampar a su costa en Barcelona y debió de sacarlo a la venta por abril de aquel año, ya que la última fecha consignada en el volumen es la dedicatoria del editor al doctor Juan Coll, canónigo de la Seo de Urgel, a 31 de marzo de 1627. Esta es la descripción del libro:

1) SVEÑOS / Y DISCVRSOS / DE VERDADES DES- / CVBRIDORAS DE ABVSOS, / Vicios, y Engaños, en todos los Oficios / y Estados del Mundo. / *Por Don Francisco de Queuedo Villegas, Cauallero del Orden / de Santiago, y Señor de Iuan Abad.* / Al Doctor Iuan Coll Canonigo de la Illustre Iglesia Ca- / tredal [*sic*] de la Seo de Vrgel. / *En la fin del Libro se hallarà todo lo que contiene.* / Año [*Grabado de una mano sujetando un halcón por las patas*] 1627. / Con Licencia y Priuilegio: En Barcelona por Esteuan Li- / beros en la Calle de Santo Domingo. / *A costa de Ioan Sapera Librero.* No lleva colofón.
[8] + 136 ff. Registros: ¶8, A-R8.

Los ocho primeros folios sin numerar comprenden la portada y preliminares; el texto corre a lo largo de los 136 ff. numerados con arreglo a la siguiente tabla:

El Sueño del Juicio final ... ... fol. 1
El Alguacil endemoniado ... ... fol. 11
Sueño del Infierno ... ... fol. 23
El mundo por de dentro ... ... fol. 62
Sueño de la muerte ... ... fol. 79
Cartas del Caballero de la Tenaza ... ... fol. 118
El cabildo de los gatos ... ... fol. 129
Nacimiento del Autor ... ... fol. 133
Tabla ... ... fol. 136.

Hemos prescindido de los tres últimos artículos porque no forman parte de los *Sueños* y fueron cambiados cuando así convino a los impresores. Se ha manejado el ejemplar de la Biblioteca Nacional de Madrid, R/8771.

2) Sveños, / y Discvrsos / de verdades descv / bridoras de abvsos, / Vicios, y Engaños, en todos los / Oficios, y Estados del / Mundo. / *Por Don Francisco de Queuedo Villegas, / Cauallero del Orden de Santiago, / y Señor de Iuan Abad.* / En la fin del Libro se hallarà todo lo q̄ contiene. / [*Grabado*] / Con Licencia, / En Valencia, Por Iuan Bautista Marçal, junto / a San Martin. 1627. / *Vendense en casa de Christoual Garriga mercader de / Libros, junto al Colegio del Señor Patriarca.*

[8] + 116 ff.

Con algunas variantes, repite la edición de Barcelona, 1627.

3) Sveños, / y Discvrsos... 1627 / Con Licencia. / ——— / En Çaragoça, por Pedro Cabarte, Impressor / del Reyno de Aragon. / *Vendense en casa Matias de Liçao menor, en la calle de / la Cuchilleria.*

[4] + 126 ff.

Repite la edición *princeps* con bastantes enmiendas de tono menor. Asimismo, suprime *El cabildo de los gatos* y el *Nacimiento del autor.*

4) Desvelos / soñolientos, / y verdades / soñadas. / Por Don Francisco de Queuedo Ville- / gas, Cauallero del Orden de Santia- / go, y Señor de la Villa de / Iuan Abad. / *Corregido y enmendado / agora de nueuo, por el mismo Autor, y aña- / dido vn tratado de la Casa de Lo- / cos de Amor.* / [*Grabadito*] / *Con licencia en Zaragoa* [*sic*] / ——— / Por Pedro Verges. Año 1627. / ——— / Vendese en casa de Roberto Duport en la Cuchilleria.

[4 ff.] + 191 pp.

Se atiene a la edición *princeps,* pero introduce bastantes correcciones y largos pasajes allí omitidos. Véase nuestro comentario al final de la introducción.

5) Sveños / y Discvrsos, o / Desvelos Soñolientos / de verdades soñadas descubridoras de Abu- / sos, Vicios, y engaños en todos los Oficios, / y Estados del Mundo. / *Por D. Francisco de Queuedo Villegas, Cauallero del Orden / de Santiago, y señor de la villa de Iuan Abad.* / Al Doctor Iuan Coll Canonigo de la Illustre Catredal de la / Seo de Vrgel. / *Corregido, y emendado agora nueuamente por el mis- / mo Autor, y añadidas muchas cosas, singularmente / en el Sueño de la Muerte; y a la fin va la Casa / de los Locos de Amor, y Prematica / del Tiempo.* / En la pagina siguiente se hallarà todo lo que contiene. / Año [*Grabadito*] 1628. / Con Licencia, y Priuilegio: En Barcelona, por Pedro Lacava- / lleria, en la calle den Arlet, junto la Libreria. / ——— / *A Costa de Iuan Sapera Librero.*

[12] + 120 ff.

Como ya dijimos en la introducción, enmendó el texto de la edición príncipe conforme al ofrecido por *Desvelos* (n.º 4), cuya huella se advierte incluso en la portada que hemos transcrito.

6) Ivgvetes / de la Niñez, / y Travessvras / del Ingenio. / de Don Francisco de / Queuedo Villegas, Cauallero de la / Orden de Santiago. / *Hasta aora impressas por la / codicia de los Libreros. Aora corregidas de los des- / cuidos de los trasladadores, è Impressores, en- / teras, y añadidas de lo que faltaua, y / conformes a su original.* / Año [*Grabadito*] 1631. / Con Privilegio, / ——— / *En Madrid,* Por la Viuda de Alonso Martin. / *A costa de Domingo Gonçalez, Mercader de Libros.*

[8] + 184 ff.

Es la primera edición del texto rehecho por el autor para suplir las tachaduras de la Inquisición, y el que en líneas generales ha prevalecido hasta la fecha.

Principales ediciones modernas

7) *Obras de don Francisco de Quevedo Villegas. Colección completa corregida, ordenada e ilustrada por don Aureliano Fernández-Guerra y Orbe,* t. I, Madrid, 1845, pp. 293-349.

Fernández-Guerra se basó en la edición de Sancha (Madrid, 1791), pero se valió de otras ediciones más antiguas y de algunos manuscritos para restaurar pasajes que todavía permanecían corrompidos, anotó buen número de las variantes que presentaba una edición de Pamplona, 1631 (conforme a la tradición textual de *Sueños*), y las de algunos manuscritos que pudo consultar, y apostilló el texto con abundantes notas que siguen siendo válidas en su mayor parte. No obstante la fecha que indicamos, correspondiente a la primera edición, la *Biblioteca de Autores Españoles* no ha dejado de reproducir sus fondos antiguos, por lo que esta obra, tomo 23 de la colección, sigue siendo asequible.

8) *Quevedo. Los Sueños. Edición y notas de Julio Cejador y Frauca,* Madrid, Espasa Calpe, 1916-1917, 2 vols. ("Clásicos Castellanos", 31 y 34).

Cejador se apropió dèl texto y de las notas que preparó Fernández-Guerra para la *BAE,* tomo 23 antes citado, copiándole casi literalmente, pero añadió algunas notas propias de valor muy desigual. Asimismo es edición que sigue reimprimiéndose.

9) *Obras completas de don Francisco de Quevedo Villegas: Obras en prosa.* Edición de Luis Astrana Marín, Madrid, M. Aguilar, 1932.

Confeccionó una caprichosa versión de los *Sueños,* basada en la lección de Fernández-Guerra, introduciendo cuando se le antojaba las variantes que daba éste a pie de página o en el cuerpo general de las últimas páginas del tomo 23 de *BAE*; otras alteraciones proceden de manuscritos de la Biblioteca Nacional y de la Academia de la Historia. En sucesivas ediciones dio preferencia a la taracea de fragmentos manuscritos, pero sin más criterio que el gusto personal. Las ediciones recientes se han encomendado a Felicidad Buendía, sin que por ello el texto haya mejorado gran cosa, incluso a veces ha prescindido de las intercalaciones acertadas de Astrana.

10) *Quevedo. Las Zahúrdas de Plutón (El sueño del infierno).* Edition critique et synoptique par Amédée Mas, Poitiers, 1955.

Es la primera y única edición crítica, el mayor esfuerzo estimable que hasta la fecha se hizo para restaurar el texto de un *sueño.* Obra imprescindible para el estudio de *Infierno* y de la que nos hemos servido sin vacilar por la garantía científica que ofrece. Dejemos constancia de nuestra gratitud al Profesor Amédée Mas por el provecho que obtuvimos de su magnífico trabajo.

BIBLIOGRAFÍA SELECTA
SOBRE LOS *SUEÑOS*

Alarcos García, Emilio: "El dinero en las obras de Quevedo", en *Homenaje al Profesor Emilio Alarcos García,* Valladolid, I (1965), pp. 375-442.

———: "Quevedo y la parodia idiomática", en *Homenaje* cit., pp. 443-472.

Aranguren, José Luis L.: "Comentario a dos textos de Quevedo", en *Revista de Educación,* Madrid, 10 (1955), n.os 7/8, pp. 59-67.

Asensio, Eugenio: "Hallazgo de Diego Moreno, entremés de Quevedo, y vida de un tipo literario", en *Hispanic Review,* 27 (1959), pp. 397-412.

———: *Itinerario del entremés desde Lope de Rueda a Quiñones de Benavente,* Madrid, Gredos, 1965, pp. 177-245.

Bergamín, José: *Fronteras infernales de la poesía,* Madrid, Taurus, 1959, pp. 123-143.

Bershas, H. N.: "Three expressions of cuckoldry in Quevedo", en *Hispanic Review,* 28 (1960), pp. 121-135.

Berumen, Alfredo: "La sociedad española según Quevedo y las Cortes de Castilla", en *Abside,* México, 16 (1952), pp. 321-343.

Brögelmann, Herta: *Die französischen Bearbeitungen der* Sueños *des Don Francisco de Quevedo von 1637-1759* (Tesis presentada en la Universidad de Gotinga, 1959, que no hemos podido ver).

Castro, J. A.: "Estructura y estilo de los *Sueños* de Quevedo", en *Anuario de Filología,* Maracaibo, 1 (1962), pp. 73-85.

Crosby, James O.: "A new *Sueño* wrongly attributed to Quevedo", en *Hispanic Review,* 31 (1963), pp. 118-133.

Crosby, James O.: "The poet Claudian in Francisco de Quevedo's *Sueño del Juicio Final*", en *Papers of the Bibliographical Society of America,* New York, 55 (1961), pp. 183-191.

——: "Un Sueño desconocido", en *Nueva Revista de Filología Hispánica,* México, 14 (1960), pp. 295-306.

——: *En torno a la poesía de Quevedo,* Madrid, Castalia, 1967, pp. 207-218.

Cvitanovic, Dinko: "Hipótesis sobre la significación del sueño en Quevedo, Calderón y Shakespeare", en *El sueño y su representación en el Barroco español,* Bahía Blanca, Instituto de Humanidades, 1969, pp. 9-89.

Del Piero, Raúl A.: "Algunas fuentes de Quevedo", en *Nueva Revista de Filología Hispánica,* México, 12 (1958), pp. 36-50.

Durán, Manuel: "El sentido del tiempo en Quevedo", en *Cuadernos Americanos,* México, 13 (1954), pp. 273-288.

——: *Motivación y valor de la expresión literaria en Quevedo* (Tesis presentada en la Universidad de Princeton, 1953, que no hemos podido ver).

Fernández, Sergio: "El inmanentismo del *Infierno* de Quevedo", en *Filosofía y Letras,* México, 23 (1952), pp. 175-182.

Frattoni, O.: "Para la lectura de un *Sueño* de Quevedo", en *Boletín de Literaturas Hispánicas,* Rosario, 1959, núm. 1, pp. 29-38.

Glaser, Edward: "Referencias antisemitas en la literatura peninsular de la Edad de Oro", en *Nueva Revista de Filología Hispánica,* México, 8 (1954), pp. 44-46 y 61.

Goldenberg, Barbara B.: *Quevedo's* Sueños: *a stylistic analysis* (Tesis presentada en la Universidad de Columbia). Resumen en *Dissertation Abstracts,* 12 (1952), pp. 62-63.

Iventosch, H.: "Quevedo and the defense of the slandered", en *Hispanic Review,* 30 (1962), pp. 94-115 y 173-193.

Jan, E. von: "Die Hölle bei Dante und Quevedo", en *Deutsches Dante Jahrbuch,* 30 (1951), pp. 19-40.

Haley, George: "The earliest dated manuscript of Quevedo's *Sueño del Juicio Final*", en *Modern Philology,* 67 1970), pp. 238-262.

Levisi, Margarita: "Las figuras compuestas en Arcimboldo y Quevedo", en *Comparative Literature,* Eugene, Oregon, 20 (1968), pp. 217-235.

Levisi, Margarita: "Hieronymus Bosch y los *Sueños* de Francisco de Quevedo", en *Filología,* Buenos Aires, 9 (1963), pp. 163-200.

———: *Los* Sueños *de Quevedo. El estilo, el humor, el arte* (Tesis presentada en la Ohio State University. Resumen en *Dissertation Abstracts,* 25 (1964-1965).

Lida, María Rosa: "Para las fuentes de Quevedo", en *Revista de Filología Hispánica,* México, 1 (1939), p. 369.

Lida, Raimundo: "Dos *Sueños* de Quevedo y un prólogo", en *Actas del segundo Congreso Internacional de Hispanistas,* Nimega, 1967, pp. 93-107.

———: "Hacia la *Política de Dios*", en *Filología,* Buenos Aires, 1968-1969 ("Homenaje a don Ramón Menéndez Pidal"), pp. 191-203.

Martinengo, Alessandro: *Quevedo e il simbolo alchimistico: Tre studi,* Padua, Liviana, 1967.

Mas, Amédée: *La caricature de la femme, du mariage et de l'amour dans l'oeuvre de Quevedo,* Paris, ed. Hispano-Americanas, 1957.

———: "La critique interne des textes", en *Bulletin Hispanique,* Burdeos, 66 (1964), pp. 17-29.

———: Quevedo. *Las zahúrdas de Plutón.* Édition critique et synoptique, Poitiers, 1955.

Morreale, Margarita: "La censura de la geomancia y de herejía en *Las zahúrdas de Plutón,* de Quevedo", en *Boletín de la Real Academia Española,* 38 (1958), pp. 409-420.

———: "Luciano y Quevedo: la humanidad condenada", en *Revista de Literatura,* Madrid, 8 (1955), pp. 213-227.

———: "Quevedo y el Bosco: una apostilla a los *Sueños*", en *Clavileño,* Madrid, núm. 40, pp. 40-44.

Müller, Franz Walter: "Allegorie und Realismus in den *Sueños* von Quevedo", en *Archiv für das Studium der neueren Sprachen und Litteraturen,* 202 (1965), pp. 231-346.

Nolting-Hauff, Ilse: *Vision, satire und pointe in Quevedos* Sueños, Munich, Wilhelm Fink Verlag, 1968.

Price, R. M.: "Quevedo's satire on the use of words in the *Sueños*", en *Moderne Language Notes,* 79 (1964), pp. 169-180.

Rider, Alice E.: *Forms of ironic expression in Quevedo's* Sueños (Tesis presentada en la Universidad Católica de América, Washington, 1959, que no hemos visto).

Rovatti, Loretta: "Struttura e stile nei *Sueños* di Quevedo", en *Studi Mediolatini e volgari,* Pisa, 15-16 (1968), pp. 121-167.

Sebold, Russell P.: "Torres Villarroel, Quevedo y el Bosco", en *Insula,* Madrid, núm. 159 (1960).

Serrano Poncela, Segundo: "Los *Sueños*", en *Papeles de Son Armadans,* Palma de Mallorca, 23 (1961), pp. 32-61.

Spitzer Leo: "Un passage de Quevedo" en *Revista de Filología Española,* Madrid, 24 (1937), pp. 223-225.

Tamayo, Juan Antonio: *Las ediciones ilustradas de los* Sueños *de Quevedo,* Madrid, Instituto Nacional del Libro Español, 1945.

———: "El texto de los *Sueños* de Quevedo", en *Boletín de la Biblioteca Menéndez Pelayo,* Santander, 21 (1945), pp. 456-493.

Testas, Guy: *L'Enfer dans les "Songes" de Quevedo* (Tesis presentada en la Universidad de París, 1965, que no hemos visto).

NOTA PREVIA

NUESTRA edición tiene como texto base el de la príncipe, Barcelona 1627, a la vista del ejemplar que se conserva en la Biblioteca Nacional de Madrid (R/8771). La versión que nos ofrece aquella primera impresión tiene, como todas, defectos que se podrían clasificar así:

a) errores tipográficos, que pueden subsanarse con facilidad por regla general.

b) deterioros que acaso estuvieran ya en el manuscrito que servía de original o que resultaron de una lectura deficiente del tipógrafo, como *ojos* por *ojas* (hojas), *quedó* por *quãdo* (cuando), *venimos* por *reñimos,* etc.

c) adulteraciones que sin lugar a dudas provienen del original manuscrito, puesto que otros las comparten; sirvan de muestra dos casos típicos: en *Juicio final* (p. 74) dice la *princeps*: "Yo veía todo esto de una cueva muy alta", y en *Desvelos*: "...de una cuesta muy alta", lección correcta; también dice que el licenciado Calabrés era "gran cazador de diablos", error que corrigió el propio Quevedo en *Juguetes*: "gran lanzador de diablos", como corresponde a quien los saca del cuerpo. La mayor dificultad que ofrecen tales erratas es que a menudo el contexto sigue teniendo un sentido; así sucede con los malos soldados de *Infierno* (p. 111), a quienes se da crédito en lo de los tragos que han pasado, "porque hacíanse recuas de mosquitos que les rodeaban las bocas"; sin embargo, los borrachines fueron creídos "porque hacían fe recuas de mosquitos...", como hemos enmendado contra todas las lecciones.

d) defectos graves, que comparten los manuscritos (véase nuestra nota 59 de *Infierno*), y omisiones considerables, privativas del que servía de modelo; tal es el caso de los pasajes que faltan en *Muerte,* y que no cabe imputar al impresor, porque cuando Juan Sapera hizo la segunda edición copió al pie de la letra lo suplido en *Desvelos,* sin recurrir a una fuente propia de la que se hubieran saltado unos fragmentos por distracción.

Por consiguiente, y de manera sistemática, hemos cotejado palabra por palabra el texto íntegro de las tres ediciones cardinales (*Sueños,* Barcelona, 1627, *Desvelos,* Zaragoza, 1627, y *Juguetes,* Madrid, 1631) observando que *Sueños* y *Juguetes* no presentan entre sí grandes diferencias, a excepción de las partes 'castigadas' por causa de la censura; *Sueños* y *Desvelos,* por el contrario, acusan disparidades abundantes de carácter estilístico, que hemos rechazado en su totalidad, o poco menos, por cuanto el mismo Van der Hammen confiesa su intervención. Como las omisiones de *Sueños* fueron subsanadas por todos con arreglo a *Desvelos,* y no había otra fuente, también nosotros hemos acudido a ella pero de manera directa.

La comparación textual, así como una lectura minuciosa y reiterada, sirvieron para poner de manifiesto los que llamaríamos puntos conflictivos, originados por lecciones dispares, oscuridad del pasaje, no achacable al autor, o evidente corrupción. En los casos más difíciles hemos recurrido a las restantes impresiones coetáneas, bien que con poco fruto por la puntualidad con que seguían a las que ya estábamos manejando; también acudimos a la edición de Fernández-Guerra como elemento de consulta y, desde luego, a *Las Zahúrdas* editadas por A. Mas. Así fuimos salvando, en la medida que nos era posible, las que parecían deficiencias palpables, aunque ciertas notas recojan nuestra perplejidad frente a problemas que no acertamos a resolver. Ahora bien, frente a variantes de términos análogos o cuando la enmienda no resultaba evidente, hemos respetado la letra de *Sueños*. En tales casos, cuando la variante ofrecía interés, la hemos registrado a pie de página y comentado a veces.

Es obvio que la fidelidad literal a la edición príncipe hubiera sido muy útil para cierta clase de estudios, pero también lo es que advertir los errores y no enmendarlos, fuera necedad y un pésimo servicio a la mayoría de los lectores. Sin embargo, para quienes deseen reconstruir el texto primitivo y como advertencia de cuanto alteramos, todas las palabras, frases y trozos que no figuran en la lección original están escritos en letra cursiva, y al final del libro, en un registro de variantes, se consigna la lectura sustituida y la fuente de la enmienda. Digamos también que las poquísimas palabras que hemos retirado sin ofrecer otras, los blancos producidos en el texto, se representan con unos puntos suspensivos entre corchetes [...], asimismo recogidas en el cuerpo de variantes. Por lo tanto, la presencia de la letra cursiva o del signo mencionado, están avisando de que se ha modificado la lección primitiva.

Tan sólo se aclaran los vocablos que no figuran en el diccionario de la Real Academia Española, o se precisa el valor cuando tienen diferentes acepciones que pudieran equivocar el sentido, sobre todo en palabras poco usuales. Se ha modernizado la ortografía, puntuación y acentuación. De otra parte, los comentarios de nuestra introducción y las notas al texto pretenden esclarecerlo en sus líneas generales, pero sin abordar, ni muchísimo menos, todos los problemas que presenta su interpretación. El propósito fundamental fue conseguir una versión mejorada —a buen seguro, mejorable y discutible— de la primera edición, apta para trabajar en determinados aspectos y a un tiempo desembarazada para el curioso lector, al cual, en definitiva, se dirigía el autor; no lo olvidemos.

Y como la ingratitud es un feo vicio, propia de diablos soberbios según nos dice Quevedo, dejemos clara constancia de nuestro agradecimiento por la generosidad con que el Profesor James O Crosby nos ha permitido no tan sólo usar sus libros y microfilmes, sino, sobre todo, aprovecharnos de la experiencia y de los conocimientos que adquirimos trabajando a su lado.

F. C. R. M.

SVEÑOS, Y DISCVRSOS DE VERDADES DES- CVBRIDORAS DE ABVSOS,

Vicios, y Engaños, en todos los Oficios y Estados del Mundo.

Por Don Francisco de Queuedo Villegas, Cauallero del Orden de Santiago, y Señor de Iuan Abad.

Al Doctor Iuan Coll Canonigo de la Illustre Iglesia Catredal de la Seo de Vrgel.

En la fin del Libro se hallarà todo lo que contiene.

Año  1627

Con Licencia y Priuilegio: En Barcelona por Esteuan Liberos en la Calle de Santo Domingo.

A Costa de Ioan Sapera Librero.

APROBACIÓN

Estos tratadillos de diferentes argumentos, que han sido preciados por hombres doctos y leídos con mucho gusto por curiosos y amigos de buenas letras, procuran salir a luz con título de *Sueños de verdades descubridoras de abusos, engaños y vicios en todos los géneros de estados y oficios del mundo*, por don Francisco de Quevedo Villegas, &c. Y para este efecto los he reconocido y examinado, por mandado y comisión del excelentísimo señor Obispo de Barcelona, y digo que, conforme van en el original que yo he censurado, pueden salir en público por la impresión sin peligro, por no haber en ellos cosa contraria a la fe católica ni buenas costumbres. Antes bien, tengo por cierto que de la agudeza de ingenio, fértil de tan varia erudición, declarada con lenguaje tan limado y terso, quedarán contentos los que leyeren, y, aun los que bien saben, aprenderán muchas cosas de provecho. Éste es mi parecer, y en testimonio, firmé de mi mano esta cédula en Santa Catalina Mártir de Barcelona, a 18 de enero, 1627.

Fray Tomás Roca.

Die 25. mensis Ianuaria 1627. Imprimatur. Io, Episcopus Barcinonis Don Michael Sala, Regens.

LICENCIA

Lo Bisbe de Solsona, Loctinent i Capitá General.

Per quan per part de Joan Sapera, llibreter de la present ciutat, nos es estat referit que desitja imprimir un llibre intitulat *Sueños de verdades descubridoras de abusos, vicios y engaños en todo género de estados y oficios,* compost per don Francisco de Quevedo Villegas, suplicant sia de mercé nostra donar i concedir-li llicencia, atesa la llicencia de l'Ordinari. Per això, ab tenor de la present, de nostra certa ciencia y real autoritat, concedim llicencia al dit Joan Sapera perquè ninguna persona, sens son ordre i llicencia, no els puga imprimir ni vendre sota pena de perdre los motllos i aparells de la impressió; i de cinccents florins or d'Aragó als reals cofres aplicadors, i dels béns dels contrafaents irremisiblement eixidors, conforme més llargament es conté en lo privilegi reial; i que lo present privilegi sia durador per temps de deu anys prop pasats, los quals pasats sia extinta i finida. Dat en Barcelona, a vi de mars, M.DC.XXVII.

El Obispo de Solsona.

Ut, Don Michael Sala, Regens.
Ut, Don Iacobus de Lupia.
&Dominus Regens Thesauri, Michael Pérez.
In diverso loco, xxiii. Fol. cclxxxv.

[*La edición de Barcelona, 1628, intercaló aquí el siguiente envío, procedente de los* Desvelos soñolientos y verdades soñadas, *impresos en Zaragoza, 1627.*]

A DON FRANCISCO JIMÉNEZ DE URREA, CAPELLÁN DE SU MAJESTAD. DON LORENZO VAN DER HAMMEN Y LEÓN, VICARIO DE JUBILES

Remito a v.m. esos *Sueños* del amigo, como prometí, y le aseguro se pueden ahora leer sin escrúpulo, porque los he corregido por los originales que en mi librería tengo, y aun yo mismo he escrito gran parte, como lo dirá la letra. Por ellos verá v.m. como es cierto lo que le afirmé y cuán faltos están esotros, llenos de yerros y con mil convicios. La culpa ha tenido este caballero (como siempre le he advertido) en dejarlos trasladar, pues cada uno ha quitado y puesto, según su antojo, lo que más bien le ha parecido; y en particular los que ganan de comer en esta corte con este género de trabajo. De aquí ha nacido imprimirse algunas de sus obras defectuosas, si bien no por esto dejan de ser celebradas y estimadas; mas merécelo su dueño, porque, a mi juicio, es rarísimo sujeto y tan universal en todo género de letras y lenguas como lo confiesan cuantos le comunican; y lo dicen su *Política,* los comentos y paráfrasis a los trenos de Jeremías y de Anacreonte, la historia de don Sebastián, rey de Portugal, y otros mil libros, que por no cansar a v.m. no refiero.

Entre todos no sé si merecen el primer lugar estos discursos, por su singularidad y artificio y por aquel primor con que mezcla las veras y la corrección de las costumbres con cosas tan de risa, sin embarazar el donaire el fin principal suyo, que es el bien universal y la mejora de las repúblicas. A lo menos, la gran estimación que han hecho de ellos casi todas las naciones de Europa y las más graves y doctas personas de España, parece se lo dan, pues no ha habido cosa tan celebrada. Luz son para todos ojos y manjar que ningún estómago le desechará por delicado que sea, por ir suavizado lo áspero de las verdades con pedazos tan entretenidos como tienen. Tan achacosa es nuestra naturaleza, que aun lo que nos está bien, hemos menester dorarlo y endulzarlo para que aproveche. Los que se precian de vanos y se pierden por andar impresos sus nombres, ya hubieran dado a la estampa estas vigilias, pero su modestia no lo ha permitido, aunque con daño de su reputación. Yerro grande en este siglo, en que sólo se estima la lisonja, la ignorancia y el vicio, y sólo valen los entremetidos y artificiosos embusteros; si bien no con v.m., que tanto honra, estima y premia las letras, la virtud y los méritos. Pero no en todos se hallan las debidas partes y ese claro entendimiento de que el cielo adornó a v.m., para ejemplo de príncipes y enseñamiento de señores.

... ...

Del Doctor don Miguel Ramírez, Aprobación [1]

Por comisión general
de un buen consejo miré
este libro: y no habla mal,
gracia y sal tiene, y a fe
que cura llagas su sal;
contra la fe en nada va,
consejos a tiempos da,
castiga a quien lo merece,
parecerá —si parece—
y, así, imprimirse podrá.

Del Bachiller Pedro de Meléndez, Aprobación

Por comisión general
del Consejo, sin pedirlo,
vi este libro con cuidado,
y está bien; y, bien mirado,
¿quién puede contradecirlo?
Con discreción, sin mentir,
murmura por corregir
algunas malas costumbres,
quita de vicios vislumbres;
y, así, se podrá imprimir.

[1] No hemos conseguido identificar a los firmantes de estas composiciones. Don Manuel Serrano Sanz, en su *Biblioteca de escritoras españolas,* t. II, Madrid, 1905, pp. 41 y 62, recoge los dos nombres femeninos sin más referencia que estos mismos versos. No es imposible que sean obra de Quevedo e imaginarios los supuestos autores.

De doña Raimunda Matilde, décima

Murmurando, decir bien;
diciendo bien, murmurar;
de todos satirizar
y hablar de todos tan bien:
sólo se hallara en quien
al mismo infierno ha bajado.
Y aunque el bien ha deseado
y el mal desterrar procura
es ya tal su desventura
que el mal Que-vedó ha quedado.

Del capitán don José de Bracamonte, dialogístico soneto entre Tomumbeyo Traquitantos, alguacil de la reina Pantasilea, y Dragalvino, corchete

Alguacil. Por el alcázar, juro, de Toledo
y voto al sacro paladión troyano,
que tengo de vengarme por mi mano
y hacer manco del otro pie a Quevedo.

Corchete. Yo a la Santa Inquisición, si puedo,
le tengo de acusar de mal cristiano,
probándole que cree en sueño vano
y que habló con los demonios a pie quedo.

Alguacil. Aquesto, Dragalvino, poco importa;
las verdades que dice tengo a mengua,
saberlas todos esto me deshace
el corazón y alma.

Corchete. Su lengua corta
y publicarlas no podrá sin lengua,
que esto del murmurar la lengua lo hace.

Mas temo, si lo hacemos,
según su pico y lengua me promete,
que fuera una, no le nazcan siete.

De doña Violante Misevea, soneto a todo lector de estos Sueños, en defensa y alabanza del autor

¡Hola, lector! —cualquiera que tú seas—,
si aquestos *Sueños* a leer llegares
y de la vez primera te enfadares,
segunda, por tu vida, no los leas.
Si te tocan y acaso los afeas,
con que sueños son sueños no repares,
que si como *éstos* son los que soñares,
no pecarás, a fe, aunque en sueños creas.
Pero si no te tocan, ve volando
y di a todas las gentes que los gusten,
que el premio es flor que esconde un basilisco.
[...] Que no murmuren más de don Francisco,
ignorantes, ni es bien que a él se ajusten:
durmiendo, sabe él más que otros velando.

EL AUTOR AL VULGO.

Si dices mal de mi sueño,
vulgo, como tal harás;
mas di, que con decir más,
dices bien de él y *su dueño*.
Diga él mal y tú también,
tú de él y él de quien pretende:
que todo, para el que entiende,
le está a su gusto muy bien.
Pues si es tu fin ser Marcial
y decir que es malicioso,
lo alabas por ingenioso
diciendo que dice mal.
Mas, vulgo, pues sé quien eres
a la larga o a la corta,
diga yo lo que me importa
y di tú lo que quisieres.

Al doctor Juan Coll, canónigo de la ilustre catedral de la Seo de Urgel.

No dedico a v.m. este libro para obligarle a que le ampare y defienda, porque además de que eso sería ponerle a v.m. en un inmenso trabajo y muy ajeno de su edad y estado, es cosa que siempre en toda dedicatoria de libros me ha crucificado el entendimiento, teniéndola por tan superflua como lo es el pedir un imposible. Porque el día que el libro sale de la tienda y llega a manos del que le lee, está sujeto a que lo murmure quien quisiere y, lo que es más cierto, quien menos sabe y menos le entiende; y es mal tan viejo, común e irremediable, éste de deslucir y tener en poco los ignorantes tordos a las doctas filomenas, que por esto dijo bien un discreto que era la murmuración, en estas y otras ocasiones, sarna antigua, pegajosa e incurable, de los malos entendimientos y perniciosas voluntades. Y, así, es disparate y pusilanimidad grande hacer caso de esto los que reparan en imprimir y sacar a luz obras buenas y alabadas y calificadas por tales de los doctos y sabios. Además de esto, rogar a los varones ilustres a quien se dedican los libros, que los defiendan y amparen, puesto que no lo han de hacer con la acicalada lengua de la espada, ni es posible, que eso sería obligarles a que como el querubín del Paraíso estuviesen siempre jugándola y volviéndola a una y otra parte sin cesar, es en buen romance pedirles que sean tapabocas o frenos de maldicientes, que eso es pedir no sólo cosa indecente e imposible sino (lo que es más) despertar a los tales a que lo murmuren más. Razón que convenció al rey Filipo, padre de Alejandro, a que no desterrase de sus reinos (como le aconsejaban algunos) a ciertos murmuradores suyos, diciendo que eso era querer añadir leña al fuego y que le murmurasen y aun difamasen más, hasta entre gentes extrañas. Cuanto y más, señor, que este libro es tal que él y su autor ahorrarán a v.m. de este trabajo, pues soy cierto se sabrán defender muy bien ellos mismos con las muchas verdades que saben decir a todos, como lo experimentará quien este libro leyere y se advierte en el *Prólogo al lector*. Sólo, pues, ofrezco a v.m. esta obrecilla, aunque pequeña en cantidad grande en calidad; lo uno porque es v.m. el que entiende y sabe, y así con su nombre va este libro por todo el mundo muy honrado y autorizado; y lo otro, en muestras de agradecimiento y en feudo de mi rendimiento y de que me conozcan todos por hechura suya y su mayor criado en voluntad y afición y deseos de servirle, y que, como a tal, deseo entretenerle y divertirle de sus muchos y muy graves negocios, y acertar a darle gusto, pues sé lo será éste más que cuantas cosas podría ofrecerle; porque siendo el libro tan ingenioso y agudo, es muy conforme al ingenio y erudición de v.m., que es tan grande; y, por otra parte, mi caudal tan corto que, por fuerza, me he habido de valer —para acertar a servirle— de obras ajenas (que son las que a nosotros, libreros, nos hacen bien o mal, daño o provecho) y de las mejores y más calificadas, cuales son éstas y su autor. Y pues estimar voluntades y buenos deseos que engrandecen las más pequeñas obras, descubre rayos de nobleza y de divinidad, reciba v.m. éstos, ya que no el acierto de ellos; cuya persona Dios largos años me guarde, como este su criado ha menester y merece la honra y provecho que ha hecho a su ilustrísimo Cabildo e insigne catedral de la Seo de Urgel, de donde tan méritamente es canónigo.

De esta su casa, hoy a 31 de marzo 1627.

Criado de v.m. Juan Sapera.

AL ILUSTRE Y DESEOSO LECTOR.

PRÓLOGO

Refiérese, no sé si por modo de cuento gracioso y ficticio, que estando una vez muy enfermo un soldado muy preciado de cortés y ladino, entre muchas de sus oraciones, plegarias y protestaciones que hacía, finalmente vino a rematarlas diciendo:

—Y Dios me libre de las manos del señor Diablo.

Tratándole siempre con esta cortesía todas las veces que le nombraba. Reparó en esto último uno de los circunstantes, preguntándole juntamente luego por qué llamaba señor al diablo siendo la más vil criatura del mundo. A que respondió tan presto el enfermo diciendo:

—¿Qué pierde el hombre en ser bien criado? ¡Qué sé yo a quién habré de menester ni en qué manos he de dar!

Digo esto, señor lector, porque supuesto que nuestra lengua vulgar, a diferencia de la latina, tiene un vuesa merced y otros varios títulos, mayormente cuando no se conoce la calidad y estado de la persona con quien se habla, por no parecer *a* nadie descortés, y por el consiguiente, malquisto y aborrecido de todos, me ha parecido tratar a v.m. con este lenguaje y término, bien diferente de cuantos yo he podido ver en todos los prólogos de los libros, al lector, escritos en romance, donde tratan a v.m. con un tú redondo, que si no arguye mucha amistad y familiaridad, por fuerza ha de ser argumento de que quien habla es superior y mandón, y a quien se habla inferior y criado.

Y hanme movido a esto las mismas razones del susodicho soldado enfermo, atendiendo y considerando a que es la cortesía la llave maestra para abrir la voluntad y afición, y la que costando poco vale mucho; y que, en resolución, no puedo perder nada en ser cortés, que antes entiendo perdería mucho si no lo fuese: que quien ha de menester, es muy necio si regatea cortesías; y más yo, que tanto necesito de todos para que me compren este libro que sale a luz a mi costa,[2] y para que, comprado y leído, me le alaben, con que de camino inciten y muevan unos a otros a que hagan lo mismo, y tenga con esto este libro lo que merece su bondad, y mayor expedición y corrida, y yo mayor ganancia, para que con esto queden todos aprovechados: yo vendiendo y los otros comprando y leyéndole.

Verdad sea que para esto último de que alaben estas obras de ingeniosas y agudas, confío dar poco trabajo y ningún cuidado a los aficionados a ellas y a su autor; pues ellas propias se traen consigo la recomendación y alabanza y el *Quevedo me fecit,* porque son tales que sólo tal autor podía hacer obras de tanta erudición y agudeza, y ellas por tener tanto de entrambas sólo podían ser hijas de tal y tan raro ingenio. Que si el autor es y debe ser conocido y celebrado por estas obras más que por cuantas ha hecho y se le han impreso hasta hoy en su nombre, ellas también quedan estimadas y calificadas por lo que son, con sólo saber (como ya todos saben) que las hizo don Francisco Quevedo.

Y con él y con ellas no me da tanto cuidado como podía darme una de las razones que me movió a tratar a v.m. con esta cortesía, considerando que no sé en qué manos ni en qué lenguas ha de dar este libro

[2] Esta frase y otra terminando el penúltimo párrafo del Prólogo, permiten suponer que el librero Juan Sapera sea el autor de este artículo preliminar.

que sale ahora al teatro del mundo (donde nunca faltan censurantes y mal contentos, que con toda propiedad se llaman zoilos y críticos; días peligrosos a la salud de los buenos entendimientos, de quienes se puede entender lo que dijo el doctísimo jurisconsulto don Mateo López Bravo: "*Ridendi vero, Romanuli, & Graeculi nostri, qui Grammaticorum infantia superbi, & omnium rerum quantum garruli, ignari, triplici lingua, stultit, a doctis noscuntur*"); [3] porque si v.m. las lee, no de prisa ni a pedazos sino despacio y con atención, todo él, pues no es muy grande (si no quiere que se le pasen algunas de sus muchas sutilezas y agudezas por alto y por entre renglones), soy más que cierto que no se quejará de que ellas y quien las hizo *es parcial* y aceptador de personas, sino que a todos habla, y a todos dice la verdad clara y lisa, y lo que siente, sin rastro de lisonja; y si acaso escuece y pica, considere que no es sino sólo porque cuanto se dice es verdad y desengaño, que todos le quieren y nadie por su casa, y así no hay sino paciencia y calle y callemos, que sendas nos tenemos. [4] Y harto mejor fuera quejarse de las faltas tan grandes del mundo que movieron al autor a hablar tan claro contra ellas, diciendo la verdad. Que por eso dijo bien cierto alcalde, que vio preso a un estudiante porque hizo una sátira en que decía las faltas del lugar, que harto mejor fuera haber preso a los que las tienen.

Y cuando nada de esto baste a que deje de haber quien se queje y murmure de estas obras y de su autor, quiero hacer acordar a v.m., señor lector, sea quien fuere, aquel cuentecillo de cierto clérigo viejo que tenía una higuera con sus higos ya sazonados y maduros, a la cual subiendo unos estudiantes a hacerles declinar jurisdicción bucólica, pensando él —por ser corto de vista— que eran aves o algunas crueles sabandijas, puso

3 Mateo López Bravo, *De Rege, et regendi ratione Libri duo*, Madrid, Juan Sánchez, 1616, f. 37v.

4 Gonzalo Correas, *Vocabulario de refranes y frases proverbiales*, Madrid, 1924, p. 102: "Calla y callemos, que sendas nos tenemos".

en ella espantajos hasta conjurarlos; pero viendo que nada de esto aprovechaba, considerando cuán buenas son las oraciones mezcladas *con* piedras (armas primeras del mundo), se resolvió de tirarlas a estos tordos racionales diciendo que también Dios había dado virtud a las piedras como a las plantas y hierbas; y hízolo con tal denuedo que dio con ellos ramas abajo y muy bien descalabrados. Sin propósito parecerá a v.m. este cuento, y será o por no saberme yo bien explicar o por no quererme v.m. entender (que no hay más mal sordo que el que no quiere oír); pero yo sé lo entenderá si ahonda un poco en sus sentidos varios que le puede dar (como en todo lo de este libro). Y por si acaso quiere que yo lo explique, con ser así que *frustra exprimitur, quod tacite subintelligitur, 1. iam dubitari,* dígole que si acaso no le obliga la cortesía y humildad con que le trato, mire lo que dice, y cómo y de qué murmura y dice mal, si del autor del libro o de sus obras; y guárdese de alguna lluvia de piedras de las muchas verdades, duras y secas, que este libro tiene y su autor puede enviarle, que le descalabren y hagan caer de arriba abajo, quiero decir de su estado y buena opinión que tiene de sabio, y no haga le tengan por ignorante, murmurador y soberbio maldiciente y del número de unos necios que quieren parecer sabios en no haber libro que bien les parezca ni cosa de que no hagan burla y menosprecio. Y guárdense no les suceda a los tales lo que al asno de Sileno que puso Júpiter entre las estrellas, que por ser ellas tan resplandecientes y claras y el *auribus magnis,* como advirtió Luciano,[5] descubrió más su disforme fealdad con grande infamia.

[5] "Estas leyendas son de Higinio y de Arato y de Germánico César y de los astrólogos, allende lo que algunos poetas tocan. También dicen que como Juno tornase furioso al dios Baco, y él caminase por Thesprocia, y no pudiese pasar un río, que llegaron dos asnillos, en el uno de los cuales pasó muy bien, y en llegando al templo de Júpiter Dodoneo fue sano, y él por agradecer al asnillo su buena obra, los trasladó a ambos al cielo, y los puso encima del Cangrejo para mayor befa de Juno." Juan de Pineda, *Agricultura cristiana,* Salamanca, 1589, p. 204.

Y adviertan que el epíteto del autor es el satírico. Y créanme, y no errarán, que es más que temeridad echar piedras al tejado del vecino quien tiene el suyo de vidrio.[6]

Y nadie se maraville de que llame a v.m. con este título, al parecer nuevo, de ilustre y deseoso lector, porque cuando no le mereciera por la doctrina común y sabida del filósofo: que todo hombre naturalmente desea saber (cosa que se alcanza con el estudio y atenta lección y meditación de los libros buenos, doctos, agudos, ingeniosos y claros), por sólo este libro (que lo es tanto como el que más) le merecía muy en particular, pues es el que ha sido tan deseado; así, de cuantos han leído algo de estos *Sueños y discursos,* como de los que han oído referir y celebrar algunas o alguna de las innumerables agudezas que contienen, lastimándose de verlos ir manuscritos, tan adulterados y falsos, y muchos a pedazos y hechos un disparate sin pies ni cabeza, y tan desfigurados como el soldado desdichado que habiendo salido de su tierra para la guerra con bizarría, tallazo, galas y plumas, vuelve a ella después de muchos años más desgarrado y rompido que soldado, con un ojo menos, hecho un monóculo, medio brazo, con una pierna de palo, y todo él hecho un milagro de cera, bueno para ofrecido, con el vestido, de la munición, sin color determinado, desconocido y roto, pidiendo limosna; o como la cortesana que ha corrido a Italia, Indias y la casa de Meca y del Gran Solimán. Por lo cual, cuantos han sabido que yo los tenía enteros y leídos por hombres doctos y entendidos con particular curiosidad y atención, me han solicitado con grandes instancias los hiciese comunes a todos dándolos a la impresión, asegurándome grande gusto y lo que más es, grande provecho espiritual para todos, pues en ellos hallarán desengaños y avisos de lo que pasa en este mundo y ha de pasar en el otro por todos, para estar de todo bien prevenidos, que *mala praevisa minus*

6 Correas, *Vocabulario,* p. 428: "Quien tiene el tejado de vidrio no tire piedras al de su vecino".

nocent; con que me he resuelto a condescender con el gusto y deseo de tantos, confiado en que v.m., señor lector, me agradecerá este trabajo y gasto con comprarle; que con sólo esto me daré por satisfecho y aun por pagado.

Y por la agudeza y sutil modo de hablar de este libro, porque no caiga en ninguna equivocación, ruego a v.m. que antes de leerle corrija algunas erratas que van advertidas al principio del libro. Que también sería demasiada presunción y mucha particularidad pretender que saliese este libro sin ellas, siendo tan inevitables y incorregibles como los mismos impresores, que como a tales es mejor dejarles aherrojados con sus yerros y mentiras de molde. Y porque entienda v.m., señor lector, que le deseo toda honra y provecho, y guardarle de todo peligro, ruego a Dios nuestro señor le haga como el rey de las abejas, que contiene y da de sí por la boca la dulzura de la miel, y no tiene aguijón por no quedar muerto picando con él, como acontece a todas las demás abejas que le tienen, si bien en la cola y no en la boca; y le guarde de correctores de vidas y obras ajenas, y sopladores de las suyas propias, que no se venden porque ellos venden en ellas a cuantos ven y tratan.

EL SUEÑO DEL JUICIO FINAL[7]

AL CONDE DE LEMOS, PRESIDENTE DE INDIAS.

A manos de vuestra excelencia van estas desnudas verdades que buscan no quien las vista, sino quien las consienta; que a tal tiempo hemos venido, que, con ser tan sumo bien, hemos de rogar con él. Prométese seguridad en ellas solas. Viva vuestra excelencia para honra de nuestra edad.

Don Francisco Quevedo Villegas.

Los sueños dice Homero que son de Júpiter y que él los envía; y en otro lugar que se han de creer; [8] es así cuando tocan en cosas importantes y piadosas o las sueñan reyes y grandes señores, como se colige del doctísimo y admirable Propercio en estos versos:

Nec tu sperne piis venientia somnia portis
Cum pia venerunt somnia pondus habent. [9]

7 A partir de la edición de *Juguetes,* se tituló "El sueño de las calaveras". Véase George Haley, *The earliest dated manuscript of Quevedo's* Sueño del juicio final (*Modern Philology,* 1970, t. LXVII, pp. 238-262), en cuyo artículo establece la fecha de 1605 para la composición de este discurso, fundado en el manuscrito de la Biblioteca Nacional de Florencia.
8 Homero, *Iliada,* Rapsodia I, 63, y Rapsodia II, 80.
9 Propercio, Libro IV, elegía 7, v. 87.

Dígolo a propósito que tengo por caído del cielo uno que yo tuve en estas noches pasadas, habiendo cerrado los ojos con el libro del Beato Hipólito de la fin del mundo y segunda venida de Cristo, [10] lo cual fue causa de soñar que veía el juicio final. Y aunque en casa de un poeta es cosa dificultosa creer que haya juicio, aunque por sueños, le hubo en mí por la razón que da Claudiano en la prefación al libro 2 del *Rapto,* [11] diciendo que todos los animales sueñan de noche como sombras de lo que trataron de día. Y Petronio Arbitro dice:

Et canis in somnis leporis vestigia latrat. [12]

Y hablando de los jueces:

Et pavido cernit inclusum corde tribunal.

Parecióme, pues, que veía un mancebo que discurriendo por el aire daba voz de su aliento a una trompeta, afeando con su fuerza en parte su hermosura. Halló el son obediencia en los mármoles y oído en los muertos, y así al punto comenzó a moverse toda la tierra y a dar licencia a los huesos, que andaban ya unos en busca de otros. Y pasando tiempo —aunque

[10] Beato Hipólito, *Oratio de consummatione mundi ac de Antichristo et secundo adventu Domini Nostri Jesu Christi,* París, 1557. El texto griego de esta obra se había publicado en la misma ciudad el año anterior.

[11] Claudio Claudiano. Prefacio al "Panegírico sobre el sexto consulado de Honorio Augusto", versos 1 y 2. Pero Quevedo parece haberlos visto en alguna de las ediciones antiguas, que los imprimieron en el prefacio al libro segundo del "Rapto de Proserpina". Véase, por ejemplo, la que Teobaldo Pagano estampó en Lyon, 1551, pp. 18-20. En el *Indice general de la bibliotheca del real i parroquial monasterio de San Martín de Madrid,* 1788 (Manuscrito 9-10-1-2099 de la Biblioteca de la Real Academia de la Historia, Madrid), a cuya librería fueron a parar muchos de los volúmenes que figuraron en la de Quevedo, se registran a nombre de Claudiano una *Opera* (París, 1602) y *De Raptu Proserpina* (s.l., s.a.).

[12] Tito Petronio Arbitro, *Poema* n.º 31, versos 10 ("et pavidi cernunt inclusum chorte tribunal") y 15 ("et canis in somnis leporis vestigia lustrat"). En el *Índice* de San Martín hay dos ediciones del *Satyricon* (Colonia, 1629 y Francfurt, 1629).

P. Clouwet - fecit.

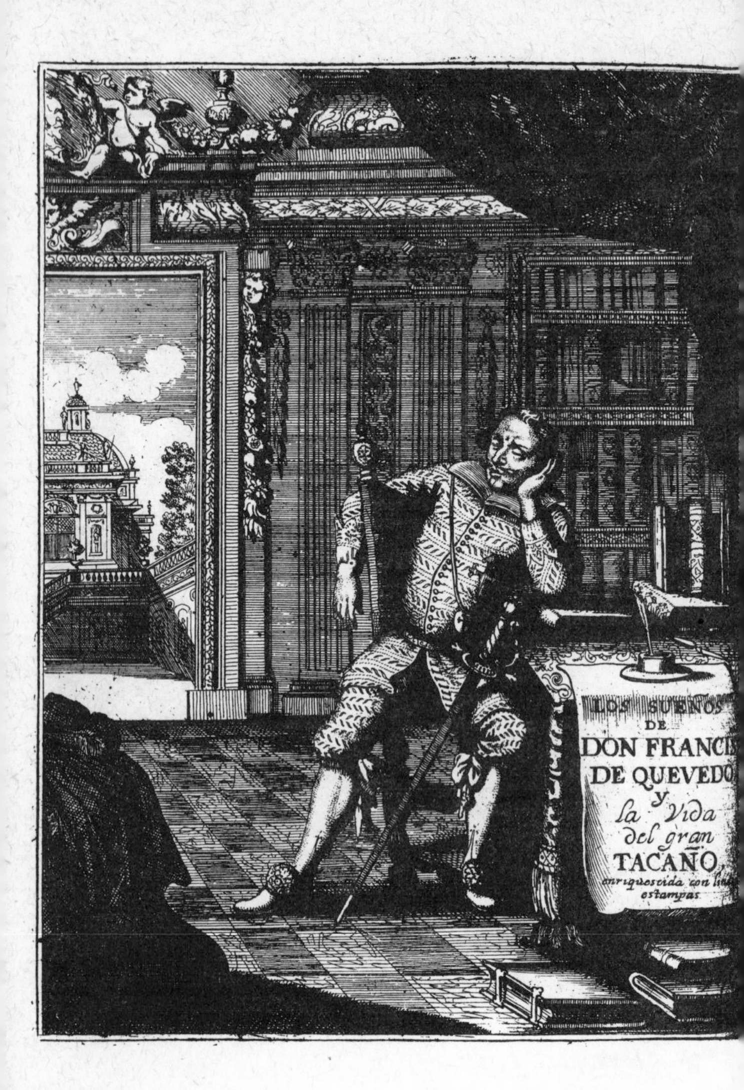
LOS SUEÑOS
DE
DON FRANCIS
DE QUEVEDO
y
la Vida
del gran
TACAÑO,
enriquecida con
estampas

fue breve— vi a los que habían sido soldados y capitanes levantarse de los sepulcros con ira, juzgándola por seña de guerra; a los avaros, con ansias y congojas, celando algún rebato; y los dados a vanidad y gula, con ser áspero el son, lo tuvieron por cosa de sarao o caza. Esto conocía yo en los semblantes de cada uno y no vi que llegase el ruido de la trompa a oreja que se persuadiese que era cosa de juicio. Después noté de la manera que algunas ánimas venían con asco y otras con miedo huían de sus antiguos cuerpos. A cual faltaba un brazo, a cual un ojo, y dióme risa ver la diversidad de figuras, y admiróme la providencia de Dios en que, estando barajados unos con otros, nadie por yerro de cuenta se ponía las piernas ni los miembros de los vecinos. Sólo en un cementerio me pareció que andaban destrocando cabezas, y que veía un escribano que no le venía bien el alma y quiso decir que no era suya por descartarse de ella.

Después ya que a noticia de todos llegó que era el día del juicio, fue de ver como los lujuriosos no querían que los hallasen sus ojos por no llevar al tribunal testigos contra sí, los maldicientes las lenguas, y los ladrones y matadores gastaban los pies en huir de sus mismas manos.

Y volviéndome a un lado vi a un avariento que estaba preguntando a uno (que por haber sido embalsamado y estar lejos sus tripas, *no hablaba porque* no habían llegado) si habían de resucitar aquel día todos los enterrados, si resucitarían unos bolsones suyos. Riérame si no me lastimara a otra parte el afán con que una gran chusma de escribanos andaba huyendo de sus orejas, deseando no las llevar por no oír lo que esperaban; mas solos fueron sin ellas los que acá las habían perdido por ladrones, que por descuido no fueron todos. Pero lo que más me espantó fue ver los cuerpos de dos o tres mercaderes, que se habían calzado las almas al revés y tenían todos los cinco sentidos en las uñas de la mano derecha.

Yo veía todo esto de una *cuesta* muy alta, al punto que oigo dar voces a mis pies que me apartase; y no bien lo hice, cuando comenzaron a sacar las cabezas muchas mujeres hermosas, llamándome descortés y grosero porque no había tenido más respeto a las damas (que aun en el infierno están las tales sin perder esta locura). Salieron fuera muy alegres de verse gallardas y desnudas y que tanta gente las viese; aunque luego, conociendo que era el día de la ira y que la hermosura las estaba acusando de secreto, comenzaron a caminar al valle con pasos más entretenidos. Una, que había sido casada siete veces, iba trazando disculpas para todos los maridos. Otra de ellas, que había sido pública ramera, por no llegar al valle, no hacía sino decir que se le habían olvidado las muelas, y una ceja, y volvía, y deteníase; pero al fin llegó a vista del teatro y fue tanta la gente de los que había ayudado a perder, y que señalándola daban gritos contra ella, que se quiso esconder entre una caterva de corchetes, pareciéndole que aquella no era gente de cuenta aun en aquel día.

Divirtióme de esto un gran ruido que por la orilla de un río adelante venía *de* gente en cantidad tras un médico (que después supe lo que era en la sentencia). Eran hombres que había despachado sin razón antes de tiempo, por lo cual se habían condenado, y venían por hacerle que pareciese; y al fin, por fuerza, le pusieron delante del trono.

A mi lado izquierdo oí como ruido de alguno que nadaba, y vi a un juez, que lo había sido, que estaba en medio del arroyo lavándose las manos, y esto hacía muchas veces. Lleguéme a preguntarle por qué se lavaba tanto y díjome que en vida, sobre ciertos negocios, se las habían untado [13] y que estaba porfiando allì por no parecer con ellas de aquella suerte delante la universal residencia.

Era de ver una legión de demonios con azotes, palos y otros instrumentos, como traían a la audiencia una

13 Correas, *Vocabulario,* p. 655: "Untar las manos. Por sobornar y cohechar al juez o a otro con dádivas".

muchedumbre de taberneros, sastres, libreros y zapateros, que de miedo se hacían sordos y aunque habían resucitado, no querían salir de la sepultura. En el camino por donde pasaban, al ruido, sacó un abogado la cabeza y preguntóles que a dónde iban, y respondiéronle al justo juicio de Dios, que era llegado. A lo cual, metiéndose más ahondo, dijo:

—Esto me ahorraré de andar después, si he de ir más abajo.

Iba sudando un tabernero de congoja tanto que, cansado, se dejaba caer a cada paso; y a mí me pareció que le dijo un demonio:

—Harto es que sudéis el agua y no nos la vendáis por vino.

Uno de los sastres, pequeño de cuerpo, redondo de cara, malas barbas y peores hechos, no hacía sino decir:

—¿Qué pude hurtar yo, si andaba siempre muriéndome de hambre?

Y los otros le decían, viendo que negaba haber sido ladrón, qué cosa era despreciarse de su oficio. Toparon con unos salteadores y capeadores públicos que andaban huyendo unos de otros, y luego los diablos cerraron con ellos diciendo que los salteadores bien podían entrar en el número porque eran, a su modo, sastres silvestres y monteses, como gatos del campo. Hubo pendencia entre ellos sobre de afrentarse los unos de ir con los otros, y al fin juntos llegaron al valle. Tras ellos venía la locura en una tropa con sus cuatro costados: poetas, músicos, enamorados y valientes, gente en todo ajena de este día. Pusiéronse a un lado, donde estaban los sayones, judíos y filósofos; y decían juntos —viendo a los sumos pontífices en sillas de gloria—:

—Diferentemente se aprovechan los Papas de las narices que nosotros, pues con diez varas de ellas no vimos lo que traíamos entre las manos.

Andaban contándose dos o tres procuradores las caras que tenían, y espantábanse que les sobrasen tantas habiendo vivido descaradamente. Al fin vi hacer silencio a todos.[14]

El trono era donde trabajaron la omnipotencia y el milagro. Dios estaba vestido de sí mismo, hermoso para los santos y enojado para los perdidos, el sol y las estrellas colgando de la boca, el viento quedo y mudo, el agua recostada en sus orillas, suspensa la tierra, temerosa en sus hijos; y[15] cual amenazaba al que le enseñó con su mal *ejemplo* peores costumbres; todos, en general, pensativos: los justos en qué gracias darían a Dios, cómo rogarían por sí; y los malos en dar disculpas.

Andaban los ángeles custodios mostrando en sus pasos y colores[16] las cuentas que tenían que dar de sus encomendados, y los demonios repasando sus tachas[17] y procesos; al fin, todos los defensores *estaban de la parte de adentro y los acusadores de la* de afuera. Estaban los diez mandamientos por guarda a una puerta tan angosta[18] que los que estaban a puros ayunos flacos, aún tenían algo que dejar en la estrechura.

A un lado estaban juntas las desgracias, peste y pesadumbres, dando voces contra los médicos. Decía la peste que ella había herídolos pero que ellos los habían

14 Hubo aquí un fragmento que transcribió en su censura fray Antolín Montojo (1 de julio de 1610); observamos que la transcripción incluida después en la censura de fray Antonio de Santo Domingo (30 de julio de 1612) corresponde a un texto más breve. Publicó ambos informes Astrana Marín, donde se halla el pasaje, Quevedo, *Obras completas en prosa,* Madrid, 1945, pp. 183-184.

15 Este pasaje está corrompido. En *Juguetes* reza: "de los hombres, algunos amenazaban al que les enseñó...".

16 *pasos y colores*: aquéllos parecen ser las diligencias que se hacen en solicitud de una cosa; y los últimos establecer una cierta correlación entre el atuendo de los ángeles, o sus distintivos, y el grado de culpabilidad o inocencia de sus patrocinados. Ese lenguaje simbólico de los colores, no desaparecido en nuestros días, se manifestaba entonces tanto en las libreas de los criados como en las cintas, plumas y aun vestimenta de damas o caballeros: recuérdense los múltiples ejemplos que aportan los relatos de justas y torneos.

17 En *Desvelos* y en *Juguetes*, 'tarjas'; acaso sea la palabra original, pero lo cierto es que ambas tienen sentido en la frase.

18 "Entrad por la puerta angosta...", San Mateo, 7, 13.

despachado; las pesadumbres, que no habían muerto ninguno sin ayuda de los doctores; y las desgracias, que todos los que habían enterrado habían ido por entrambos. Con eso los médicos quedaron con cargo de dar cuenta de los difuntos. Y así aunque los necios decían que ellos habían muerto más, se pusieron los médicos con papel y tinta en un alto, con su arancel, y en nombrando la gente, luego salía uno de ellos y en alta voz decía:

—Ante mí pasó a tantos de tal mes, etc.

Comenzose por Adán la cuenta y para que se vea si iba estrecha, hasta de una manzana se la pidieron tan rigurosa que le oí decir a Judas:

—¿Qué tal la daré yo, que le vendí al mismo dueño un cordero?

Pasaron los primeros Padres, vino el Testamento Nuevo, pusiéronse en sus sillas, al lado de Dios, los Apóstoles todos con el santo pescador. Luego llegó un diablo y dijo:

—Este es el que señaló con la mano al que san Juan con el dedo. —Y fue el que dio la bofetada a Cristo; juzgó él mismo su causa y dieron con él en los entresuelos del mundo.

Era de ver como se entraban algunos pobres entre media docena de reyes que tropezaban con las coronas, viendo entrar las de los sacerdotes tan sin detenerse. Asomaron las cabezas Herodes y Pilatos, y cada uno conociendo en el juez —aunque glorioso— sus iras, decía Pilatos:

—Esto se merece quien quiso ser gobernador de judigüelos. —Y Herodes:

—Yo no puedo ir al cielo; pues al limbo, no se querrán fiar más de mí los inocentes con las nuevas que tienen de los otros que despaché; ello es fuerza de ir al infierno que al fin es posada conocida.

Llegó en esto un hombre desaforado *y con* ceño, y alargando la mano dijo:

—Esta es la carta de examen.

Admiráronse todos y dijeron los porteros que quién era; y él en altas voces respondió:

—Maestro de esgrima, examinado y de los más diestros del mundo— [19] y sacando otros papeles de un lado dijo que aquellos eran los testimonios de sus hazañas; cayéronsele en el suelo por descuido los testimonios, y fueron a un tiempo a levantarlos dos diablos y un alguacil, y él los levantó primero que los diablos. Llegó un ángel y alargó el brazo para asirle y meterle dentro, y él retirándose alargó el suyo y dando un salto dijo:

—Esta de puño es irreparable, y si me queréis probar yo daré buena cuenta.

Riéronse todos y un oficial algo moreno le preguntó qué nuevas tenía de su alma; pidiéronle no sé qué cosas y respondió que no sabía tretas contra los enemigos de ella. Mandáronle que se fuese por línea recta al infierno, a lo cual replicó diciendo que debían de tenerlo por diestro del libro matemático, que él no sabía qué era línea recta; hiciéronselo aprender y diciendo: —Entre otro —se arrojó.

Y llegaron unos despenseros *haciendo* cuentas —y no rezándolas—, y en el ruido con que venía la trulla dijo un ministro:

—Despenseros son. —Y otros dijeron:

—No son. —Y otros:

—Sí son.

[19] El personaje ficticio se ha identificado muy fundadamente con Luis Pacheco de Narváez, autor del *Libro de las grandezas de la espada* (Madrid, 1600) y enemigo de Quevedo. De todas maneras, debe observarse que el lance habido entre ellos en casa del Presidente de Castilla (Cejador, p. 38, nota) tuvo lugar en 1608, cuando este sueño ya estaba escrito; luego, su animadversión era más antigua. Es de notar, asimismo, que hasta el 13 de agosto de 1624 no se le concedió a Pacheco de Narváez el título de maestro mayor de las armas (Pérez Pastor, *Bibliografía madrileña,* t. III, p. 251, n.º 2131), y no precisamente por haber cursado esta facultad, lo que provocó la reacción de los maestros de armas profesionales.

Y dioles tanta pesadumbre la palabra "sisón",[20] que se turbaron mucho. Con todo, pidieron que se les buscase su abogado, y dijo un diablo:

—Ahí está Judas, que es apóstol descartado.[21]

Cuando ellos oyeron esto, volviéndose a otro diablo que no se daba manos[22] a señalar *hojas* para leer, dijeron:

—Nadie mire, y vamos a partido y tomamos infinitos siglos de purgatorio.

El diablo, como buen jugador, dijo:

—¿Partido pedís? No tenéis buen juego. —Comenzó a descubrir, y ellos, viendo que miraba, se echaron en baraja de su bella gracia.[23]

Pero tales voces como venían tras de un malaventurado pastelero no se oyeron jamás, de hombres hechos cuartos y pidiéndole que declarase en qué les había acomodado sus carnes. Confesó que en los pasteles y mandaron que les fuesen restituidos sus miembros de cualquier estómago en que se hallasen. Dijéronle si quería ser juzgado y respondió que sí, a Dios y a la ventura.[24] La primera acusación decía no sé qué de gato

20 *sisón*: véase el mismo chiste, más elaborado, en *Infierno*, p. 136.

21 Alude a las funciones que desempeñaba Judas entre los Apóstoles. Véase, además, *Infierno*, pp. 135 y 136.

22 Correas, *Vocabulario*, p. 620: "No se da manos; no se dan manos... En vender, pesar, medir; en cosa que había mucha prisa".

23 Juega con el doble sentido de 'darse a partido' (ceder en el empeño de tener un defensor) y de 'pedir partido' (pedir ventaja en el juego). Adentrado en la idea del juego, Quevedo maneja las posibilidades que le ofrecen tres lugares comunes: "Descubrir el juego" (Correas, *Vocabulario*, p. 559: "Declarar y descubrir la intención."), "echarse" o "meterse en baraja" ("Juntarse a ser contado y estimado con otros, y meterse en cuestión", Correas, *Vocabulario*, pp. 310, 565, 609. Es imagen tomada de los descartes o naipes malos que se meten de nuevo en la baraja.) y "de su bella gracia" (Correas, *Ibid.*, p. 560: "Lo que se hace de propia voluntad"). Expresa la circunstancia de que los despenseros se retiraron voluntariamente, pero el sentido convencional de tales dichos y el recto de las palabras que lo componen, dan lugar a un complicado juego de sugerencias.

24 Correas, *Vocabulario*, p. 525: "Cuando nos arrojamos a lo dudoso en confianza que Dios ayudará, y podrá haber buena suerte".

por liebre, tanto de huesos —y no de la misma carne sino advenedizos—, tanto de oveja y cabra, caballo y perro.[25] Y cuando él vio que se les probaba a sus pasteles haberse hallado en ellos más animales que en el arca de Noé, porque en ella no hubo ratones ni moscas, y en ellos sí, volvió las espaldas y dejólos con la palabra en la boca.

Fueron juzgados filósofos, y fue de ver cómo ocupaban sus entendimientos en hacer silogismos contra su salvación.[26] Mas lo de los poetas fue de notar, que de puro locos querían hacer creer a Dios que era Júpiter y que por él decían ellos todas las cosas. Y Virgilio andaba con su *Sicelides musae,*[27] diciendo que era el nacimiento de Cristo; mas saltó un diablo y dijo no sé qué de Mecenas y Octavia, y que había mil veces adorado unos cuernecillos suyos, que los traía por ser día de más fiesta; contó no sé qué cosas. Y al fin, llegando Orfeo, como más antiguo, a hablar por todos, le mandaron que se volviese otra vez a hacer el experimento de entrar en el infierno para salir, y a los demás, por hacérseles camino, que le acompañasen.

[25] Cejador (p. 41) documenta por extenso en una nota las adulteraciones de los pasteleros. Véase, además, *Infierno,* p. 120.

[26] La desconcertante inclusión de los filósofos en un grupo constituido, en el sentir de Quevedo, por gentes detestables (sayones y judíos) o despreciables (poetas, músicos, etc.), que se leyó en un pasaje anterior, queda ahora justificada al condenarlos en junto. Para el autor no hay otro ámbito filosófico sino el de la teología y el de la ética identificable con el principio de la salvación del alma. Cualquier otro móvil o aplicación de la inteligencia serán frivolidad o perversidad. Véase M. Morreale, *Luciano y Quevedo,* pp. 214-215.

[27] El carácter esotérico de la IV égloga de Virgilio ha producido y sigue produciendo multitud de interpretaciones. Quevedo alude primero a la tradición cristiana, que la juzgó como profecía del nacimiento de Jesús. La réplica que luego pone en boca del verdugo ya no es tan clara: Virgilio había recibido favores y regalos de Mecenas y de Octavia, pero ¿qué relación guarda esto con la égloga? Si la lección 'Octavia' fuese una corrupción de 'Octaviano', cabría pensar en que alude a otra teoría, según la cual la criatura de la IV égloga era la hija de Octaviano y Scribonia, y que la mención de Mecenas, así como la posterior alusión a unos cuernecillos, fuera especie maliciosa. Véase *Virgil,* edición H. Rushton, Londres, 1965, pp. 29 y 577-578.

Llegó tras ellos un avariento a la puerta y fue preguntado qué quería, diciéndole que los diez mandamientos guardaban aquella puerta de quien no los había guardado; y él dijo que en cosas de guardar era imposible que hubiese pecado. Leyó el primero: "Amar a Dios sobre todas las cosas", y dijo que él sólo aguardaba a tenerlas todas para amar a Dios sobre ellas. "No jurar su nombre en vano"; dijo que aun jurándole falsamente, siempre había sido por muy grande interés, y que así no había sido en vano. "Guardar las fiestas"; éstas y aun los días de trabajo guardaba y escondía. "Honrar padre y madre": —Siempre les quité el sombrero.[28] "No matar": —Por guardar esto no comía, por ser matar la hambre comer. "No fornicarás": —En cosas que cuestan dinero, ya está dicho. "No levantar falso testimonio".

—Aquí —dijo un diablo— es el negocio, avariento; que si confiesas haberle levantado, te condenas, y si no, delante del juez te le *levantarás* a ti mismo.

Enfadóse el avariento y dijo:

—Si no he de entrar, no gastemos tiempo. —Que hasta aquello rehusó de gastar.

Convencióse con su vida y fue llevado a donde merecía.

Entraron en esto muchos ladrones, y salváronse de ellos algunos, ahorcados. Y fue de manera el ánimo que tomaron los escribanos,[29] que estaban delante de Mahoma, Lutero y Judas, viendo salvar ladrones, que entraron de golpe a ser sentenciados; de que les tomó a los diablos muy gran risa de ver eso.

[28] Señal de cortesía y reverencia (Correas, *Vocabulario,* p. 637), pero la expresión es equívoca si se entiende la frase en su sentido recto.

[29] El menosprecio por los escribanos se inicia cuando se asocia su presencia con el juicio de los ladrones y se agrava situándolos cerca de Mahoma, Lutero y Judas. De ahí que la desoladora escena culmine, no ya con el conato de apostasía y la salvación de sólo dos o tres, sino con el ánimo que cobran las tres bestias negras de Quevedo, viendo que algún escribano quedó absuelto. La figura del escribano es personaje reiterado en todos los sueños.

Los ángeles de la guarda comenzaron a esforzarse y a llamar por abogados los Evangelistas. Dieron principio a la acusación los demonios, y no la hacían en los procesos que tenían hechos de sus culpas, sino con los que ellos habían hecho en esta vida. Dijeron lo primero:

—Estos, Señor, la mayor culpa suya es ser escribanos.

Y ellos respondieron a voces, pensando que disimularían algo, que no eran sino secretarios. Los ángeles abogados comenzaron a dar descargo. Uno decía:

—Es bautizado y miembro de la Iglesia.

Y no tuvieron muchos de ellos que decir otra cosa. Al fin, se salvaron dos o tres, y a los demás dijeron los demonios:

—Ya entienden.

Hiciéronles del ojo,[30] diciendo que *importaban* allí para jurar contra cierta gente. Y viendo que por ser cristianos *les* daban más pena que *a* los gentiles, alegaron que el serlo no era por su culpa, que los bautizaron cuando niños y, así, que los padrinos la tenían.

Digo verdad que vi a Judas tan cerca de atreverse a entrar en juicio, y a Mahoma y a Lutero, animados de ver salvar a un escribano, que me espanté que no lo hiciesen. Sólo se lo estorbó aquel médico que dije, que forzado de los que le habían traído, parecieron él y un boticario y un barbero. A los cuales dijo un diablo que tenía las copias:

—Ante este doctor han pasado los más difuntos, con ayuda de este boticario y barbero; y a ellos se les debe gran parte de este día. Alegó un ángel por el boticario que daba de balde a los pobres *medicinas*; pero dijo un diablo que hallaba por su cuenta que habían sido más dañosos dos botes de su tienda que diez mil de pica en la guerra, porque todas sus medicinas eran espurias, y que con esto había hecho liga con una peste y había destruido dos lugares. El médico se disculpaba

30 "Hacer del ojo. Avisar o llamar con señas", Correas, *Vocabulario*, p. 589.

con él, y al fin el boticario fue condenado; y el médico y el barbero, intercediendo san Cosme y san Damián, se salvaron.

Fue condenado un abogado porque tenía todos los derechos con corcobas; *quedó* descubierto un hombre que estaba detrás de éste a gatas, porque no le viesen, y preguntado quién era, dijo que cómico; pero un diablo, muy enfadado, replicó:

—¡Farandulero! Y pudiera haber ahorrado aquesta venida, sabiendo lo que hay.

Juró de irse, y fuese al infierno sobre su palabra.[31]

En esta dieron con muchos taberneros en el puesto, y fueron acusados de que habían muerto mucha cantidad de sed a traición, vendiendo agua por vino. Estos venían confiados en que habían dado a un hospital siempre vino puro para las misas; pero no les valió, ni a los sastres decir que habían vestido *niños* Jesuses. Y ansí, todos fueron despachados como siempre se esperaba.

Llegaron tres o cuatro genoveses ricos pidiendo asientos,[32] y dijo un diablo:

—Piensan ganar *en* ellos, pues esto es lo que les mata. Esta vez han dado mala cuenta y no hay donde se asienten, porque han quebrado el banco de su crédito.

Y volviéndose a Dios, dijo un diablo:

—Todos los demás hombres, Señor, dan cuenta[33] de lo que es suyo; mas éstos, de lo ajeno y todo.

31 Si la condena del abogado parece sólo motivo para un chiste, la complicación de la escena del farandulero, que no conduce a ningún efecto literario ni ejemplar, pudo ser en su tiempo la clave para identificar a una figura real y conocida. Recuérdese al farsante complaciente del *Buscón,* segunda parte, cap. IX.

32 En *Desvelos* y en *Juguetes* se les llama 'extranjeros'. No está clara la razón del eufemismo, puesto que no se cambió la denominación en el *Sueño de la muerte,* p. 208. Véase Emilio Alarcos García, *El dinero en las obras de Quevedo.* La palabra 'asientos' está jugada según su doble valor de cosa para sentarse y de contrato para proveer de dinero, víveres o géneros; a esta última función se aplicaron con harto provecho genoveses y venecianos.

33 Nuevo equívoco entre rendir cuentas y consumir, destruir o malgastar.

Pronuncióse la sentencia contra ellos; yo no la oí bien, pero ellos desaparecieron.

Vino un caballero tan derecho que, al parecer, quería competir con la misma justicia que le aguardaba. Hizo muchas reverencias a todos y con la mano una ceremonia usada de los que beben en charco. Traía un cuello tan grande que no se le echaba de ver si tenía cabeza. Preguntóle un portero, de parte de Dios, si era hombre; y él respondió con grandes cortesías que sí, y que por más señas se llamaba don Fulano, a fe de caballero. Rióse un diablo y dijo:

—De codicia es el mancebo para el infierno.

Preguntáronle qué pretendía y respondió:

—Ser salvado.

Y fue remitido a los diablos para que le moliesen. Y él sólo reparó en que le ajarían el cuello.

Entró tras él un hombre dando voces, diciendo:

—Aunque las doy, no tengo mal pleito; que a cuantos santos hay en el cielo, o a los más, he sacudido el polvo. Todos esperaban ver un Diocleciano o Nerón, por lo de sacudir el polvo; y vino a ser un sacristán que *azotaba* los retablos. Y se había ya con esto puesto en salvo, sino que dijo un diablo que se bebía el aceite de las lámparas y echaba la culpa a una lechuza, por lo cual *había* muerto sin *ella*[34] *y disfamada*; que pellizcaba de los ornamentos para vestirse; que heredaba en vida las vinajeras;[35] y que tomaba alforzas a los oficios.[36] No sé qué descargo se dio, que le enseñaron el camino de la mano izquierda.[37]

Dando lugar unas damas alcorzadas, que comenzaron a hacer melindres de las malas figuras de los demonios. Dijo un ángel a Nuestra Señora que habían sido devotas de su nombre aquéllas, que las amparase. Y

[34] Es decir, sin culpa.
[35] Que se bebía el vino antes de oficiarse la misa.
[36] Que los abreviaba.
[37] "echar a man izquierda; echar a la mano izquierda;... desviarse del derecho y buen camino de bien y virtud." Correas, *Vocabulario*, p. 503. Véanse nuestras notas 2 y 45 de *Infierno*.

replicó un diablo que también fueron enemigas de su castidad.

—Sí, por cierto —dijo una que había sido adúltera.

Y el demonio la acusó que había tenido un marido en ocho cuerpos,[38] que se había casado de por junto en uno para mil. Condenóse esta sola, y iba diciendo:

—¡Ojalá supiera que me había de condenar, que no hubiera oído misa los días de fiesta!

En esto, que era todo acabado, quedaron descubiertos Judas, Mahoma y Martín Lutero; y preguntando un ministro cuál de los tres era Judas; Lutero y Mahoma dijeron, cada uno, que él. Y corrióse Judas tanto, que dijo en altas voces:

—Señor, yo soy Judas; y bien conocéis vos que soy mucho mejor que éstos: porque si os vendí, remedié al mundo; y éstos, vendiéndose a sí y a vos, lo han destruido todo.[39]

Fueron mandados quitar delante. Y un ángel que tenía la copia, halló que faltaban por juzgar alguaciles y corchetes. Llamáronlos, y fue de ver que asomaron al puesto muy tristes y dijeron:

—Aquí lo damos por condenado; no es menester nada.

No bien lo dijeron, cuando, cargado de astrolabios y globos, entró un astrólogo dando voces y diciendo que se habían engañado; que no había de ser aquel día el del Juicio, porque Saturno no había acabado sus movimientos ni el de trepidación el suyo. Volvióse un diablo y viéndole tan cargado de madera y papel, le dijo:

—¡Ya os traéis la leña con vos! Como si supiérades que de cuantos cielos habéis tratado en vida, estáis de manera que, por la falta de uno sólo, en muerte, os iréis al infierno.

—Eso no iré yo —dijo él.

—Pues llevaros han. —Y así se hizo.

38 *en ocho cuerpos*: como una obra o armario; es decir, un marido y siete amantes.

39 Véase R. Lida, *Dos sueños de Quevedo y un prólogo*, p. 99.

Con esto se acabó la residencia y tribunal; huyeron las sombras a su lugar; quedó el aire con nuevo aliento, floreció la tierra, rióse el cielo. Y Cristo subió *consigo* a descansar en sí los dichosos por su pasión. Y yo me quedé en el valle, y discurriendo por él, oí mucho ruido y quejas en la tierra. Lleguéme por ver lo que había, y vi en una cueva honda —garganta del infierno— penar muchos, y entre otros: un letrado revolviendo no tanto leyes como caldos; un escribano *comiéndose las* letras que no había querido [...] leer en esta vida.[40] Todos *los* ajuares del infierno, las ropas y tocados de los condenados, estaban prendidos, en vez de clavos y alfileres, con alguaciles; un avariento, contando más duelos que dineros; un médico, *penando* en un orinal; y un boticario, en una melecina. Dióme tanta risa ver esto, que me despertaron las carcajadas. Y fue mucho quedar, de tan triste sueño, más alegre que espantado.

Sueños son estos, que si se duerme vuestra excelencia sobre ellos, verá que, por ver las cosas como las veo, las esperará como las digo.

Fin del *Juicio final.*

40 Véase la pasada nota 29 así como *Infierno,* p. 138, donde se refieren algunas mañas de los escribanos. Aquí parece aludir a las omisiones que a menudo cometían en los traslados de las escrituras, con frecuente perjuicio cuando el sentido quedaba alterado. Muchos de tales defectos eran fruto de la incuria, de la pereza, aunque otros fuesen intencionados y delictivos. Véase Berumen, *La sociedad española,* pp. 332-333, y el comentario de A. Mas en su edición de *Las Zahúrdas,* p. 94.

EL ALGUACIL ENDEMONIADO[1]

AL CONDE DE LEMOS, PRESIDENTE DE INDIAS[2]

BIEN sé que a los ojos de vuestra excelencia es más endemoniado el autor que el sujeto; si lo fuere también el discurso, habré dado lo que se esperaba de mis pocas letras, que amparadas, como dueño, de vuestra excelencia y su grandeza, despreciarán cualquier temor. Ofrézcole este discurso del *Alguacil endemoniado* —aunque fuera mejor y más propiamente, a los diablos mismos—; recíbale vuestra excelencia con la humanidad que me hace merced; así yo vea en su casa la sucesión que tanta nobleza y méritos piden.

Esté advertida vuestra excelencia que los seis géneros de demonios que cuentan los supersticiosos y los hechiceros (los cuales por esta orden divide Psello en el capítulo once del libro de los demonios),[3] son los mismos

1 A partir de la edición de *Juguetes* cambió este título por *El alguacil alguacilado*.

2 Pedro Fernández de Castro Andrade y Portugal, VII conde de Lemos; tomó posesión de la presidencia del Consejo de Indias el 9 de marzo de 1603 (Alfonso Pardo Manuel de Villena, *Un mecenas español del siglo XVII. El conde de Lemos*, Madrid, 1911, p. 44).

3 Fernández-Guerra (BAE, 23, p. 302, nota *b*) dice haber consultado en la madrileña biblioteca de San Isidro un ejemplar (Venecia, 1516) "apostillado acaso por Quevedo. La letra se parece a la de sus juveniles años". En el *Índice* de San Martín se registra el título *De operatione demonium,* París, 1615.

que las órdenes en que se distribuyen los alguaciles malos: los primeros llaman leliurios, que quiere decir ígneos; los segundos, aéreos; los terceros, terrenos; los cuartos, acuáticos; los quintos, subterráneos; los sextos lucífugos, que huyen de la luz. Los ígneos son los criminales que a sangre y fuego persiguen *a* los hombres; los aéreos son los soplones que dan viento; ácueos son los porteros que prenden por si vació o no vació, sin decir 'agua va', fuera de tiempo, y son ácueos con ser casi todos borrachos y vinosos; terrenos son los civiles que a puras comisiones y ejecuciones destruyen la tierra; lucífugos, los rondadores que huyen de la luz, debiendo la luz huir dellos; los subterráneos, que están debajo de tierra, son los escudriñadores de vidas, y fiscales de honras, y levantadores de falsos testimonios, que de bajo de tierra sacan qué acusar, y andan siempre desenterrando los muertos[4] y enterrando los vivos.

Transcribimos el texto de Psello, tomado de *Iamblichus De mysteriis Aegyptiorum, Chaldaeorum, Assyriorum,* Lyon, Juan Tornesio, 1503, que en las pp. 335-361 publica el "Psellus De Daemonibus. Interpres Marsilius Ficinus":

"Scaleni vero proprium daemonicum tanquam inaequale, nec ullo modo propinquans bono sive igitur hoc, sive alio modo res se habeat, sex omnino ille genera daemonum enumerabat, & primum quidem prima lingua barbare nominabat leliureon, id est igneum, quod circa sublimiorem aërem pervagari dicebat, omne namque daemonicum ex lunaribus regionibus, velut ex templo profanum aliquid exterminari. Secundum vero genus, quod in aëre propinquo nobis oberrat, quod & a multis propie, aërum nominatur. Tertium, terrenum, quod plurimum circa terram versatur, terrenisque; adversatur multis rationibus, atque machinis. Quartum, aquatile, & marinum, quod humoribus se inmergit, ac libenter circa lacus, & fluvios habitat, multosque perdit aquis, & in mari fluctus excitat, ac tempestates, navigiaque viris onusta funditus submergit multos que obruit undis. Quintum, subterraneum, quod habitat quidem sub terra, ivadit autem qui puteos offodiunt, & metalla, efficit hiatus terrae, & fundamenta concutit, fammivomos ventos suscitat. Sextum & ultimum est lucifugum, imperscrutabile, ac penitus tenebrosum, passionibusque frigidis violenter res perdens."

4 Correas, *Vocabulario,* p. 559: "Desenterrar los muertos. Decir faltas de difuntos y examinar quiénes fueron: repruébalo la caridad cristiana".

AL PÍO LECTOR

Y si fuéredes cruel, y no pío, perdona; que este epíteto, natural *del pollo,* has heredado de Eneas; y en agradecimiento de que te hago cortesía en no llamarte benigno lector, advierte que hay tres géneros de hombres en el mundo: [5] los unos que, por hallarse ignorantes, no escriben, y estos merecen disculpa por haber callado y alabanza por haberse conocido; otros, que no comunican lo que saben, a éstos se les ha de tener lástima de la condición y envidia del ingenio, pidiendo a Dios que les perdone lo pasado y les enmiende lo por venir; los últimos no escriben de miedo de las malas lenguas, éstos merecen reprensión, pues si la obra llega a manos de hombres sabios, no saben decir mal de nadie, si de ignorantes, ¿cómo pueden decir mal, sabiendo que si lo dicen de lo malo, lo dicen de sí mismos, y si del bueno, no importa, que ya saben todos que no lo entienden? Esta razón me animó a escribir el *Sueño del Juicio* y me permitió osadía para publicar este discurso. Si le quieres leer, léele, y si no, déjale, que no hay pena para quien no le leyere. Si le empezares a leer y te enfadare, en tu mano está con que tenga fin donde te fuere enfadoso. Sólo he querido advertirte en la primera hoja que este papel es sola una reprensión de malos ministros de justicia, guardando el decoro que se debe a muchos que hay loables por virtud y nobleza; poniendo todo lo que en él hay debajo la corrección de la Iglesia Romana y ministros de buenas costumbres.

FUE el caso que entré en San Pedro a buscar al licenciado Calabrés [6] clérigo de bonete de tres altos, hecho a modo de medio celemín, orillo por ceñidor

[5] Compárese la descripción que sigue con la que se hace en el discurso preliminar de *Mundo,* p. 162.

[6] Véase BAE, 23, p. 302, nota *a,* en la que Fernández-Guerra identifica la figura de este licenciado con la persona de don Genaro Andreini, capellán del conde de Lemos. Véase,

y no muy apretado, puños de Corinto, asomo de camisa por cuello, rosario en mano, disciplina en cinto, zapato grande y de ramplón; [7] [...] oreja sorda, habla entre penitente y disciplinante, derribado el cuello al hombro, como el buen tirador que apunta al blanco —mayormente, si es blanco de Méjico o de Segovia—, [8] los ojos bajos y muy clavados en el suelo, como el que codicioso busca en él cuartos, y los pensamientos tiples, color a partes hendida y a partes quebrada; tardón en la misa y abreviador en la mesa, gran *lanzador* de diablos, tanto, que sustentaba el cuerpo a puros espíritus. Entendíasele de ensalmar, haciendo al bendecir unas cruces mayores que las de los malcasados. Traía en la capa remiendos sobre sano, hacía del desaliño santidad, contaba revelaciones, y si se descuidaban a creerle, hacía milagros.

¿Qué me canso? Éste, señor, era uno de los que Cristo llamó sepulcros hermosos: [9] por defuera, blanqueados y llenos de molduras, y por dedentro, pudrición y gusanos. Fingiendo en lo exterior honestidad, siendo en lo interior del alma disoluto y de muy ancha y rasgada conciencia, era, en buen romance, hipócrita, embeleco vivo, mentira con alma y fábula con voz.

---

asimismo, M. Morreale, *Luciano y Quevedo,* p. 217, donde se traza un paralelo entre este personaje y el Tasides del satírico griego.

[7] Correas, *Vocabulario,* p. 645: "Son de ramplón. De los calzados y obras fuertes".

[8] El fragmento "derribado... Segovia" y luego el de "y muy... cuartos", se suprimieron en *Juguetes* y no figuran en el manuscrito de la Colombina, según Fernández-Guerra. Como no cabe pensar en motivos de censura, es verosímil que se suprimieran por apócrifos. Refuerza esta idea el hecho de que el primer inciso rompe la cadena de rasgos que forman el retrato del licenciado, lo cual no se corresponde con la técnica quevediana, y el segundo desbarata el contraste inmediato de la lección "los ojos bajos y los pensamientos tiples". La expresión "blanco de Méjico o de Segovia" parece aludir a la plata que venía de aquel país y a la que se acuñaba en la fábrica de la ciudad castellana.

[9] San Lucas, 11, 44, y San Mateo, 23, 27. Correas, *Vocabulario,* p. 643: "Sepulcros blancos. Contra los hipócritas, del Evangelio".

Halléle en la sacristía solo con un hombre que, atadas las manos *con* el cíngulo [10] y puesta la estola descompuestamente, daba voces con frenéticos movimientos.

—¿Qué es esto? —le pregunté, espantado.

Respondióme:

—Un hombre endemoniado.

Y al punto, el espíritu que en él tiranizaba la posesión a Dios, respondió:

—No es hombre, sino alguacil. Mirad cómo habláis, que en la pregunta del uno y en la respuesta del otro se ve que sabéis poco. Y se ha de advertir que los diablos en los alguaciles estamos por fuerza y de mala gana; por lo cual, si queréis *acertar, me* debéis *llamar* a mí demonio enaguacilado, y no a éste alguacil endemoniado. Y avenísos tanto mejor los hombres con nosotros que con ellos, cuanto no se puede encarecer, pues nosotros huimos de la cruz y ellos la toman por instrumento para hacer mal. ¿Quién podrá negar que demonios y alguaciles no tenemos un mismo oficio? Pues bien mirado, nosotros procuramos condenar y los alguaciles también; nosotros que haya vicios y pecados en el mundo, y los alguaciles lo desean y procuran con más ahinco, porque ellos lo han menester para su sustento y nosotros para nuestra compañía. Y es mucho más de culpar este oficio en los alguaciles que en nosotros, pues ellos hacen mal a hombres como ellos y a los de su género, y nosotros no, que somos ángeles aunque sin gracia. Fuera de esto, los demonios lo fuimos por querer ser más que Dios, y los alguaciles son alguaciles por querer ser menos que todos. Así que, por demás te cansas, padre, en poner reliquias a éste, pues no hay santo que si entra en sus manos, no quede para ellas. Persuádete que el alguacil y nosotros todos somos de una orden, sino que los alguaciles son diablos calzados

10 Puesto que el cíngulo es un cordón o cinta, las manos tienen que estar atadas 'con' y no 'en', según dicen todas las versiones.

y nosotros *alguaciles* recoletos,[11] que hacemos áspera vida en el infierno.

Admiráronme las sutilezas del diablo. Enojóse Calabrés, revolvió sus conjuros, quísole enmudecer, y al echarle agua bendita a cuestas, comenzó a huir y a dar voces, diciendo:

—Clérigo, cata que no hace estos sentimientos el alguacil por la parte de bendita, sino por ser agua. No hay cosa que tanto aborrezcan, pues *si* en su nombre se llama alguacil, es encajada una *l* en medio. Y porque acabéis de conocer quién son y cuán poco tienen de cristianos, advertid que de pocos nombres que del tiempo de los moros quedaron en España, llamándose ellos *merinos,* le han dejado por llamarse alguaciles —que alguacil es palabra morisca—, y hacen bien, que conviene el nombre con la vida y ella con sus hechos.

—Eso es muy insolente cosa oírlo —dijo furioso mi licenciado—; y si le damos licencia a este enredador, dirá otras mil bellaquerías y mucho mal de la justicia, porque corrige el mundo y le quita, con su temor y diligencia, las almas que tiene negociadas.

—No lo hago por eso —replicó el diablo—, sino porque ese es tu enemigo, que es de tu oficio.[12] Y ten lástima de mí y sácame del cuerpo de este alguacil; que soy demonio de prendas y calidad, y perderé después mucho en el infierno por haber estado acá con malas compañías.

—Yo te echaré hoy fuera —dijo Calabrés—, de lástima de ese hombre que aporreas por momentos y maltratas; que tus culpas no merecen piedad ni tu obstinación es capaz de ella.

—Pídeme albricias —respondió el diablo—, si me sacas hoy. Y advierte que estos golpes que le doy y lo que le aporreo, no es sino que yo y su alma *reñimos*

11 Sobre este y otros juegos expresivos, véase el importante trabajo del profesor Alarcos García, *Quevedo y la parodia idiomática.*

12 Correas, *Vocabulario,* p. 207: "Ese es tu enemigo, el de tu oficio". Véase R. Lida, *Dos sueños de Quevedo,* p. 94.

acá sobre quien ha de estar en mejor lugar, y andamos a más diablo es él.

Acabó esto con una gran risada; corrióse mi bueno de conjurador, y determinóse a enmudecerle. Yo, que había comenzado a gustar de las sutilezas del diablo, le pedí que pues estábamos solos, y él como mi confesor sabía mis cosas secretas, y yo como amigo las suyas, que le dejase hablar, apremiándole sólo a que no maltratase el cuerpo del alguacil. Hízose así, y al punto dijo:

—Donde hay poetas, parientes tenemos en corte [13] los diablos, y todos nos lo debéis por lo que en el infierno os sufrimos. Que habéis hallado tan fácil modo de condenaros, que hierve todo él en poetas. Y hemos hecho una ensancha a su cuartel; y son tantos, que compiten en los votos y elecciones con los escribanos. Y no hay cosa tan graciosa como el primer año de noviciado de un poeta en penas, porque hay quien *se* lleva de acá cartas de favor para ministros, y créese que ha de topar con *Radamanto,* y pregunta por el Cerbero y Aqueronte, y no puede creer sino que se les esconden.

—¿Qué generos de penas les dan a los poetas? —repliqué yo.

—Muchas —dijo— y propias. Unos se atormentan oyendo *alabar* las obras de otros, y a los más es la pena el limpiarlos. Hay poeta que tiene mil años de infierno y aún no acaba de leer unas endechillas a los celos. Otros verás en otra parte aporrearse y darse de tizonazos sobre si dirá faz o cara. Cuál, para hallar un consonante, no hay cerco en el infierno que no haya rodado, mordiéndose las uñas. Mas los que peor lo pasan y más mal lugar tienen son los poetas de comedias, por las muchas reinas que han hecho [...], [14] las

13 Correas, *Vocabulario,* pp. 475 y 649: "Tener parientes en la corte. De los que tienen valedores" y "Por tener favorecedores y quien mire por alguno".

14 Falta una palabra o dos que completen la oración; obsérvense las construcciones inmediatas. La omisión que señalamos impide saber qué hicieron con las reinas. La construcción es admisible, pero rompe una serie de expresiones paralelas.

infantas de Bretaña que han deshonrado, los casamientos desiguales que han hecho en los fines de las comedias, y los palos que han dado a muchos hombres honrados por acabar los entremeses. Mas es de advertir que los poetas de comedias no están entre los demás, sino que, por cuanto tratan de hacer enredos y marañas, se ponen entre los procuradores y solicitadores, gente que sólo trata de eso.

Y en el infierno están todos aposentados con tal orden. Que un artillero que bajó allá el otro día, queriendo que le pusiesen entre la gente de guerra, como al preguntarle del oficio que había tenido, dijese que hacer tiros en el mundo, fue remitido al cuartel de los escribanos, pues son los que hacen tiros [15] en el mundo. Un sastre, porque dijo que había vivido de cortar de vestir, [16] fue aposentado en los maldicientes. Un ciego, que quiso encajarse con los poetas, fue llevado a los enamorados, por serlo todos. Otro, que dijo: "*Yo* enterraba difuntos", fue acomodado con los pasteleros. Los que venían por el camino de los locos, ponemos con los astrólogos, y a los *que* por mentecatos, con los alquimistas. Uno vino por unas muertes, y está con los médicos. Los mercaderes que se condenan por vender, están con Judas. Los malos ministros, por lo que han tomado, alojan con el mal ladrón. Los necios están con los verdugos. Y un aguador, que dijo había vendido agua fría, fue llevado con los taberneros. Llegó un mohatrero tres días ha, y dijo que él se condenaba por haber vendido gato por liebre, [17] y pusímoslo de pies con los venteros, que dan lo mismo. Al fin, todo el infierno está repartido en partes, con esta cuenta y razón.

—Oíte decir antes de los enamorados; y por ser cosa que a mí me toca, gustaría saber si hay muchos.

—Mancha es la de los enamorados —respondió— que lo toma todo. Porque todos lo son de sí mismos; algu-

15 Perjudicar, incomodar, hacer mal tercio a uno en algún negocio o solicitud (Correas, *Vocabulario*, p. 591).

16 Murmurar, censurar del ausente.

17 Correas, *Vocabulario*, p. 657: "Vender cosa mala por buena".

nos, de sus dineros; otros, de sus palabras; otros, de sus obras; y algunos, de las mujeres. Y de estos postreros hay menos que todos en el infierno; porque las mujeres son tales, que, con ruindades, con malos tratos y peores correspondencias, les dan ocasiones de arrepentimiento cada día a los hombres. Como digo, hay pocos de éstos, pero buenos y de entretenimiento, si allá cupiera. Algunos hay que en celos y esperanzas amortajados y en deseos, se van por la posta al infierno, sin saber cómo, ni cuándo, [18] ni de qué manera. Hay amantes a lacayuelos, [19] que arden llenos de cintas; otros, crinitos, [20] como cometas, llenos de cabellos; y otros que, en los billetes solos que llevan de sus damas, ahorran veinte años de leña a la fábrica de la casa, abrasándose lardeados en ellos. Son de ver los *amantes de monjas,* con las bocas abiertas y las manos extendidas, *condenados por tocas* sin tocar pieza, hechos bufones de los otros, *metiendo y sacando los dedos por unas rejas y en vísperas* del contento, sin tener jamás el día y con [...] el título de pretendientes *de Antecristo. Están a su lado los que han querido doncellas y se han condenado* por el beso, como Judas, brujuleando siempre los gustos sin poderlos descubrir.

Detrás de éstos, en una mazmorra, están los *adúlteros*; éstos son los que mejor viven y peor lo pasan, pues otros les sustentan la cabalgadura y ellos lo gozan.

—Gente es ésta —dije yo— cuyos agravios y favores, todos son de una manera.

Abajo, en un apartado muy sucio, lleno de mondaduras de rastro [21] —quiero decir, cuernos—, están los

18 *Ibid.*, p. 644: "Sin saber cómo ni cuándo: sin sentir, sin echarlo de ver".

19 A lazos o a cintajos, puesto que 'lacayo' es el lazo colgante de cintas con que se adornaban las mujeres el puño de la camisa o del jubón, y que los enamorados les pedían, como testimonio amoroso, para lucirlo ellos.

20 De largos cabellos; llamábanse cometas crinitos a los que su cola o cabellera estaba dividida en varios ramales divergentes. Eran, pues, amantes crinitos los que se adornaban con mechones de cabello de su dama.

21 El rastro era el lugar donde se mataba el ganado para el consumo y también aquél en que se vendía la carne por mayor.

que acá llamamos cornudos; gente que aun en el infierno no pierde la paciencia, que como la llevan hecha a prueba de la mala mujer que han tenido, ninguna cosa los espanta.

Tras ellos están los que se enamoran de viejas, con cadenas; que los diablos, de hombres de tan mal gusto, aún no pensamos que estamos seguros; y si no estuviesen con prisiones, Barrabás aún no tendría bien guardadas las asentaderas de ellos; y tales como somos, les parecemos blancos y rubios. Lo primero que con éstos se hace es condenarles la lujuria y su herramienta a perpetua cárcel.

Mas dejando éstos, os quiero decir que estamos muy sentidos de los potajes que hacéis de nosotros, pintándonos con garra sin ser aguiluchos; con colas, habiendo diablos rabones; con cuernos, no siendo casados; y malbarbados siempre, habiendo diablos de nosotros que podemos ser hermitaños y corregidores. Remediad esto, que poco *ha* que fue Jerónimo Bosco [22] allá, y preguntándole por qué había hecho tantos guisados de nosotros en sus sueños, dijo:

—Porque no había creído nunca que había demonios de veras.

Lo otro, y lo que más sentimos, es que hablando comúnmente, soléis decir: "¡Miren el diablo del sastre!" o "¡Diablo es el sastrecillo!" ¿A sastres nos comparáis?, que damos leña con ellos al infierno y aun nos hacemos

---

De ahí que las mondaduras fuesen los desperdicios; se alude concretamente a los cuernos.

[22] Esta mención del Bosco y la singular visión que ofrece Quevedo de algunas figuras en los sueños, ha dado lugar a diversos trabajos en torno a la relación que puede haber entre ambos artistas; véase, sobre todo, M. Morreale, *Quevedo y el Bosco,* y Margarita Levisi, *Hieronymus Bosch y los* Sueños *de Francisco de Quevedo.* Recientemente, a partir de una observación de Eugenio Asensio (*Hallazgo de Diego Moreno,* reflejada luego en *Itinerario del entremés,* p. 190), se ha examinado también el parentesco de aquellas extravagantes figuras con las de Arcimboldo; en especial, véase M. Levisi, *Las figuras compuestas en Arcimboldo y Quevedo.*

[G]asper Bouttats. inventor et fecit.

Gasp: Bouttats inventor et fecit.

de rogar para recibirlos,[23] que si no es la póliza de quinientos, nunca hacemos recibo, por no malvezarnos y que ellos no aleguen posesión: *Quoniam consuetudo est altera lex.* Y como tienen posesión en el hurtar y quebrantar las fiestas, fundan agravio si no les abrimos las puertas grandes, como si fuesen de casa.

También nos quejamos de que no hay cosa, por mala que sea, que no la deis al diablo; y en enfadándoos algo, luego decís: "¡Pues el diablo te lleve!". Pues advertid que son más los que se van allá que los que traemos, que no de todo hacemos caso. Dais al diablo un mal trapillo y no le toma el diablo, porque hay algún mal trapillo que no le tomará el diablo; dais al diablo un italiano y no le toma el diablo, porque hay italiano que tomará al diablo. Y advertid que las más veces dais al diablo lo que él ya se tiene, digo, nos tenemos.

—¿Hay reyes en el infierno? —le pregunté yo, y satisfizo a mi duda diciendo:

—Todo el infierno es figuras,[24] y hay muchos, porque el poder, libertad y mando les hace sacar a las virtudes de su medio, y llegan los vicios a su extremo; y viéndose en la suma reverencia de sus vasallos y, con la grandeza, opuestos a dioses, quieren valer punto menos y parecerlo; y tienen muchos caminos para condenarse, y muchos que los ayudan: porque uno se condena por la crueldad y, matando y *desterrando los suyos,* es una *ponzoña* coronada [...] y una peste real de sus reinos; otros se pierden por la codicia, haciendo *amazonas* sus villas y ciudades a fuerza de grandes pechos, que en vez de criar, desustancian; y otros se van al infierno por terceras personas, y se condenan por poderes, fiándose de infames ministros. Y es gusto verles

23 Véase *Infierno,* p. 114, en que también se comenta el número de sastres que llegan a sus puertas.

24 "Se llama jocosamente al hombre entonado, que afecta gravedad en sus acciones y palabras" (*Diccionario de Autoridades,* t. III, p. 748). Véase, además, Quevedo, *Pragmática del tiempo,* "Declaramos que sean tenidos por figuras los que a nadie quitan la gorra, y más si es de puro arrogantes." y E. Asensio, *Itinerario del entremés,* p. 77 y siguientes

penar, porque como bozales en trabajos, se les dobla el dolor con cualquier cosa. Sólo tienen bueno los reyes que, como es gente honrada, nunca vienen solos, sino con pinta de dos o tres privados, y a veces va el encaje,[25] y se traen todo el reino tras sí, pues todos se gobiernan por ellos. Dichosos vosotros, españoles, que, sin merecerlo, sois vasallos y gobernados por un rey tan vigilante y católico, a cuya imitación os vais al cielo; y esto si hacéis buenas obras (y no entendáis por ellas palacios suntuosos,[26] que éstos a Dios son enfadosos, pues vemos nació en Belén, en un portal destruido); no cual otros malos reyes, que se van al infierno por el camino real, y los mercaderes, por el de la plata.

—¿Quién te mete ahora con los mercaderes? —dijo Calabrés.

—Manjar es que nos tiene ya empalagados a los diablos, y ahitos, y aun los vomitamos. Vienen allá a millares, condenándose en castellano y en guarismo. Y habéis de saber que en España los misterios de las cuentas de los genoveses son dolorosos para los millones que vienen de las Indias, y que los cañones de sus plumas son de batería contra las bolsas; y no hay renta que, si la cogen en medio el tajo de sus plumas y el jarama de su tinta, no la ahoguen. Y, en fin, han hecho entre nosotros sospechoso este nombre de asientos, que como significan *traseros,* no sabemos cuando hablan a

[25] Es lenguaje del juego de pintas, con la baraja, y se apoya en la expresión anterior "con pinta de dos o tres privados". Acaso aluda, por asociación de ideas, a la afición que Felipe III y algunos de sus ministros mostraron por los naipes.

[26] Un elogio de Felipe III en boca del diablo sería un rasgo irónico digno de Quevedo, pero no expresado en esos términos. De otra parte, semejantes libertades pugnan con el respeto que demostró siempre por sus reyes. La confusión entre buenas obras y palacios suntuosos pudiera ser alusión al duque de Lerma, verdaderamente obsesionado por las fundaciones piadosas y por la arquitectura monumental; véase Luis Cervera Vera, *El conjunto palacial de la villa de Lerma,* Madrid, 1967, donde se despliega y concreta ese aspecto del privado. Con todo, el tono y lenguaje del párrafo, sensiblemente distintos de cuanto precede y de lo que sigue, permiten sospechar que se trata de un fragmento posterior y acaso apócrifo

lo negociante o cuando a lo *bujarrón*. Hombre de estos ha ido al infierno que, viendo la leña y fuego que se gasta, ha querido hacer *estanco* de la lumbre; y otro quiso arrendar los tormentos, pareciéndole que ganara con ellos mucho. Estos tenemos allá junto a los jueces que acá los permitieron.

—¿Luego algunos jueces hay allá?

—¡Pues no! —dijo el espíritu—. Los jueces son nuestros faisanes, nuestros platos regalados, y la simiente que más provecho y fruto nos da a los diablos; porque de cada juez que sembramos, cogemos seis procuradores, dos relatores, cuatro escribanos, cinco letrados y cinco mil negociantes, y esto cada día. De cada escribano cogemos veinte oficiales; de cada oficial, treinta alguaciles; de cada alguacil, diez corchetes. Y si el año es fértil de trampas, no hay trojes en el infierno donde recoger el fruto de un mal ministro.

—¿También querrás decir que no hay justicia en la tierra, rebelde a Dios,[27] y sujeta a sus ministros?

—Y ¡cómo que no hay justicia! ¿Pues no has sabido lo de Astrea, que es la justicia, cuando huyendo de la tierra se subió al cielo? Pues por si no lo sabes, te lo quiero contar.

Vinieron la verdad y la justicia a la tierra;[28] la una no halló comodidad por desnuda ni la otra por rigurosa. Anduvieron mucho tiempo así, hasta que la verdad, de puro necesitada, asentó con un mudo.

La justicia, desacomodada, anduvo por la tierra rogando a todos, y viendo que no hacían caso de ella y que le usurpaban su nombre para honrar tiranías, determinó volverse huyendo al cielo. Salióse de las grandes ciudades y cortes, y fuese a las aldeas de villanos, donde por algunos días, escondida en su pobreza, fue hospedada de la simplicidad, hasta que envió contra ella requisitorias la malicia. Huyó entonces de todo

27 *rebelde a Dios*: parece un vocativo referido al diablo, aunque también pudiera ser una lección corrompida.

28 Ovidio, *Metamorfosis*, Lib. I, versos 149-150.

punto, y fue de casa en casa pidiendo que la recogiesen. Preguntaban todos quién era, y ella, que no sabe mentir, decía que la justicia; respondíanle todos:

—¿Justicia, y por mi casa? [29] Vaya por otra.

Y así, no estuvo en ninguna. Subióse al cielo y apenas dejó acá pisadas.

Los hombres, que esto vieron, bautizaron con *su nombre* algunas varas que, fuera de las cruces, arden algunas muy bien allá; y acá sólo tienen nombre de justicia ellas y los que las traen. Porque hay muchos de éstos en quien la vara hurta más que el ladrón con ganzúa y llave falsa y escala.

Y habéis de advertir que la codicia de los hombres ha hecho instrumento para hurtar todas sus partes, sentidos y potencias que Dios les dio, las unas para vivir y las otras para vivir bien. ¿No hurta la honra de la doncella, con la voluntad, el enamorado? ¿No hurta con el entendimiento, el letrado que le da malo y torcido a la ley? ¿No hurta con la memoria el representante, que nos lleva el tiempo? ¿No hurta el amor con los ojos? ¿El discreto con la boca? ¿El poderoso con los brazos?, pues no medra quien no tiene los suyos. ¿El valiente con las manos; el músico con los dedos; el gitano y cicatero con las uñas; el médico con la muerte; el boticario con la salud; el astrólogo con el cielo? Y, al fin, cada uno hurta con una parte o con otra. Sólo el alguacil hurta con todo el cuerpo, pues acecha con los ojos, sigue con los pies, *ase* con las manos y atestigua con la boca; y, al fin, son tales los alguaciles, que de ellos y de nosotros defiende a los hombres la santa Iglesia romana. [30]

—Espántome —dije yo— de ver que entre los ladrones no has metido a las mujeres, pues son de casa.

29 La versión de *Juguetes* enmienda: "¡Justicia, y no por mi casa!" Correas, *Vocabulario,* p. 255: "Justicia, justicia, mas no por mi casa".

30 Por su acción purificadora en cuanto al pecado y por el cobijo que solía conceder a los perseguidos. Véase *Mundo,* p. 174.

—No me las nombres —respondió—, que nos tienen enfadados y cansados; y a no haber tantas allá, no era muy mala [...] habitación *el* infierno. Diéramos, para que enviudáramos, en el infierno, mucho. Que como se urden enredos, y ellas, desde que murió Medusa la hechicera, no platican otro, temo no haya alguna tan atrevida que quiera probar su habilidad con alguno de nosotros, por ver si sabrá dos puntos más.[31] Aunque sola una cosa tienen buena las condenadas, por la cual se puede tratar con ellas: que como están desesperadas, no piden nada.

—¿De cuáles se condenan más: feas o hermosas?

—Feas —dijo al instante—, seis veces más; porque *como* los pecados, para *conocerlos y aborrecerlos,* no es menester mas *de hacerlos*; y las hermosas [...] hallan tantos que las satisfagan el apetito carnal, hártanse y arrepiéntense; pero las feas, como no hallan nadie, allá se nos van en ayunas y con la misma hambre rogando a los hombres; y después que *se usan* ojinegras y cariaguileñas, hierve el infierno en blancas y rubias y en viejas más que en todo, que de envidia de las mozas, obstinadas, expiran gruñendo. El otro día llevé yo una de setenta años que comía barro[32] y hacía ejercicio para remediar las opilaciones, y se quejaba de dolor de muelas porque pensasen que las tenía; y con tener ya amortajadas las sienes con la sábana blanca de sus canas y arada la frente, huía de los ratones y traía galas, pensando agradarnos a nosotros. Pusímosla allá, por tormento, al lado de un lindo de estos que se van allá con zapatos blancos y de puntillas, informados de que es tierra seca y sin lodos.

31 Correas, *Vocabulario,* p. 640: "Sabe un punto más que el diablo. Por agudeza, y el vulgo dice de las mujeres que saben un punto más que el diablo, y es que para lo que quieren, salen con extraordinario pensamiento".

32 Sobre esta costumbre, véase lo que dice todavía nuestro diccionario académico en la palabra 'búcaro'. Correas, *Vocabulario,* p. 79: "El barro colorado, pone el color quebrado. A las que lo comen". "Barro y cal encubren mucho mal. Porque en los edificios se encubren faltas y hendeduras con ello, y alegoría de los afeites".

—En todo eso estoy bien —le dije—; sólo querría saber si hay en el infierno muchos pobres.

—¿Qué es pobres? —replicó.

—El hombre —dije yo— que no tiene nada de cuanto tiene el mundo.[33]

—¡Hablara yo para mañana![34] —dijo el diablo—. Si lo que condena a los hombres es lo que tienen del mundo, y ésos no tienen nada, ¿cómo se condenan?[35] Por acá los libros nos tienen en blanco. Y no os espantéis, porque aun diablos les faltan a los pobres. Y a veces, más diablos sois unos para otros que nosotros mismos. ¿Hay diablo como un adulador, como un envidioso, como un amigo falso y como una mala compañía? Pues todos éstos le faltan al pobre, que no le adulan, ni le envidian, ni tiene amigo malo ni bueno, ni le acompaña nadie. Estos son los que verdaderamente viven bien y mueren mejor. ¿Cuál de vosotros sabe estimar el tiempo[36] y poner precio al día, sabiendo que todo lo que pasó lo tiene la muerte en su poder, y gobierna lo presente y aguarda todo lo porvenir, como todos ellos?

—Cuando el diablo predica, el mundo se acaba.[37] ¿Pues cómo, siendo tú padre de la mentira —dijo Calabrés—, dices cosas que bastan a convertir una piedra?

—¿Cómo? —respondió—. Por haceros mal, y que no podáis decir que faltó quien os lo dijese. Y adviértase que en vuestros ojos veo muchas lágrimas de tristeza y pocas de arrepentimiento; y de las más se deben las gracias al pecado que os harta o cansa, y no a la voluntad que por malo le aborrezca.

[33] Véase M. Morreale, *Luciano y Quevedo,* p. 218.

[34] Correas, *Vocabulario,* p. 229: "Dícese al que ya tarde acabó de decir lo que debía o quería".

[35] Acaso: *¿cómo se condenen?*

[36] Séneca, *Cartas a Lucilo,* I (Del aprecio del tiempo). Véase *Mundo,* p. 164, en que el Desengaño hace parecidas consideraciones.

[37] En Correas, *Vocabulario,* p. 134, se recoge un refrán parecido: "Cuando el diablo reza y hace penitencia, la fin quiere venir".

—Mientes —dijo Calabrés—; que muchos santos y santas hay hoy. Y ahora veo que en todo cuanto has dicho, has mentido; y en pena, saldrás hoy de este hombre.

Usó de sus exorcismos y, sin poder yo con él, le apremió a que callase. Y si un diablo por sí es malo, mudo es peor que diablo.

Vuestra excelencia con curiosa atención mire esto y no mire a quien lo dijo; que Herodes profetizó, y por la boca de una sierpe de piedra sale un caño de agua, en la quijada de un león hay miel, y el salmo dice que a veces recibimos salud de nuestros enemigos y de mano de aquéllos que nos aborrecen. [38]

Fin del *Alguacil endemoniado.*

38 Véase M. Morreale, *Luciano y Quevedo,* p. 227.

SUEÑO DEL INFIERNO[1]

CARTA A UN AMIGO SUYO.

ENVÍO a v.m. este discurso, tercero al *Sueño* y al *Alguacil,* donde puedo decir que he rematado las pocas fuerzas de mi ingenio, no sé si con alguna dicha. Quiera Dios halle algún agradecimiento mi deseo, cuando no merezca alabanza mi trabajo, que con esto tendré algún premio de los que da el vulgo con mano escasa; que no soy tan soberbio que me precie de tener envidiosos, pues, de tenerlos, tuviera por gloriosa recompensa el merecerlos tener. V.m., en Zaragoza, comunique este papel, haciéndole la acogida que a todas mis cosas, mientras yo, acá, esfuerzo la paciencia a maliciosas calumnias que al parto de mis obras —sea aborto— suelen anticipar mis enemigos. Dé Dios a v.m. paz y salud. Del Fresno y mayo 3 de 1608.

Don Francisco Quevedo Villegas.

PRÓLOGO AL INGRATO Y DESCONOCIDO LECTOR

ERES tan perverso que ni te obligué, llamándote pío, benévolo ni benigno en los demás discursos, porque no

1 A partir de la edición de *Juguetes* se tituló "Las zahúrdas de Plutón". Fernández-Guerra supone que el destinatario de la carta que encabeza este sueño fue Lupercio Leonardo de Argensola (BAE, t. 23, p. 307, nota *a*).

me persiguieses; y, ya desengañado, quiero hablar contigo claramente. Este discurso es el del infierno; no me arguyas de maldiciente porque digo mal de los que hay en él, pues no es posible que haya dentro nadie que bueno sea. Si te parece largo, en tu mano está: toma el infierno que te bastare y calla. Y si algo no te parece bien, o lo disimula piadoso, o lo enmienda docto; que errar es de hombres y ser herrado, de bestias o esclavos. Si fuere oscuro, nunca el infierno fue claro; si triste y melancólico, yo no he prometido risa. Sólo te pido, lector, y aun te conjuro por todos los prólogos, que no tuerzas las razones ni ofendas con malicia mi buen celo. Pues, lo primero, guardo el decoro a las personas y sólo reprendo los vicios; murmuro los descuidos y demasías de algunos oficiales, sin tocar en la pureza de los oficios; y, al fin, si te agradare el discurso, tú te holgarás, y si no, poco importa, que a mí de ti ni de él se me da nada. Vale.

DISCURSO

Yo que en el *Sueño del Juicio* vi tantas cosas y en *El alguacil endemoniado,* oí parte de las que no había visto, como sé que los sueños, las más veces, son burla de la fantasía y ocio del alma, y que el diablo nunca dijo verdad, por no tener cierta noticia de las cosas que justamente nos esconde Dios, vi, guiado del Ángel de mi Guarda, lo que se sigue, por particular providencia de Dios; que fue para traerme, en el miedo, la verdadera paz.

Halléme en un lugar favorecido de naturaleza por el sosiego amable, donde, sin malicia, la hermosura entretenía la vista —muda recreación y sin respuesta humana—, platicaban las fuentes entre las guijas y los árboles por las hojas, tal vez cantaba el pájaro, ni sé determinadamente si en competencia suya o agradeciéndoles su armonía. Ved cuál es de peregrino nuestro deseo, que no *hallé* paz en nada de esto. Tendí los ojos, codiciosos de ver algún camino por buscar compañía, y veo —cosa digna de admiración— dos sendas que nacían de un mismo lugar, y una se iba apartando de la otra, como que huyesen de acompañarse.[2]

Era la de mano derecha tan angosta, que no admite encarecimiento, y estaba, de la poca gente que por ella iba, llena de abrojos y asperezas y malos pasos. Con todo, vi algunos que trabajaban en pasarla, pero, por ir descalzos y desnudos, se iban dejando en el camino, unos el pellejo, otros los brazos, otros las cabezas, otros los pies; y todos iban amarillos y flacos. Pero *noté* que ninguno de los que iban por aquí miraba atrás, sino todos adelante. Decir que puede ir alguno a caballo es cosa de risa.[3] *Uno* de los que allí estaban, preguntándole si podría yo caminar aquel desierto a caballo, me dijo:

—San Pablo le dejó para dar el primer paso a esta senda.

Y miré con todo eso, y no vi huella de bestia ninguna. Y es cosa de admirar que no había señal de rueda de coche ni memoria apenas de que hubiese nadie caminado *en él* por allí jamás. Pregunté, espantado de esto, a un mendigo que estaba descansando y tomando aliento, si acaso había ventas en aquel camino o mesones en los paraderos. Respondióme:

—¿Venta aquí, señor, ni mesón? ¿Cómo queréis que le haya en este camino, si es el de la virtud? En el

2 "siendo Hércules mancebo, llegó por un camino adonde se repartía en dos, y que el de la mano derecha era muy áspero y estrecho, y se llamaba de la virtud, y el de la mano izquierda, muy ancho y llano y andadero, era el de los vicios y pecados." Juan de Pineda, *Agricultura cristiana,* Salamanca, 1589, p. 170, con referencias a Xenofonte, lib. 2, *De dictis et factis Socratis* y Athenaeus, lib. 12, *Dipno.,* c. I. Pero la idea está igualmente en San Mateo, 7, 13: "¡Cuán ancha y espaciosa la senda que lleva a la perdición! ¡Y son muchos los que entran por ella! ¡Cuán angosta es la puerta y estrecha la senda que lleva a la vida! ¡Y son pocos los que dan con ella!". Sobre los valores simbólicos de las dos sendas y del ameno paraje anterior, y sobre su tradición, Véase Howard Rollin Patch, *El otro mundo en la literatura medieval,* México, 1956.

3 Correas, *Vocabulario,* p. 574: "Deshaciendo la importancia de alguna cosa".

camino de la vida —dijo—, el partir es nacer, el vivir es caminar, la venta es el mundo, y, en saliendo de ella, es una jornada sola y breve desde él a la pena o a la gloria.

Diciendo esto, se levantó y dijo:

—¡Quedaos con Dios! Que en el camino de la virtud es perder tiempo el pararse uno y peligroso responder a quien pregunta por curiosidad y no por provecho.

Comenzó a andar dando tropezones y zancadillas y suspirando; parecía que los ojos, con lágrimas, osaban ablandar los peñascos a los pies y hacer tratables los abrojos.

—¡Pesia tal! —dije yo entre mí—, pues tras ser el camino tan trabajoso, es la gente que en él anda tan seca y poco entretenida. ¡Para mi humor es bueno! [4]

Di un paso atrás y salíme del camino del bien; que jamás quise retirarme de la virtud que tuviese mucho que desandar ni que descansar. Volví a la mano izquierda, y vi un acompañamiento tan reverendo, tanto coche, tanta carroza cargada de competencias al sol en humanas hermosuras, y gran cantidad de galas y libreas, lindos caballos, mucha gente de capa negra y muchos caballeros. Yo, que siempre oí decir: "Dime con quién fueres y direte quién eres", [5] por ir con buena compañía, puse el pie en el umbral del camino y, sin sentirlo, me hallé resbalado en medio de él, como el que se desliza por el hielo; y topé con *lo* que había menester. Porque aquí todos eran bailes y fiestas, juegos y saraos; y no el otro camino, que, por falta de sastres, iban en él desnudos y rotos, y aquí nos sobraban mercaderes, joyeros y todos oficios; pues ventas, a cada paso, y bodegones, sin número. No podré encarecer qué contento me hallé en ir en compañía de gente tan honrada, aunque el camino estaba algo embarazado, no tanto con las mulas de los médicos como con las barbas de los letrados, que era terrible la escuadra de ellos

[4] *Ibid.*, p. 414: "Bonico es eso para mi humor. Cuando no agrada lo que otro hace".
[5] *Ibid.*, p. 157, en los mismos términos.

que iba delante de unos jueces. No digo eso porque fuese menor el batallón de los doctores, a quien nueva elocuencia llama ponzoñas graduadas, pues se sabe que en sus universidades se estudia para tósigos. Animóme para proseguir mi camino el ver, no sólo que iban muchos por él, sino la alegría que llevaban, y que del otro se pasaban algunos al nuestro, y del nuestro al otro, por sendas secretas. Otros caían que no se podían tener y, entre ellos, fue de ver el cruel resbalón que una lechigada de taberneros dio en las lágrimas que otros habían derramado en el camino, que, por ser agua, se les fueron los pies y dieron en nuestra senda unos sobre otros.

Íbamos dando vaya [6] a los que veíamos por el camino de la virtud más atrabajados. Hacíamos burla de ellos, llamábamosles heces del mundo y desecho de la tierra. Algunos se tapaban los oídos y pasaban adelante; otros, que se paraban a escucharnos, de ellos desvanecidos de las muchas voces y de ellos persuadidos de las razones y corridos de las vayas, caían y se bajaban.

Vi una senda por donde iban muchos hombres de la misma suerte que los buenos y, desde lejos, parecía que iban con ellos mismos; y llegando que hube, vi que iban entre nosotros. Éstos, me dijeron que eran los hipócritas, [7] gente en quien la penitencia, el ayuno, la mortificación, que en otros son mercancía del cielo, es noviciado del infierno. Había muchas mujeres tras éstos besándoles las ropas, que en besar algunas son peores que Judas, porque *él* besó —aunque con ánimo traidor— la cara del Justo, hijo de Dios y Dios verdadero, y ellas besan los vestidos de otros tan malos como Judas. [8] Atribúyolo, más que a devoción, *en* algunas, a golosina en el besar. Otras iban cogiéndoles de las capas para reliquias; y algunas cortan tanto,

6 *Ibid.*, p. 555: "Dar vaya. Por matraca y trato".
7 Acerca de este pasaje de los hipócritas, véase M. Morreale, *Luciano y Quevedo*, pp. 213-217.
8 En *Alguacil*, p. 95, utilizó también en sentido metafórico el beso de Judas.

que da sospecha que lo hacen más por verlos en cueros o desnudos, que por fe que tengan con sus obras. Otras se encomiendan a ellos en sus oraciones, que es como encomendarse al diablo por tercera persona. Vi algunas pedirles hijos, y sospecho que marido que consiente en que pida hijos a otro la mujer, se dispone a agradecérselo si se les diere. Esto digo por ver que pudiendo las mujeres encomendar sus deseos y necesidades a san Pedro, a san Pablo, a san Juan, a san Agustín, a santo Domingo, a san Francisco y otros santos, que sabemos que pueden con Dios, se den a éstos que hacen oficio la humildad y pretenden irse al cielo de estrado en estrado y de mesa en mesa. Al fin conocí que iban éstos arrebozados para nosotros, mas para los ojos eternos, que, abiertos sobre todos, juzgan el secreto más oscuro de los retiramientos del alma, no tienen máscara. Bien que hay muchos buenos espíritus a quien debemos pedir favor con los santos y con Dios; mas son diferentes de éstos, *a* quien antes se les ve la disciplina que la cara, y alimentan su ambiciosa felicidad *del* aplauso de los pueblos, y diciendo que son unos indignos y grandísimos pecadores y los más malos de la tierra, llamándose jumentos, engañan con la verdad, pues siendo hipócritas, lo son al fin. Iban éstos solos aparte y reputados por más necios que los moros, más zafios que los bárbaros y sin ley, pues aquéllos, ya que no conocieron la vida eterna ni la van a gozar, conocieron la presente y holgáronse en ella; pero los hipócritas, ni la una ni la otra conocen, pues en ésta se atormentan y en la otra son atormentados. Y, en conclusión, de éstos se dice con toda verdad que ganan el infierno con trabajos.

Todos íbamos diciendo mal unos de otros: los ricos tras la riqueza, los pobres pidiendo a los ricos lo que Dios les quitó. Van por un camino los discretos, por no dejarse gobernar de otros; y los necios, por no entender a quien los *gobierna,* aguijan a todo andar. Las justicias llevan tras sí los negociantes, la pasión a las mal gobernadas justicias, y los reyes, desvanecidos y ambiciosos, todas las repúblicas.

No faltaron en el camino muchos eclesiásticos; muchos teólogos vi, algunos soldados, pero pocos, que por la otra senda, a fuerza de absoluciones y gracias, iban en hileras ordenados, honradamente triunfando de su sangre; pero los que nos cupieron acá era gente que, si como habían extendido el nombre de Dios jurando, lo hubieran hecho peleando, fueran famosos. Éstos iban muy desnudos, que, por la mayor parte, los tales, que viven por su culpa, traen los golpes en los vestidos y sanos los cuerpos. Andaban *contando* entre sí las ocasiones en que se habían visto, los malos pasos que habían andado (que nunca éstos andan en buenos pasos), y nada de esto les creíamos, teniéndoles por mentirosos; sólo cuando, por encarecer sus servicios, dijo uno a los otros que digo "¡*Camaradas,* qué trances hemos pasado y qué tragos!"; lo de los tragos se les creyó porque *hacían fe* recuas de mosquitos que les rodeaban las bocas, golosas del aliento parlero del mucho mosto que habían colado. Miraban a estos pocos los muchos capitanes, maestres de campo, generales de ejércitos, que iban por el camino de la mano derecha, enternecidos. Y oí decir a uno de ellos que no lo pudo sufrir, mirando las hojas de lata, llenas de papeles inútiles, que llevaban estos ciegos que digo: [9]

—¡Soldados, por acá! ¿Esto es de valientes, dejar este camino, de miedo de sus dificultades? Venid, que

[9] Entendemos que este pasaje ha sido puntuado y dispuesto defectuosamente desde antiguo. La puntuación en los manuscritos es poco menos que nula; luego, en las impresiones, la disposición del texto quedó al arbitrio y entendederas del tipógrafo, que no era el más indicado para tal menester; otras modificaciones que introducimos lo demuestran palpablemente. La disposición tradicional (*¿Qué digo? ¿Soldados por acá?*) suponía una expresión de asombro, con olvido de que el 'acá' del jefe que interpelaba tiene que corresponder a su propio camino y no al de los malos soldados, como lo corroboran las palabras 'este camino' y 'por aquí', que siguen inmediatamente. Además, Quevedo utilizó a veces la fórmula 'que dije' o 'que digo' a modo de referencia.

por aquí de cierto sabemos que sólo coronan al que legítimamente peleare.[10] ¿Qué vana esperanza os arrastra? ¿Las anticipadas promesas de los reyes? No siempre, con almas vendidas, es bien que temerosamente suene en vuestros oídos: "Mata o muere". Reprended la hambre del premio; que de buen varón es seguir la virtud sola y de codiciosos los premios no más; y quien no sosiega en la virtud, y la sigue por el interés y mercedes que se siguen, más es mercader que virtuoso, pues la hace a precio de perecedores bienes. Ella es don de sí misma, quietaos en ella. —Y aquí alzó la voz y dijo: —Advertid que la vida del hombre es guerra consigo mismo[11] y que toda la vida nos tienen en armas los enemigos del alma, que nos amenazan más dañoso vencimiento. Y advertid que ya los príncipes tienen por deuda nuestra sangre y vida, pues, perdiéndolas por ellos, los más dicen que los pagamos y no que los servimos. ¡Volved, volved!

Oyéronlo ellos muy atentamente, y, corridos de lo que les decían, como unos leones se entraron en una taberna.

Iban las mujeres al infierno tras el dinero de los hombres, y los hombres tras ellas y su dinero, tropezando unos con otros. Noté como al fin del camino de los buenos, algunos se engañaban y pasaban al de la perdición; porque como ellos saben que el camino del cielo es angosto y el del infierno ancho, y, al acabar, veían al suyo ancho y el nuestro angosto, pensando que habían errado o trocado los caminos, se pasaban acá, y de acá allá los que se desengañaban del remate del nuestro. Vi una mujer que iba a pie, y espantado de que mujer se fuese al infierno sin silla o coche, busqué

[10] San Pablo, *II Epístola a Timoteo,* 2, 5: "Y también, si uno lucha como atleta, no es coronado si no lucha conforme a la ley". Las consideraciones que luego siguen parecen relacionarse con el versículo inmediatamente anterior del Apóstol: "Nadie que se dedica a la milicia se deja enredar en los negocios de la hacienda, a fin de contentar al que lo alistó en el ejército". Véase, además, Raimundo Lida, *Hacia la Política de Dios,* p. 199.

[11] Job, 7, 1. Véase *Muerte,* p. 187.

un escribano que me diera fe de ello, y en todo el camino del infierno pude hallar ningún escribano ni alguacil; y como no los vi en él, luego colegí que era aquél el camino del cielo y este otro al revés. Quedé algo aconsolado, y sólo me quedaba duda que como yo había oído decir que iban con grandes asperezas y penitencias, y veía que todos se iban holgando...[12] Cuando me sacó de esta duda una gran parva de casados que venían con sus mujeres de las manos; y que la mujer era ayuno del marido, pues por darle la perdiz y el capón no comía; y que era su desnudez, pues por darle galas demasiadas y joyas impertinentes iba en cueros; y, al fin, conocí que un malcasado tiene en su mujer toda la herramienta necesaria para mártir, y ellos y ellas, a veces, el infierno portátil. Ver esta asperísima penitencia me confirmó de nuevo en que íbamos bien. Mas duróme poco, porque oí decir a mis espaldas:

—Dejen pasar los boticarios.

—¿Boticarios pasan? —dije yo entre mí—: al infierno vamos.

Y fue así, porque al punto nos hallamos dentro por una puerta como de ratonera, fácil de entrar e imposible de salir. Y fue de ver que nadie, en todo el camino, dijo: "Al infierno vamos", y todos, estando en él, dijeron muy espantados: "En el infierno estamos".

—¿En el infierno? —dije yo muy afligido—. No puede ser.

Y quíselo poner a pleito. Comencéme a lamentar de las cosas que dejaba en el mundo: los parientes, los amigos, los conocidos, las damas. Y estando llorando esto, volví la cara hacia el mundo y vi venir por el mismo camino, despeñándose a todo correr, cuanto había conocido allá, poco menos. Consoléme algo en

12 La sintaxis general del párrafo resulta defectuosa en la versión tradicional. Entendemos que la frecuencia con que utilizaron, Quevedo y otros, la i latina como conjunción, motivó la pluralización de 'penitencia', acaso bajo la influencia de 'asperezas', dejando aislada la 'i'. Obsérvese que pocas líneas adelante, 'asperísima penitencia' está en singular.

ver esto y que según se daban prisa a llegar al infierno, estarían conmigo presto. Comenzóseme a hacer áspera la morada y desapacibles los zaguanes.

Fui entrando poco a poco entre unos sastres que se me llegaron, que iban medrosos de los diablos. En la primera entrada hallamos siete demonios escribiendo *los* que íbamos entrando; preguntáronme mi nombre, díjele y pasé. Llegaron a mis compañeros y dijeron que eran sastres, y dijo uno de los diablos:

—Deben entender los sastres en el mundo que no se hizo el infierno sino para ellos, según se vienen por acá.

Preguntó otro diablo cuántos eran; respondieron que ciento, y respondió un demonio mal barbado, entrecano:

—¿Ciento y sastres? No pueden ser tan pocos. La menor partida que habemos recibido ha sido de mil y ochocientos. En verdad que estamos por no recibirles.

Afligiéronse ellos, mas, al fin, entraron. Ved cuáles son los sastres, que es para ellos amenaza el no dejarlos entrar en el infierno. Entró el primero un negro, chiquito, rubio, de mal pelo.[13] Dio un salto en viéndose allá y dijo:

—Ahora acá estamos todos.

Salió de un lugar donde estaba aposentado un diablo de marca mayor, corcovado y cojo, y arrojándolos en una hondura muy grande, dijo:

—¡Allá va leña!

Por curiosidad, me llegué a él y le pregunté de qué estaba corcovado y cojo; y me dijo —que era diablo de pocas palabras—:

[13] Son frecuentísimas en los *Sueños* las alusiones al color rubio y bermejo del cabello, como indicio de mala condición, véase la nota 43 y las abundantes frases al respecto que recoge Correas, *Vocabulario*, pp. 197, 244, 246, 388, 396, 438 y 451. El motivo pudiera ser la tradición de que Judas era pelirrojo, si no es más antigua la creencia de que ese color era nefasto y Judas la recibió como un estigma natural. La idea no es sólo española, véase Shakespeare, *As you like it*, III, escena IV, "Rosalind.—His very hair is of the dissembling colour. / Celia.—Something browner than Juda's".

—Yo era recuero de sastres, iba por ellos al mundo: de traerlos a cuestas me hice corcovado y cojo. He dado en la cuenta, y hallo que se vienen ellos mucho más aprisa que yo los puedo traer.

En esto hizo otro vómito de sastres el mundo, y hube de entrarme, porque no había donde estar ya allí; y el monstruo infernal *empezó* a traspalar. Y diz que es la mejor leña que se quema en el infierno: sastres.

Pasé adelante por un pasadizo muy oscuro, cuando por mi nombre me llamaron. Volví a la voz los ojos, casi tan medrosa como ellos, y hablóme un hombre que, por las tinieblas, no pude divisar más de lo que la llama que le atormentaba me permitía.

—¿No me conoce? —me dijo. [14]

—¡Ah! —ya lo iba a decir; y prosiguió, tras su nombre: —..., el librero. Pues yo soy. ¡Quién tal pensara!

Y es verdad Dios que yo siempre lo sospeché, porque era su tienda el burdel de los libros, pues todos los cuerpos que tenía eran de gente de la vida, escandalosos y *burlones.* [15] Un rótulo que decía: "Aquí se vende tinta fina y papel batido y dorado", pudiera condenar a otro que hubiera menester más apetitos por ello.

—¿Qué quiere? —me dijo, viéndome suspenso tratar conmigo estas cosas—. Pues es tanta mi desgracia, que

[14] También aquí se hacía necesario prescindir de toda puntuación anterior y reorganizar el pasaje con arreglo a una sintaxis lógica. Quevedo reconoce a su interlocutor, exclama '¡Ah!' (que entonces pocas veces se escribía con hache final), y cuando se dispone a dar el nombre, se le anticipa el atormentado identificándose y agregando: "el librero". Acaso el 'ya' fuera 'yo', como admite Mas.

[15] En *Desvelos* se lee: "y burlones; no quería sino discursos de ociosos y leyenda de vagamundos; y como trataba de embarazar la memoria y el entendimiento con escándalos de buen saber, ganó de comer y ganó de penar; no dio posada jamás a autor de la letanía ni del calendario, sólo hospedó al Febo y a Esplandián y a otros tales; y había...". El fragmento no aparece en ningún manuscrito haciendo sospechar la colaboración de Van der Hammen; téngase además en cuenta que, de ser auténtico, el enlace 'y había' exige un 'que' entre 'dorado' y 'pudiera'; partícula que no existe, como si el colaborador no se hubiese dado cuenta de que modificaba con su inciso la estructura de la construcción.

todos se condenan por las malas obras que han hecho, y yo y todos los libreros nos condenamos por las obras malas que hacen los otros y *porque* hicimos barato de los libros en romance y traducidos de latín, sabiendo ya con ellos los tontos lo que encarecían en otros tiempos los sabios; que ya hasta el lacayo latiniza y hallarán a Horacio en castellano en la caballeriza.

Más iba a decir, sino que un demonio le comenzó de atormentar con humazos [16] de hojas de sus libros y otro a leerle algunos dellos. Yo, que vi que ya no hablaba, fuime adelante, diciendo entre mí:

—Si hay quien se condena por obras malas ajenas, ¿qué harán los que las hicieron propias?

En esto iba, cuando en una gran zahúrda andaban mucho número de ánimas gimiendo y muchos diablos, con látigos y zurriagas, azotándolos. Pregunté qué gente eran, y dijeron que no eran sino cocheros. Y dijo un diablo lleno de cazcarrias, romo y calvo, que quisiera más, a manera de decir, lidiar con lacayos; porque había cochero de aquellos que pedía aún dineros por ser atormentado, y que la tema de todos era que habían de poner pleito a los diablos por el oficio, pues no sabían chasquear los azotes tan bien como ellos.

—¿Qué causa hay para que éstos penen aquí? —dije.

Y tan presto se levantó un cochero viejo de aquéllos, barbinegro y malcarado, y dijo:

—Señor, porque, siendo pícaros, nos venimos al infierno a caballo y mandando.

Aquí le replicó el diablo:

—¿Y por qué calláis lo que *encubristeis* en el mundo, los pecados que *facilitasteis* y lo que *mentisteis* en un oficio tan vil?

Dijo un cochero, que lo había sido de un consejero y aún esperaba que le había de sacar de allí:

—No ha habido tan honrado oficio en el mundo de diez años a esta parte, pues nos llegaron a poner cotas

16 "Dar humaza. Es a uno que duerme ponerle a las narices un cañutillo encendido." Correas, *Vocabulario*, p. 553. Véase también *Autoridades*, t. IV, p. 190.

y sayos vaqueros, hábitos largos y valona, en forma de cuellos bajos, por lo que parecíamos confesores, y en saber pecados, y supimos muchas cosas nosotros que no las supieron ellos. ¿Cómo supieran condenarse las mujeres de los sastres, en su rincón, si no fuera por el desvanecimiento de verse en coche? Que hay mujer de éstos, de honra postiza, que se fue por su pie al don como a la pila santa catecúmena,[17] que por tirar una cortina, ir a una testera, hartará de ánimas a los diablos. *Aunque las mujeres pienso que han trocado los virgos por los dones y, así, todas tienen don y ninguna virgo.*

—Así —dijo un diablo—; soltóse el cocherillo y no callará en diez años.

—¿Qué he de callar —dijo—, si nos tratáis de esta manera, debiendo regalarnos? Pues no os traemos al infierno la hacienda maltratada, arrastrada y a pie, llena de *rabos,*[18] como los siempre rotos escuderos, zanqueando y despeados, sino sahumada,[19] descansada, limpia y en coche. Por otros lo hiciéramos, que lo supieran agradecer. Pues ¿decir que merezco yo eso porque llevé tullidos a misa, enfermos a comulgar o monjas a sus conventos? No se probará que en mi coche entrase nadie con buen pensamiento. Llegó a tanto, que por casarse y saber si una era doncella se hacía información si había entrado en él, porque era señal de corrupción. ¿Y tras desto me das este pago?[20]

17 "Irse por su pie a la pila. Dícese por los que, adultos y de edad, se van a bautizar por su pie, y dáseles en rostro de ser moros o judíos." Correas, *Vocabulario,* p. 597. Quevedo no podía ignorar la última observación del maestro Correas; la palabra 'santa', entonces, ¿será ironía? En un manuscrito, por lo menos, esa palabra se abrevia 'S^{a}', permitiendo sospechar si un simple artículo 'la' no se convertiría luego en 'santa'.

18 En la primera edición dice 'robos', que es error indudable; en *Juguetes* se corrigió 'lodos'; Mas, fundado en los manuscritos, enmienda 'rabos' y aceptamos su lección, pero nos parece que el sentido del término es el que todavía se utiliza como equivalente de jirones.

19 Correas, *Vocabulario,* p. 641: "Encareciendo que cobrará y hará volver y pagar algo".

20 En *Desvelos* se agrega: "¿Eran mejores las alcahuetas que los coches? pues guárdense los diablos; que si faltan los co-

—Vía —dijo un demonio mulato y zurdo.[21]

Redobló los palos y callaron. Y forzóme ir adelante el mal olor de los cocheros que andaban por allí.

Y *lleguéme* a unas bóvedas, donde comencé a tiritar de frío y dar diente con diente, que me helaba. Pregunté, movido de la novedad de ver frío en el infierno,[22] qué era aquello; salió a responder un diablo zambo, con espolones y grietas, lleno de sabañones, y dijo:

—Señor, este frío es de que en esta parte están recogidos los bufones, truhanes y juglares chocarreros, hombres por demás y que sobraban en el mundo, y que están aquí retirados, porque si anduvieran por el infierno sueltos, su frialdad es tanta que templaría el dolor del fuego.

Pedíle licencia para llegar a verlos. Diómela y, calofriado, llegué y vi la más infame *cáfila* del mundo y una cosa que no habrá quien lo crea: que se atormentaban unos a otros con las gracias que habían dicho acá. Y entre los bufones vi muchos hombres honrados, que yo había tenido por tales. Pregunté la causa y respondióme un diablo que eran aduladores y que por esto eran bufones de entre cuero y carne.[23] Y repliqué yo cómo se condenaban, y me respondieron que como se condenan otros por no tener gracia, ellos se condenan por tenerla o quererla tener.

---

cheros, se han de morir las penas de hambre y en el infierno ha de haber carestía de condenados". No vemos el fragmento en los manuscritos conocidos ni en otra impresión, pudiera ser obra de Van der Hammen. Las Cortes de Castilla en 1599 trataron de prohibir que las mujeres anduviesen en coche sin conseguirlo. Véase Alfredo Berumen, *La sociedad española,* pp. 325-326. Al retocar el texto en *Juguetes,* Quevedo se extendió en este aspecto.

21 Sobre los zurdos véase *Infierno,* p. 131.

22 Véase Mas, Apéndice I a su edición de *Las zahúrdas de Plutón,* y el comentario de Raúl A. del Piero en la reseña de ese libro (*NRFH,* XII, p. 432).

23 "frase adverbial, que además del sentido recto se aplica a los entremetidos, que no pierden coyuntura, por pequeña que sea, para lograr sus fines". *Autoridades,* t. II, p. 687.

—Gente es que se viene acá sin avisar, a mesa puesta y a cama hecha,[24] como en su casa. Y en parte, los queremos bien, porque ellos se son diablos para sí y para otros, y nos ahorran de trabajos, y se condenan a sí mismos; y por la mayor parte, en vida, los más ya andan con marca del infierno. Porque el que no se deja arrancar los dientes por dinero, se deja matar hachas en las nalgas o pelar las cejas. Y así, cuando acá los atormentamos, muchos de ellos, después de las penas, sólo echan menos las pagas. ¿Veis aquél? —me dijo—. Pues mal juez fue, y está entre los bufones, pues por dar gusto no hizo justicia, y a *los* derechos que no hizo tuertos, los hizo bizcos.[25] Aquél fue marido descuidado, y está también entre los bufones, porque por dar gusto a todos, vendió el que tenía con su esposa, y tomaba a su mujer en dineros como ración y se iba a sufrir. Aquella mujer, aunque principal, fue juglar, y está entre los truhanes, porque por dar gusto, hizo plato de sí misma a todo apetito.

Al fin, de todos estados entran en el número de los bufones, y por eso hay tantos; que, bien mirado, en el mundo todos sois bufones, pues los unos os andáis riendo de los otros,[26] y en todos, como digo, es naturaleza y en unos pocos oficio.[27] Fuera de éstos, hay bufones desgranados y bufones en racimos. Los desgranados son los que de uno en uno y de dos en dos andan a casa de los señores. Los en racimo son los

24 Correas, *Vocabulario*, pp. 531: "A mesa puesta. Irse, venirse y sentarse".
25 *Ibid*., p. 254: "Juicio contrahecho hace lo tuerto derecho".
26 *Ibid*., p. 483: "Todos somos locos, los unos de los otros".
27 En *Desvelos* se intercala el fragmento siguiente: "Estos tienen parte en todas las desgracias, son inducidores de malos sucesos, persuaden la confianza y el descuido, moscas son de la buena dicha, hormigas de la riqueza, golondrinas de los gustos.
—¿Quién son —dije yo— aquellos pícaros que están en tanto desprecio en aquel lado?
—Estos —dijo— son los quitapelillos, aduladores de poquito, lisonjeros de pelusa; son arrabales de estos tacaños, que contrahaciendo verdades, destruyen los poderosos monederos falsos de las almas." Como no figura en ninguna parte, la procedencia resulta sospechosa.

farandulereos miserables, y de éstos os certifico que si ellos no se nos viniesen por acá, que nosotros no iríamos por ellos.

Trabóse una pendencia adentro, y el diablo acudió a ver lo que era. Yo, que me vi suelto, entréme por un corral adelante, y hedía a chinches que no se podía sufrir.

—A chinches hiede —dije yo—: apostaré que alojan por aquí los zapateros.

Y fue así, porque luego sentí el ruido de los bojes y vi los trinchetes. Tapéme las narices y asoméme a la zahurda donde estaban, y había infinitos. Díjome el guardián:

—Estos son los que vinieron consigo mismos, digo, en cueros. Y como otros se van al infierno por su pie, éstos se van por los ajenos y por los suyos, y así vienen tan ligeros.

Y doy fe de que en todo el infierno no hay árbol ninguno, chico ni grande, y que mintió Virgilio en decir que había mirtos en el lugar de los amantes,[28] porque yo no vi selva ninguna, sino en el cuartel que dije de los zapateros, que estaba todo lleno de bojes, que no se gasta otra madera en los edificios.

Estaban casi todos los zapateros vomitando de asco de unos pasteleros, que se les arrimaban a las puertas, que no cabían en un silo, donde estaban tantos, que andaban mil diablos con pisones atestando almas de pasteleros, y aún no bastaban.

—¡Ay de nosotros —dijo uno—, que nos condenamos por el pecado de la carne, sin conocer mujer, tratando más en huesos!

Lamentábase bravamente, cuando dijo un diablo:

—Ladrones, ¿quién merece el infierno mejor que vosotros, pues habéis hecho comer a los hombres caspa y os han servido de pañizuelos los de a real, sonándoos en ellos, donde muchas veces pasó por caña el tuétano de las narices? ¿Qué de estómagos pudieran *ladrar*, si

[28] Virgilio, *Aeneida*, VI, 442.

resucitaran los perros que les hicistes comer? ¿Cuántas veces pasó por pasa la mosca golosa y muchas fue el mayor bocado de carne que comió el dueño del pastel? ¿Qué de dientes habéis hecho jinetes y qué de estómagos habéis traído a caballo, dándoles a comer rocines enteros? ¿Y os quejáis, siendo gente antes condenada que nacida, los que hacéis así vuestro oficio? Pues ¿qué pudiera decir de vuestros caldos? Mas no soy amigo de revolver caldos.[29] Padeced y callad enhoramala. Que más hacemos nosotros en atormentaros que vosotros en sufrirlo. Y vos andad adelante, me dijo a mí, que tenemos que hacer éstos y yo.

Partíme de allí y subíme por una cuesta donde en la cumbre y alrededor se estaban abrasando unos hombres en fuego inmortal, el cual encendían los diablos, en lugar de fuelles, con corchetes, que soplaban mucho más. Que aún allá tienen este oficio ellos; y los malditos alguaciles, por soplar, daban crueles voces.

Uno de ellos decía:

—Yo al justo vendí. ¿Qué me persiguen?

Dije yo entre mí:

—¿Al justo vendiste? Este es Judas.

Y lleguéme con codicia de ver si era barbinegro o bermejo, cuando le conozco, y era un mercader que poco antes había muerto.

—¿Acá estáis? —dije yo—. ¿Qué os parece? ¿No valiera más haber tenido poca hacienda y no estar aquí?

Dijo en esto uno de los *atormentadores*:

—Pensaron los ladronazos que no había más y quisieron con la vara de medir hacer lo que Moisés con la vara de Dios, y sacar agua de las piedras. Estos son —dijo— los que han ganado como buenos caballeros el infierno por sus pulgares, pues a puras pulgaradas se nos vienen acá. Mas ¿quién duda que la oscuridad de sus tiendas les prometía estas tinieblas? Gente es ésta —dijo al cabo muy enojado— que quiso ser como

29 Correas, *Vocabulario,* p. 436: "Por meter en cuestión y cizaña".

Dios, pues pretendieron ser sin medida; mas Él, que todo lo ve, los trajo de sus rasos a estos nublados, que los atormenten con rayos. Y si quieres acabar de saber cómo éstos son, los que sirven allá a la locura de los hombres, juntamente con los plateros y buhoneros, has de advertir que, si Dios hiciera que el mundo amaneciera cuerdo un día, todos éstos quedaran pobres, pues entonces se conociera que *en* el diamante, perlas, oro y sedas diferentes, pagamos más lo inútil y demasiado y raro, que lo necesario y honesto. Y advertid ahora que la cosa que más cara se os vende en el mundo es lo que menos vale, que es la vanidad que tenéis. Y estos mercaderes son los que alimentan todos vuestros desórdenes y apetitos.

Tenía talle de no acabar sus propiedades, si yo no me pasara adelante, movido de admiración de unas grandes carcajadas que oí. Fuime allá por ver risa en el infierno, cosa tan nueva.

—¿Qué es esto? —dije.

Cuando veo dos hombres dando voces en un alto, muy bien vestidos con calzas atacadas. El uno con capa y gorra, puños como cuellos y cuellos como calzas. El otro traía valones y un pergamino en las manos. Y a cada palabra que hablaban, se hundían siete u ocho mil diablos de risa, y ellos se enojaban más. Lleguéme más cerca por oírlos, y oí al del pergamino, que, a la cuenta, era hidalgo, que decía:

—Pues si mi padre se decía tal cual, y soy nieto de *estos* cuales y tales,[30] y ha habido en mi linaje trece capitanes valerosísimos y de parte de mi madre, doña Rodriga, desciendo de cinco catedráticos, los más doctos del mundo, ¿cómo me puedo haber condenado? Y tengo mi ejecutoria y soy libre de todo y no debo pagar pecho.

—Pues pagad espalda —dijo un diablo.

30 *Ibid.*, p. 647: "Tales y cuales. Por nombres de afrenta". Quevedo juega con el sentido recto de las palabras y el figurado del dicho vulgar.

Y dióle luego cuatro palos en ellas, que le derribó de la cuesta. Y luego le dijo:

—Acabaos de desengañar, que el que desciende del Cid, de Bernardo y de Gofredo,[31] y no es como ellos, sino vicioso como vos, ese tal más destruye el linaje que lo hereda. Toda la sangre, hidalguillo, es colorada.[32] [...] Parecedlo en las costumbres, y entonces creeré que descendéis del docto, cuando lo fuéredes, o procuráredes serlo, y si no, vuestra nobleza será mentira breve en cuanto durare la vida; que en la chancillería del infierno arrúgase el pergamino y consúmense las letras, y, el que en el mundo es virtuoso, ése es el hidalgo, y la virtud es la ejecutoria que acá respetamos, pues aunque *descienda* de hombres viles y bajos, como él con divinas costumbres se haga digno de imitación, se hace noble *a sí* y hace linaje para otros. Reímonos acá de ver lo que ultrajáis a los villanos, moros y judíos, como si en éstos no cupieran las virtudes que vosotros despreciáis.

Tres cosas son las que hacen ridículos a los hombres: la primera, la nobleza; la segunda, la honra; y la tercera, la valentía. Pues es cierto que os contentáis con que hayan tenido vuestros padres virtud y nobleza para decir que la tenéis vosotros, siendo inútil parto del mundo. Acierta a tener muchas letras el hijo del labrador, es arzobispo el villano que se aplica a honestos estudios, y el caballero que desciende *de César y no gasta como él en guerras y victorias el tiempo y*

31 Cejador (p. 121) relaciona el párrafo con el comienzo del capítulo IV, parte 3 de la obra de Juan de Mariana *De rege et regis institutione*. En realidad, todo el capítulo "De la sucesión real entre los agnados" guarda relación con lo que dice Quevedo; pero en igual caso están cuantas obras, capítulos y fragmentos contrasten los derechos legales de sucesión, sobre todo cuando las líneas directas se quiebran, o cuando litigan aquellos derechos con los de la utilidad general. Situación que define así el propio Mariana: "¿Hemos, por fin, de tener en más los vanos raciocinios y razones que la salud de muchos?" (BAE, t. 31, p. 470). En el refranero abundan las frases en torno a estas ideas, véase, por ejemplo, la nota que sigue.

32 Correas, *Vocabulario*, p. 172: "El algo hace al hidalgo, que la sangre toda es bermeja".

vida, sino en juegos y rameras, dice que fue mal dada la mitra a quien no desciende de buenos padres, como si hubieran ellos de gobernar el cargo que les dan, quieren, ¡ved qué ciegos!, que les valga a ellos, viciosos, la virtud ajena de trescientos mil años, ya casi olvidada, y no quieren que el pobre se honre con la propia.

Carcomióse el hidalgo de oír estas cosas, y el caballero que estaba a su lado se afligía, pegando los abanillos del cuello y volviendo las cuchilladas de las calzas.

—Pues ¿qué diré de la honra mundana, que más tiranías hace en el mundo y más daños y la que más *gustos* estorba? Muere de hambre un caballero pobre, no tiene con qué vestirse, ándase roto y remendado, o da en ladrón, y no lo pide, porque dice que tiene honra; [33] ni quiere servir, porque dice que es deshonra. Todo cuanto se busca y afana dicen los hombres que es por sustentar honra. ¡Oh, lo que gasta la honra! Y llegado a ver lo que es la honra mundana, no es nada. Por la honra no come el que tiene gana donde le sabría bien. Por la honra se muere la viuda entre dos paredes. Por la honra, sin saber qué es hombre ni qué es gusto, se pasa la doncella treinta años casada consigo misma. Por la honra, la casada *le* quita a su deseo cuanto pide. Por la honra, pasan los hombres el mar. Por la honra, mata un hombre a otro. Por la honra, gastan todos más de lo que tienen. Y es la honra mundana, según esto, una necedad del cuerpo y alma, pues al uno quita los gustos y al otro la gloria. Y porque veáis cuáles sois los hombres desgraciados y cuán a peligro tenéis lo que más estimáis, hase de advertir que las cosas de más valor en vosotros son la honra, la vida y la hacienda. La honra está junto al culo de las mujeres; la vida, en manos de los doctores, y la hacienda, en las plumas de los escribanos: ¡desvaneceos, pues, bien mortales!

33 *Ibid.*, p. 302: "Más vale pedir y mendigar que en la horca pernear".

Dije yo entre mí:

—¡Y cómo se echa de ver que esto es el infierno, donde, por atormentar a los hombres en amarguras, les dicen las verdades!

Tornó en esto a proseguir, y dijo:

—¡La valentía! ¿Hay cosa tan digna de burla? Pues, no habiendo ninguna en el mundo si no es la caridad, con que se vence a la fiereza, la de sí mismos, y la de los mártires, todo el mundo es de valientes; siendo verdad que todo cuanto hacen los hombres, *cuanto* han hecho tantos capitanes valerosos como ha habido en la guerra, no lo han hecho de valentía, sino de miedo. Pues el que pelea en la tierra por defenderla, pelea de miedo de mayor mal, que es ser cautivo y verse muerto; y el que sale a conquistar los que están en sus casas, a veces lo hace de miedo de que el otro no le acometa, y los que no llevan este intento, van vencidos de la cudicia —¡ved qué valientes!— a robar oro y a inquietar los pueblos apartados, a quien Dios puso como defensa a nuestra ambición mares en medio y montañas ásperas. Mata uno a otro, primero vencido de la ira, pasión ciega y otras veces de miedo de que le mate a él. Así, los hombres, que todo lo entendéis al revés, bobo llamáis al que no es *sedicioso,*[34] alborotador, maldiciente; y sabio llamáis al mal acondicionado, perturbador y escandaloso; valiente, al que perturba el sosiego, y cobarde, al que con bien compuestas costumbres, escondido de las ocasiones, no da lugar a que le pierdan el respeto estos tales [...] en quien ningún vicio tiene licencia.

—¡Oh, pesia tal! —dije yo—. Más estimo haber oído este diablo que cuanto tengo.

Dijo en esto el de las calzas atacadas muy mohino:

34 En *Desvelos* dice así: "bobo llamáis al que no es codicioso; entretenido al maldiciente; sabio llamáis al mal acondicionado; al vergonzoso, hombre para poco; al santo, hipócrita, y figura al ladrón cortesano, y al hombre de verdad, pesado; a la mujer honrada, necia, y a la infame ramera, mujer de garbo; valiente al blasfemo y revoltoso traidor". Véase Asensio, *Itinerario del entremés,* p. 179.

—Todo eso se entiende con ese escudero; pero no conmigo, a fe de caballero —y tardó a decir caballero tres cuartos de hora—. Que es ruin término y descortesía. ¡Deben de pensar que todos somos unos!

Esto les dio a los diablos grandísima risa. Y luego, llegándose uno a él, le dijo que se desenojase y mirase qué había menester y qué era la cosa que más pena le daba, porque le querían tratar como quién era. Y al punto dijo:

—¡Bésoos las manos! Un molde para repasar el cuello.

Tornaron a reír y él a atormentarse de nuevo.

Yo, que tenía gana de ver todo lo que hubiese, pareciendo que me había detenido mucho, me partí. Y a poco que anduve, topé una laguna muy grande como el mar, y más sucia, adonde era tanto el ruido, que se me desvanecía la cabeza. Pregunté lo que era aquéllo, y dijéronme que allí penaban las mujeres que en el mundo se volvieron en *dueñas.* Así supe cómo las dueñas de acá son ranas del infierno, que eternamente como ranas están hablando, sin *ton* y sin son, húmedas y en cieno, y son propiamente ranas infernales. Porque las dueñas ni son carne ni pescado, [35] como ellas. Dióme grande risa el verlas convertidas en sabandijas tan perniabiertas y que no se *comen* sino de medio abajo, como la dueña, cuya cara siempre es trabajosa y arrugada.

Salí, dejando el charco a mano izquierda, a una dehesa donde estaban muchos hombres arañándose y dando voces, y eran infinitísimos y tenía seis porteros. Pregunté a uno qué gente era aquella tan vieja y tan en cantidad.

—*Este* es —dijo— el cuarto de los padres que se condenan por dejar ricos a sus hijos, que, por otro nombre, se llama el cuarto de los necios.

—¡Ay de mí! —dijo en esto uno—. Que no tuve día sosegado en la otra vida ni comí ni vestí por hacer

[35] Correas, *Vocabulario,* p. 612: "Como el que ni ata, ni desata y no es para nada".

un mayorazgo, y después de hecho, por aumentarle. Y en haciéndole, me morí sin *médico,* por no gastar dineros amontonados. Y apenas expiré, cuando mi hijo se enjugó las lágrimas con ellos. Y cierto de que estaba en el infierno por lo que vio que había ahorrado, viendo que no había menester misas, no me las dijo ni cumplió manda mía. Y permite Dios que aquí para más pena le vea desperdiciar lo que yo afané, y le *oiga* decir:

—Ya *que* se condenó mi padre, ¿por qué no tomo más sobre su ánima y *le* condeno por cosas de más *importancia*?

—¿Queréis saber —dijo un demonio— que tanta verdad es ésa, que tienen ya por refrán en el mundo contra estos miserables decir: "Dichoso el hijo que tiene a su padre en el infierno". [36]

Apenas oyeron esto, cuando se pusieron todos a aullar y darse de bofetones. Hiciéronme lástima, no lo pude sufrir, y pasé adelante.

Y llegando a una cárcel oscurísima, oí grande ruido de cadenas y grillos, fuego, azotes y gritos. Pregunté a uno de los que allí estaban qué estancia era aquélla, y dijéronme que era el cuarto de los *de*: "¡Oh, quién hubiera!".

—No lo entiendo —dije—. ¿Quién son los de "¡oh, quién hubiera!"?

Dijo al punto:

—Son gente necia que en el mundo vivía mal y se condenó sin entenderlo, y ahora acá se les va todo en decir: ¡Oh, quién hubiera oído misa! ¡Oh, quién hubiera callado! ¡Oh, quién hubiera favorecido al pobre! ¡Oh, quién hubiera confesado!

Huí medroso de tan mala gente y tan ciega y di en unos corrales con otra peor. Pero admiróme más el título con que estaban aquí porque preguntándoselo a un demonio, me dijo:

36 *Ibid.*, p. 156; en la 226, la misma idea dicha en contrarios términos: "Guay del hijo que el padre va al Paraíso".

—Estos son los de: "Dios es piadoso", *a quien condenó la misericordia de Dios.*

—¡Dios sea conmigo! —dije al punto—. Pues ¿cómo puede ser que la misericordia condene siendo eso de la justicia? Vos habláis como diablo.

—Y vos —dijo el diablo— como ignorante, pues no sabéis que la mitad de los que están aquí se condenan por la misericordia de Dios. Y si no, mirad cuántos son los que, cuando hacen algo mal hecho y se lo reprenden, pasan adelante y dicen: "Dios es piadoso y no mira en niñerías: para eso es la misericordia de Dios tanta".[37] Y con esto, mientras ellos haciendo mal esperan en Dios, nosotros los esperamos acá.

—Luego ¿no se ha de esperar en Dios y en su misericordia? —dije yo.

—¿No lo entiendes? —me respondieron—. Que de la piedad de Dios se ha de fiar, porque ayuda a buenos deseos y premia buenas obras; pero no todas veces con consentimiento de obstinaciones. Que se burlan así las almas que consideran la misericordia de Dios encubridora de maldades y la aguardan como ellos la han menester, y no como ella es, purísima e infinita en los santos y capaces de ella, pues los mismos que más en ella están confiados son los que menos la dan para su remedio. No merece la piedad de Dios quien, sabiendo que es tanta, la convierte en licencia y no en provecho espiritual. Y de muchos tiene Dios misericordia que no la merecen ellos. Y en los más es así, pues nada de su mano pueden, sino por sus méritos, y el hombre que más hace es procurar merecerla. Porque no os desvanezcáis y sepáis que aguardáis siempre al postrero día lo que quisiérades haber hecho al primero y que las más veces está *pasando* por vosotros lo que teméis que ha de venir.

—¿Esto se ve y se oye en el infierno? ¡Ah, lo que aprovechara allá uno de estos escarmentados!

[37] *Ibid.*, pp. 159: "Dios es grande y misericordioso. Dícese confiando en su poder".

Diciendo esto, llegué a una caballeriza donde estaban los tintoreros, que no averiguara un pesquisidor quiénes eran, porque los diablos parecían tintoreros y los tintoreros diablos. Pregunté a un mulato, que a puros cuernos tenía hecha espetera la frente, que dónde estaban los *putos,* las viejas y los cornudos. Dijo:

—En todo el infierno están, que esa es gente que en vida son diablos *de primera tonsura,* pues es su oficio traer corona de hueso. De los *putos* y viejas, no sólo no sabemos de ellos, pero ni querríamos saber que supiesen de nosotros. Que en ellos peligran nuestras asentaderas; y los diablos *por* eso traemos colas, porque, como aquéllos están acá, habemos menester mosqueador de los rabos. De las viejas, porque aun acá nos enfadan y atormentan, y, no hartas de vida, hay algunas que nos enamoran; muchas han venido acá muy arrugadas y canas y sin diente ni muela, y ninguna ha venido cansada de vivir. Y otra cosa más graciosa, que si os informáis de ellas, ninguna vieja hay en el infierno. Porque la que está calva y sin muelas, arrugada y lagañosa, de pura edad y de puro vieja, dice que el cabello se le cayó de una enfermedad, que los dientes y muelas se le cayeron de comer dulce, que está jibada de un golpe. Y no confesará que son años, si pensare remozar por confesarlo.

Junto a éstos estaban unos pocos dando voces y quejándose de su desdicha.

—¿Qué gente es ésta? —pregunté.

Y respondióme uno de ellos:

—Los sin ventura, muertos de repente.

—Mentís —dijo un diablo—. Que ningún hombre muere de repente; y de descuidado y divertido, sí. ¿Cómo puede morir de repente quien dende que nace ve que va corriendo por la vida y lleva consigo la muerte? ¿Qué otra cosa veis en el mundo sino entierros, muertos y sepulturas? ¿Qué otra cosa oís en los púlpitos y leéis en los libros? ¿A qué volvéis los ojos, que no os acuerde de la muerte? Vuestro vestido que se gasta, la casa que se cae, el muro que se envejece y hasta el sueño cada día os acuerda de la muerte, retratándola en sí. Pues ¿cómo puede haber hombre que se muera de repente en el mundo, si siempre lo andan avisando tantas cosas? No os habéis de llamar, no, gente que murió de repente, sino gente que murió incrédula de que podía morir así, sabiendo con cuán secretos pies entra la muerte en la mayor mocedad y que en una misma hora, en dar bien y mal, suele ser madre y madrastra.

Volví la cabeza a un lado y vi en un seno muy grande apretura de almas y dióme un mal olor.

—¿Qué es esto? —dije.

Y respondió un juez amarillo, que estaba castigándolos:

—Estos son los boticarios, que tienen el infierno lleno de bote en bote. Gente que, como otros buscan ayudas [38] para salvarse, éstos las tienen para condenarse. Estos son los verdaderos alquimistas, que no Demócrito Abderita en la *Arte sacra,* Avicena, *Géber* ni Raimundo Lull. Porque ellos escribieron cómo de los metales se podía hacer oro y no lo hicieron ellos, y, si lo hicieron, nadie lo ha sabido hacer después acá; pero estos tales boticarios, de la agua turbia, que no clara, hacen oro, y de los palos; [39] oro hacen de las moscas, del estiércol; oro hacen de las arañas, de los alacranes y sapos; y oro hacen del papel, pues venden hasta el papel en que dan el ungüento. Así que sólo para éstos puso Dios virtud en las yerbas y piedras y palabras, pues no hay yerba, por dañosa que sea y mala, que no les valga dineros, hasta la ortiga y cicuta; ni hay piedra que no les dé ganancia, hasta el guijarro crudo, sirviendo de moleta. En las palabras también, pues jamás a éstos

38 Juego de palabras con los valores 1 y 5 del diccionario académico. Compárese con el pasaje de los boticarios en *Muerte,* p. 189, y véase lo que dice Mas, en su edición de *Las Zahúrdas,* p. 95, y también Martinengo, *Quevedo e il simbolo alchimistico,* p. 11 y siguientes.

39 Los había de distintas clases, como el sasafrás y el guayaco, que se utilizaba contra el mal gálico; son los llamados palos de Indias.

les falta cosa que les pidan, aunque no la tengan, como vean dinero, pues dan por aceite de matiolo aceite de ballena, y no compra sino las palabras el que compra. Y su nombre no había de ser *boticarios,* sino armeros; ni sus tiendas no se habían de llamar boticas, sino armerías de los doctores, donde el médico toma la daga de los lamedores,[40] el montante de los jarabes y el mosquete de la purga maldita, demasiada, recetada a mala sazón y sin tiempo. Allí se ve todo esmeril[41] de ungüentos, la asquerosa arcabucería de melecinas con munición de calas.[42] Muchos de éstos se salvan; pero no hay que pensar que, cuando mueren, tienen con qué enterrarse.

Y si queréis reír ved tras ellos los barberillos cómo penan, que en subiendo esos dos escalones, están en ese cerro.

[...] Pasé allá y vi —¡qué cosa tan admirable y qué justa pena!— los barberos atados y las manos sueltas, y sobre la cabeza una guitarra y entre las piernas un ajedrez con las piezas de juego de damas. Y cuando iba con aquella ansia natural de pasacalles a tañer la guitarra, se le huía. Y cuando volvía abajo a dar de comer a una pieza, se le sepultaba el ajedrez. Y ésta era su pena. No entendí salir de allí de risa.

Estaban tras de una puerta unos hombres, muchos en cantidad, quejándose de que no hiciesen caso de ellos, aun para atormentarlos. Y estábales diciendo un diablo, que eran todos tan diablos como ellos, que atormentasen a otros.

—¿Quién son? —le pregunté.

Y dijo el diablo:

—Hablando con perdón, los zurdos,[43] gente que no puede hacer cosa a derechas, quejándose de que no están

40 "Composición pectoral que se hace en las boticas, y tiene una consistencia media entre electuario y jarabe..." *Autoridades,* t. IV, p. 353.

41 *esmeril*: pieza de artillería antigua pequeña, algo mayor que el falconete.

42 Compárese con el pasaje de *Muerte,* p. 189.

43 *zurdos*: "Enojo de rubio y lanzada de zurdo. Son crueles." "Zurdos, calvos y rubios, no habían de estar en el mundo.

con los otros condenados, y acá dudamos si son hombres o otra cosa. Que en el mundo ellos no sirven sino de enfados y de mal agüero. Pues, si uno va en negocios y topa zurdos, se vuelve como si topara un cuervo o oyera una lechuza. Y habéis de saber que, cuando Scévola se quemó el brazo derecho porque erró a Porsena, que fue, no por quemarle y quedar manco, sino queriendo hacer en sí un gran castigo, dijo:

—Así, ¿que erré el golpe? Pues en pena he de quedar zurdo.

Y cuando la justicia manda cortar a uno la mano derecha por una resistencia, es la pena hacerle zurdo, no el golpe. Y no queráis más, que, queriendo el otro echar una maldición muy grande, fea y afrentosa, dijo:

Lanzada de moro izquierdo
te atraviese el corazón.[44]

Y en el día del juicio todos los condenados, en señal de serlo, estarán a la mano izquierda.[45] Al fin, es gente hecha al revés y que se duda si son gente.

En esto me llamó un diablo por señas y me advirtió con las manos que no hiciese ruido. Lleguéme a él y asoméme a una ventana, y dijo:

—Mira lo que hacen las feas.

Y veo una muchedumbre de mujeres, unas tomándose puntos[46] en las caras, otras haciéndose de nuevo, porque ni la estatura *con* los chapines, ni la ceja con el cohol,[47] ni el cabello *con* la tinta, ni el cuerpo *con* la ropa, ni las manos con la muda,[48] ni la cara con el

---

El rubio por bermejo, el calvo y zurdo por contrahechos." Correas, *Vocabulario*, pp. 197 y 519.

44 *Ibid.*, p. 260, casi en términos idénticos: "De un romance".

45 San Mateo, 25, 33-41. Véase además nuestras notas 37 de *Juicio* y 2 del presente sueño.

46 Recomponiéndolas, como cuando se zurcen las medias.

47 *cohol*: "Tintura hecha de la piedra mineral dicha alcohol, que tira a negro azulado, con que las mujeres suelen teñirse las cejas". *Autoridades*, t. II, p. 401.

48 *muda*: "Cierta especie de afeite o untura que se suelen poner las mujeres en el rostro". *Autoridades*, t. IV, p. 622.

afeite, ni los labios con la color, eran los con que nacieron ellas. Y vi algunas poblando sus calvas con cabellos que eran suyos sólo porque los habían comprado. Otra vi que tenía su media cara en las manos, en los botes de unto y en la color.

—Y no queráis más de las invenciones de las mujeres —dijo un diablo—; que hasta resplandor tienen sin ser soles ni estrellas. Las más duermen con una cara y se levantan con otra al estrado, y duermen con unos cabellos y amanecen con otros. Muchas veces pensáis que gozáis *la mujer* de otro y no pasáis el adulterio de la *cáscara.* Mirad cómo consultan con el espejo sus caras. Éstas son las que se condenan solamente por *hacerse* buenas siendo malas.

Espantóme la novedad de la causa con que se habían condenado aquellas mujeres, y, volviendo, vi un hombre asentado en una silla a solas, sin fuego ni hielo, ni demonio ni pena alguna, dando las más desesperadas voces que oí en el infierno, llorando el propio corazón, haciéndose pedazos a golpes y a vuelcos.

—¡*Válgame* Dios! —dije en mi alma—. ¿De qué se queja éste no atormentándole nadie?

Y él, cada punto doblaba sus alaridos y voces.

—Dime —dije yo—: ¿*quién* eres y de qué te quejas, si ninguno te molesta, si el fuego no te arde ni el hielo te cerca?

—¡Ay! —dijo dando voces—, ¡que la mayor pena del infierno es la mía! ¿Verdugos te parece que me faltan? ¡Triste de mí, que los más crueles están entregados a mi alma! ¿No los ves? —dijo.

Y empezó a morder la silla y a dar vueltas alrededor y gemir.

—Velos, que sin piedad van midiendo a descompasadas culpas eternas *penas.* ¡Ay, qué terrible demonio eres, memoria del bien que pude hacer y de los consejos que desprecié y de los males que hice! ¡Qué representación tan continua! *¡Qué castigo tan de la mano de Dios!* ¡Déjasme tú y sale el entendimiento con imaginaciones de que hay gloria que pude gozar y que otros gozan a menos costa que yo mis penas! ¡Oh, qué hermoso que pintas el cielo, entendimiento, para acabarme! Déjame un poco siquiera. ¿Es posible que mi voluntad no ha de tener paz conmigo un punto? ¡Ay, huésped, y qué tres llamas invisibles y qué sayones incorpóreos me atormentan en las tres potencias del alma! Y cuando éstos se cansan, entra el gusano de la conciencia, cuya hambre en comer del alma nunca se acaba: vesme aquí, miserable y perpetuo alimento de sus dientes.[49]

Y diciendo esto, *alzó* la voz:

—¿Hay en todo este desesperado palacio quien trueque sus almas y sus verdugos a mis penas? Así, mortal, pagan los que supieron en el mundo, tuvieron letras y discurso y fueron discretos: ellos se son infierno y martirio de sí mismos.

Tornó amortecido a su ejercicio con más muestras de dolor. Apartéme de él medroso, diciendo:

—¡Ved de lo que sirve caudal de razón y doctrina y buen entendimiento mal aprovechado! ¡Quien se lo vió llorar solo y tenía dentro de su alma aposentado el infierno!

Lleguéme, diciendo esto, a una gran compañía, donde penaban en diversos puestos muchos, y vi unos carros en que traían *atenaceando* muchas almas con pregones delante. Lleguéme a oír el pregón, y decía:

—Estos manda Dios castigar por escandalosos y porque dieron mal ejemplo.

Y vi a todos los que penaban, que cada uno los metía en sus penas, y así pasaban las de todos como causadores de su perdición. Pues éstos son los que enseñan en el mundo malas costumbres, de quien Dios dijo que valiera más no haber nacido.

Pero dióme risa ver unos taberneros que se andaban sueltos por todo el infierno, penando sobre su palabra, sin prisión ninguna, teniéndola cuantos estaban en él.

[49] Véase A. Mas, Apéndice I a su edición de *Las Zahúrdas*, pp. 91-93; M. Morreale, *Luciano y Quevedo*, p. 222; y José Bergamín, *Fronteras infernales de la poesía*, pp. 135-143.

Y preguntando por qué a ellos solos los dejaban andar sueltos, dijo un diablo:

—Y les abrimos las puertas. Que no hay para qué temer que se irán del infierno gente que hace en el mundo tantas diligencias para venir. Fuera de que los taberneros trasplantados acá, en tres meses son tan diablos como nosotros. Tenemos sólo cuenta de que no lleguen al fuego de los otros, porque no lo agüen.

Pero, si queréis saber notables cosas, llegaos a aquel cerco. Veréis en la parte del infierno más hondo a Judas con su familia descomulgada de malditos despenseros.

Hícelo así, y vi a Judas, que me holgué mucho, cercado de sucesores suyos. Y *de su* [50] cara no sabré decir sino que me sacó de la duda de ser barbirrojo, como le pintan *los españoles por hacerle extranjero, o barbinegro, como le pintan* los extranjeros por hacerle español, porque él me pareció capón. Y no es posible menos ni que tan mala inclinación y ánimo tan doblado se hallase sino en quien, por serlo, no fuese ni hombre ni mujer. ¿Y quién sino un capón tuviera tan poca vergüenza, que besara a Cristo para venderle? ¿Y quién sino un capón pudiera condenarse por llevar las bolsas? ¿Y quién sino un capón tuviera tan poco ánimo que se ahorcase sin acordarse de la mucha misericordia de Dios? Ello yo creo por muy cierto lo que manda la Iglesia Romana; pero, en el infierno, capón me pareció que era Judas. Y lo mismo digo de los diablos, que todos son capones, sin pelo de barba y arrugados, aunque sospecho que, como todos se queman, que el estar lampiños es de chamuscado el pelo con el fuego, y lo arrugado, del calor. Y debe de ser así porque no vi ceja ni pestaña y todos eran calvos.

Estaba, pues, Judas muy contento de ver cuán bien lo hacían los despenseros en venirle a cortejar y a

50 *Y de su*: todas las versiones impresas dicen "y sin", pero incorporamos la enmienda que propone M. Morreale, por entenderla evidente, bien que no comprendamos cómo pudo desaparecer la preposición 'de'.

entretener, que muy pocos me dijeron que le dejaban de imitar. Miré más atentamente, y fuime llegando donde estaba Judas, y vi que la pena de los despenseros era que, como a Titio le come un buitre las entrañas, a ellos se las *escarban* dos aves, que llaman sisones. Y un diablo decía a voces de rato en rato:

—Sisones son despenseros y los despenseros, sisones. [51]

A este pregón se estremecían todos, y Judas estaba con sus treinta dineros atormentándose. No me sufrió el corazón a no decirle algo; y, así, llegándome cerca le dije:

—¿Cómo, traidor, infame sobre todos los hombres, vendiste a tu Maestro, a tu Señor y a tu Dios, por tan poco dinero?

A lo cual respondió:

—¿Pues vosotros por qué os quejáis de eso? Que sobrado de bien os estuvo. Pues fui el medio y arcaduz para vuestra salud. Yo soy el que me he de quejar y fui a quien le estuvo mal. Y ha habido herejes que me han tenido con veneración, porque di principio en la entrega a la medicina de vuestro mal. Y no penséis que soy yo sólo el Judas, que después que Cristo murió hay otros peores que yo y más ingratos, pues no sólo le venden, pero le venden y compran, azotan y crucifican; y lo que es más que todo, ingratos a vida y pasión y muerte y resurrección, le maltratan y persiguen en nombre de *hijos suyos,* si yo lo hice antes que muriese, con nombre de apóstol y despensero. Este bote lo dice, que es el de la Magdalena, que, codicioso, quería que se vendiese y se diese a pobres; y ahora es una de las mayores penas que tengo ésta: ver [...] lo que quería para remediar pobres, vendido (porque todo lo aplicaba a vender). Y después, por salir con mi tema, y vender el ungüento, vendí al Señor que le tenía; y así remedié más pobres que quisiera. [52]

51 Véase *Juicio final,* p. 79.

52 San Mateo, 26, 6-13; San Marcos, 14, 3-9; y San Juan, 12, 1-8. Sobre la totalidad del pasaje, véase R. Lida, *Dos sueños de Quevedo,* p. 96 y siguientes, y *Hacia la Política de Dios,*

—¡Ladrón! —dije yo, que no me pude reportar—. Pues si viendo a la Magdalena a los pies de Cristo, te tocó la codicia de riqueza, cogieras las perlas de las muchas lágrimas que lloraba, hartáraste de oro con las hebras de cabellos que arrancaba de su cabeza, y no codiciaras su ungüento con alma boticaria. Pero una cosa querría saber de ti: ¿por qué te pintan con botas y dicen por refrán "las botas de Judas"?

—No porque yo las *trujese* —respondió—; mas quisieron significar, poniéndome botas, que anduve siempre de camino para el infierno y por ser despensero. Y así se han de pintar todos los que lo son. Esta fue la causa, y no *la* que algunos han colegido de verme con botas, diciendo que era portugués, que es mentira; que yo fui...

Y no me acuerdo bien de dónde me dijo que era, si de Calabria, si de otra parte.

—Y has de advertir que yo sólo soy el despensero que se ha condenado por vender; que todos los demás, fuera de algunos, se condenan por comprar. Y en lo que dices que fui traidor y maldito en dar a Cristo por tan poco precio, tenéis razón, y no podía hacer yo otra cosa, fiándome de gente como los judíos, que era tan ruín, que pienso que, si pidiera un dinero más por él, no me le tomaran. Y porque estáis muy espantado y fiado en que yo soy el peor hombre que ha habido, ve ahí debajo y verás muchísimos más malos. Vete —dijo—, que ya basta de conversación con Judas.

—Dices la verdad —le respondí.

Y acogíme donde me señaló, y topé muchos demonios en el camino, con palos y lanzas, echando del infierno muchas mujeres hermosas, [...] muchos malos *confesores y muchos* letrados. Pregunté que por qué los quería echar del infierno a aquellos solos, y dijo un demonio porque eran de grandísimo provecho para la población del infierno en el mundo: las damas, con sus

---

p. 200, que pudiera dar la clave para una interpretación criptográfica del pasaje.

caras y con sus mentirosas hermosuras y buenos pareceres, *los confesores con vendidas absoluciones* y los letrados, con buenas caras y malos pareceres. Y que así los echaban porque trujesen gente.

Pero el pleito más intricado y el caso más difícil que yo vi en el infierno fue el que propuso una mujer condenada con otras muchas *que estaban por putas*, enfrente de unos ladrones, la cual decía:

—Decidnos, señor, cómo ha de ser esto de dar y recibir: si los ladrones se condenan por tomar lo ajeno y la mujer por dar lo suyo; aquí de Dios,[53] que [...] el ser puta es ser justicia, si es justicia dar a cada uno lo suyo. Pues lo hacemos así, ¿de qué nos culpan?

Dejé de escucharla, y pregunté, como nombraron ladrones:

—¿Dónde están los escribanos? ¿Es posible que no hay en el infierno ninguno ni le pude topar en todo el camino?

Respondióme un demonio:

—Bien creo yo que no toparíades ninguno por él.

—Pues ¿qué hacen? ¿Sálvanse todos?

—No —dijo—; pero dejan de andar y vuelan con plumas. Y el no haber escribanos por el camino de la perdición no es porque infinitísimos que son malos no vienen acá por él, sino porque es tanta la prisa con que vienen, que volar y llegar y entrar es todo uno, tales plumas se tienen ellos, y así no se ven en el camino.

—Y acá —dije yo—, ¿cómo no hay ninguno?

—Sí hay —me respondió—; mas no usan ellos de nombre de escribano, que acá por gatos[54] los conocemos. Y para que echéis de ver que tantos hay, no habéis de mirar sino que, con ser el infierno tan gran casa, tan antigua, tan maltratada y sucia, no hay un ratón en toda ella, que ellos los cazan.

53 Correas, *Vocabulario*, p. 535: "Cuando se pide ayuda y cuando uno persuade con razón".

54 Juego de palabras con los valores 1 y 9 del diccionario académico.

—Y los alguaciles malos, ¿no están en el infierno?

—Ninguno está en el infierno —dijo el demonio.

—¿Cómo puede ser, si se condenan algunos malos entre muchos buenos que hay?

—Dígoos que no están en el infierno porque en cada alguacil malo, aun en vida, está todo el infierno en él.

Santigüéme y dije:

—Brava cosa es lo mal que los queréis los diablos a los alguaciles.

—¿No los habemos de querer mal, pues, según son endiablados los malos alguaciles, tememos que han de venir a hacer que sobremos nosotros para lo que es materia de condenar almas y que se nos han de levantar con el oficio de demonios y que ha de venir Lucifer a ahorrarse de diablos y despedirnos a nosotros por recibirlos a ellos?

No quise en esta materia escuchar más, y así, me fui adelante, y por una red vi un amenísimo cercado, todo lleno de almas, que, unas con silencio y otras con llanto, se estaban lamentando. Dijéronme que era el retiramiento de los enamorados. Gemí tristemente viendo que aun en la muerte no dejan los suspiros. Unos se respondían a sus amores y penaban con dudosas desconfianzas. ¡Oh, qué número de ellos echaban la culpa de su perdición a sus deseos, cuya fuerza o cuyo pincel los mintió las hermosuras! Los más estaban *destruidos* por penséque,[55] según me dijo un diablo.

—¿Quién es penséque —dije yo—, o qué género de delito?

Riose, y replicó:

—No es sino que se destruyen, fiándose de fabulosos semblantes, y luego dicen pensé que no me obligara, pensé que no me amartelara, pensé que ella me diera a mí y no me quitara, pensé que no tuviera otro con

[55] Correas, *Vocabulario,* pp. 389 y 628: "Pensé que es voz de necios. Dícese esto a los que se excusan de sus descuidos en negocios de importancia, diciendo: "No pensé", "¡Quién pensara!": porque el prudente todo ha de mirar." y "Penséque y asneque y burreque. Por el que pensó neciamente".

quien yo riñera, pensé que se contentara conmigo sólo, pensé que me adoraba, y así, todos los amantes en el infierno están por pensé que. Estos son la gente en quien más ejecuciones hace el arrepentimiento y los que menos sabían de sí. Estaba en medio de ellos el amor, lleno de sarna, con un rótulo que decía:

> No hay quien este amor no dome
> sin justicia o con razón,
> que es sarna y no *es* afición
> amor que se pega y come.

—¿Coplica hay? —dije yo—. No andan lejos de aquí los poetas.

Cuando, volviéndome a un lado, veo una bandada de hasta cien mil dellos en una jaula, que llaman los Orates en el infierno. Volví a mirarlos, y díjome uno, señalando a las mujeres que digo:

—Esas señoras hermosas, todas se han vuelto medio camareras de los hombres, pues los desnudan y no los visten.

—¿Conceptos gastáis aun estando aquí? Buenos cascos tenéis —dije yo.

Cuando uno entre todos, que estaba aherrojado y con más penas que todos, dijo:

—¡Plegue a Dios, hermano, que así se vea el que inventó los consonantes! Pues porque en un soneto

> Dije que una señora era absoluta,
> y siendo más honesta que Lucrecia,
> por dar fin al cuarteto, la hice puta.
> Forzóme el consonante a llamar necia
> a la de más talento y mayor brío:
> ¡Oh, ley de consonantes, dura y recia!
> Habiendo en un terceto dicho lío,
> un hidalgo afrenté tan solamente,
> porque el verso acabó bien en judío.
> A Herodes otra vez llamé inocente,
> mil veces a lo dulce dije amargo
> y llamé al apacible impertinente.

Y por el consonante tengo a cargo
otros delitos torpes, feos, rudos;
y llega mi proceso a ser tan largo,
Que, porque en una octava dije escudos,
hice, sin más ni más, siete maridos
con honradas mujeres, ser cornudos.
Aquí nos tienen, como ves, metidos
y por el consonante condenados.
¡Oh, míseros poetas desdichados,
a puros versos, como ves, perdidos! [56]

—¡Hay tan graciosa locura —dije yo—, que, aun aquí, estáis sin dejarla ni *descansaros* della!

¡Oh, qué vi de ellos! Y decía un diablo:

—Esta es gente que canta sus pecados como otros los lloran, pues en amancebándose, con hacerla pastora o mora, la sacan a la vergüenza en un romancico por todo el mundo. Si las quieren a sus damas, lo más que les dan es un soneto o unas octavas, y si las aborrecen o las dejan, lo menos que les dejan es una sátira. ¡Pues qué es *verlos cargados* [57] de pradicos de esmeraldas, de cabellos de oro, de perlas de la mañana, de fuentes de cristal, sin hallar sobre todo esto dinero para una camisa ni sobre su ingenio! Y es gente que apenas se conoce de qué ley son. Porque el nombre es de cristianos, las almas de herejes, los pensamientos de alarbes y las palabras de gentiles.

—Si mucho me aguardo —dije entre mí—, yo oiré algo que me pese.

56 A. Mas nota que la disposición de los dos últimos versos contradice las normas de la *terza rima,* y propone que se invierta el orden. La observación es cierta y el sentido no padece, pero todas las lecciones manuscritas e impresas concuerdan y respetamos el hecho.

57 Todas las versiones dicen "verlas cargadas" aplicando ese párrafo a las damas. Sin embargo, el sujeto principal de cuanto dice el diablo son los poetas, y en este caso particular se asegura mediante las últimas palabras: "sobre su ingenio", que no puede ser otro sino el de aquéllos.

Fuime adelante y *dejélos* con deseo de llegar adonde estaban los que no supieron pedir a Dios.[58] ¡Oh, qué muestras de dolor tan grandes hacían! ¡Oh, qué sollozos tan lastimosos! Todos tenían las lenguas condenadas a perpetua cárcel y, poseídos del silencio, tal martirio, en voces ásperas de un demonio, recibían por los oídos:

—¡Oh, corvas almas, inclinadas al suelo, que con oración logrera y ruego mercader y comprador os atrevisteis a Dios y le pedisteis cosas que, de vergüenza de que otro hombre las oyese, aguardábades a coger solos los retablos! ¿Pues cómo más respeto tuvisteis a los mortales que al Señor de todos? quien os *vio* en un rincón, medrosos de ser oídos, pedir murmurando, sin dar licencia a las palabras que se saliesen de los dientes, *cercados de ofrendas*:

—¡Señor, muera mi padre y acabe yo de suceder en su hacienda; llevaos a vuestro reino a mi mayor hermano y aseguradme a mí el mayorazgo; halle yo una mina debajo de mis pies; el Rey se incline a favorecerme y véame yo cargado de sus favores!

—Y ved —dijo— a lo que llegó *vuestra* desvergüenza que osastes decir:

—Y haced esto, que si lo hacéis, yo os prometo de casar dos huérfanas, de vestir seis pobres y de daros frontales.

—¡Qué ceguedad de hombres: prometer dádivas al que pedís, con ser la suma riqueza! Pedistes a Dios por merced lo que Él suele dar por castigo; y si os lo da, os pesa de haberlo tenido cuando morís; y si no os lo da, cuando vivís; y así, de puro necios, siempre tenéis quejas. Y si llegáis a ser ricos por votos, decidme: ¿cuáles cumplís? ¿Qué tempestad no llena de promesas los santos? Y ¿qué bonanza, tras ella, no los torna a desnudar, con olvido de *todo*? *¿Qué de lámparas*[59] ha

[58] Véase M. Morreale, *Luciano y Quevedo*, p. 223. A. Mas estima que el origen del pasaje está en la 2.ª sátira de Persio y sugiere que se vea también la décima carta de Séneca a Lucilo.

[59] El fragmento está corrompido en todas las versiones, incluso en los manuscritos. Este último hecho, perceptible en los

ofrecido a los altares la espantosa cara del golfo? Y ¿qué de ellas ha muerto y quitado de los mismos templos el puerto? Nacen vuestros ofrecimientos de necesidad, y no de devoción. ¿Pedisteis alguna vez a Dios paz en el alma, aumento de gracia o favores suyos ni inspiraciones? No, por cierto; ni aun sabéis para qué son menester estas cosas ni lo que son. Ignoráis que el holocausto, sacrificio y oblación que Dios recibe de vosotros es de la pura conciencia, humilde espíritu, caridad ardiente. Y esto, acompañado con lágrimas, es moneda, que aun Dios, si puede, es cudicioso en nosotros. Dios, hombres, por vuestro bien gusta que os acordéis de él, y, como, si no es en los trabajos, no os acordáis, por eso os da trabajos, porque tengáis dél memoria. Considerad vosotros, necios demandadores, cuán brevemente se os acabaron las cosas que, importunos, pedisteis a Dios. ¡Qué presto os dejaron y cómo, *ingratas,* no os fueron compañía en el postrer paso! ¿Veis cómo vuestros hijos aun no gastan de vuestras haciendas un real en obras pías, diciendo que no es posible que vosotros gustéis dellas, porque si gustárades, en vida hiciérades algunas? [60] Y pedís tales cosas a

---

distintos esfuerzos por darle sentido, nos hizo sospechar que el error naciera de la omisión de un largo fragmento o de una falta insignificante. La primera suposición no parecía viable en el contexto; en cuanto a la segunda, el análisis lógico y gramatical del pasaje nos condujo a la inconsecuencia del "toque de campanas" —que dan casi todos los textos— en relación con los santos desnudos de promesas. Si alguien escribió "con olvido de to-" al final de una línea y no concluyó la palabra en la siguiente, dejó fabricado el sustantivo 'toque'. De otra parte, la fácil y reiterada confusión entre la *ele* y ciertas *ces* de trazo alargado, entre la *ere* y la *ene,* convirtiendo las 'lámparas' en 'campanas'; por último, la coherencia de la expresión 'toque de campanas' ha constituido el principal obstáculo para restaurar la versión original. La falta de puntuación y la irregularidad en el uso de las mayúsculas contribuyeron a mantener la confusión del fragmento. En *Desvelos* se lee 'lámparas' y entendemos que es el sujeto más apropiado para la expresión 'ha muerto', que luego se les aplica.

La idea general está en el refranero, véase Correas, *Vocabulario,* pp. 67 y 388: "Arroyo pasado, santo olvidado" y "El peligro pasado, el voto olvidado".

[60] Correas, *Vocabulario,* p. 271: "Lo que en tu vida no hicieres, de tus herederos no lo esperes".

Dios, que muchas veces, por castigo de la desvergüenza con que *las* pedís, os las concede. Y bien, como suma sabiduría, conoció el peligro que tenéis en saber pedir, pues lo primero que os enseñó en el *Pater noster* fue pedirle; pero pocos entendéis aquellas palabras donde Dios enseñó el lenguaje con que habéis de tratar con Él.

Quisieron responderme; mas no les daban lugar las mordazas.

Yo, que vi que no habían de hablar palabra, pasé adelante, donde estaban juntos los ensalmadores ardiéndose vivos, y los saludadores también condenados por embustidores. Dijo un diablo:

—Veislos aquí a estos tratantes en santiguaduras, mercaderes de cruces, que *embelecaron* el mundo y quisieron hacer creer que podía tener cosa buena un hablador. Gente es esta ensalmadora, que jamás hubo nadie que se quejase dellos. Porque, si les sanan, antes se lo agradecen; y si los matan, no se pueden quejar. Y siempre les agradecen lo que hacen y dan contento. Porque, si sanan, el enfermo los regala; y si matan, el heredero *les* agradece el trabajo. Si curan con agua y trapos la herida, que sanara por virtud de naturaleza, dicen que es por ciertas palabras virtuosas, que les enseñó un judío.[61] ¡Mirad qué buen origen de palabras virtuosas! Y si se enfistola, empeora y muere, dicen que llegó su hora y el badajo[62] que se la dio y todo. Pues ¿qué es de oír a éstos las mentiras que cuentan: de uno que tenía las tripas fuera en la mano en tal parte, y otro que estaba pasado por las ijadas? Y lo que más me espanta es que siempre he medido la distancia de sus curas, y siempre las hicieron cuarenta o cincuenta leguas de allí, estando en servicio de un señor que ha ya

[61] Véase Edward Glaser, *Referencias antisemitas en la literatura peninsular*, pp. 44-46, aunque observe la evidencia de que "satíricos como Góngora y Quevedo no hayan salpicado su crítica de los médicos con alusiones raciales", lo cual es verdaderamente curioso en el caso de Quevedo.

[62] *badajo*: "...hablador tonto y necio". Véase *Autoridades*, t. I, p. 529 y Correas, *Vocabulario*, pp. 78 y 583: "Baldón a uno por hablador, como bazagón".

trece años que murió, porque no se averigüe tan presto la mentira. Y por la mayor parte, estos tales que curan con agua, enferman ellos por vino. Al fin, éstos son por los que se dijo: "Hurtan que es bendición", porque con la bendición hurtan, tras ser siempre gente ignorante.[63] Y he notado que casi todos los ensalmos están llenos de solecismos. Y no sé qué virtud se tenga el solecismo por *la* cual se pueda hacer nada. Al fin, vaya do fuere,[64] ellos están acá. Algunos que otros hay buenos hombres, que, como amigos de Dios, alcanzan de él la salud para los que curan: que la sombra de sus amigos suele dar vida. Pero para ver buena gente, mirad los saludadores, que también dicen que tienen virtud.

Ellos se agraviaron, y dijeron que era verdad que la *tenían.* Y a esto respondió un diablo:

—¿Cómo es posible que por ningún camino se halle virtud en gente que anda siempre soplando?

—Alto —dijo un demonio—, que me he enojado. Vayan al cuartel de los porquerones,[65] que viven de lo mismo.

Fueron, aunque a su pesar. Yo abajé otra grada por ver *los* que Judas me dijo que eran peores que él, y topé en una alcoba muy grande una gente desatinada, que los diablos confesaban que ni los entendían ni se podían averiguar con ellos. Eran astrólogos y alquimistas.[66] Estos andaban llenos de hornos y crisoles, de

[63] Correas, *Vocabulario,* p. 595: "Hurtar la bendición. Llegar primero que el otro al bien y provecho". Pero no la forma que da Quevedo.

[64] Correas, *Vocabulario,* p. 656: "Vaya por donde fuere. Al resuelto a hacer algo".

[65] "Saludador: Comúnmente se aplica al que por oficio saluda con ciertas preces, ceremonias y soplos para curar del mal de rabia". *Autoridades,* t. VI, p. 32. Véase, además, Benito Feijoo, *Teatro,* t. III, Discurso I, dedicado a los saludadores. Quevedo utiliza el doble sentido de la palabra 'soplo' para relacionarlos con los porquerones, corchete que buscaba a los delincuentes para denunciarlos; véase *Autoridades,* t. V, p. 328.

[66] Este fragmento de los alquimistas lo ha estudiado Alessandro Martinengo, *Quevedo e il simbolo alchimistico,* demostrando que no se trata de pura fantasía quevediana, sino que el satírico distingue con toda claridad entre científicos e impostores, y que acusa en esta ocasión una tendencia seudoluliana, en

lodos, de minerales, de escorias, de cuernos, de estiércol, de sangre humana, de polvos y de alambiques. Aquí calcinaban, allí lavaban, allí apartaban y acullá purificaban. Cuál estaba fijando el mercurio al martillo, y, habiendo resuelto la materia viscosa y *ahuyentado la parte sutil,* lo corruptivo del fuego, en llegándose a la copela, se le iba en humo. Otros disputaban si se había de dar fuego de mecha, o si el fuego o no fuego de Raimundo[67] había de entenderse de la cal o si de luz efectiva del calor, y no de calor efectivo de fuego. Cuáles, con el *sigilo* de Hermete,[68] *daban* principio a la obra magna, y en otra parte miraban ya el negro blanco y le aguardaban colorado. Y juntando a esto la *proposición* de naturaleza: "con naturaleza se contenta la naturaleza, y con ella misma se ayuda", y los demás oráculos ciegos suyos, esperaban la reducción de la primera materia, y, al cabo, reducían su sangre a la postrera podre; y, en lugar de hacer *del* estiércol, cabellos, sangre humana, cuernos y escoria oro, hacían del oro estiércol, gastándolo neciamente. ¡Oh, qué de voces oí sobre el padre muerto y resucitarlo *y tornarlo* a matar! ¡Y qué bravas las daban sobre entender aquellas palabras tan referidas de todos los autores químicos!:

—¡Oh! Gracias sean dadas a Dios, que de la cosa más vil del mundo permite hacer una cosa tan rica.

Sobre cuál era la cosa más vil se ardían. Uno decía que ya la había hallado, y, si la piedra filosofal se había de hacer de la cosa más vil, era fuerza hacerse de corchetes. Y los cocieran y destilaran si no dijera otro que tenían mucha parte de aire para poder hacer la piedra, que no había de tener materiales tan vaporosos.

---

contraste con *La hora de todos* (1635), en la que se advierte la influencia de Paracelso. Véase también lo que dice A. Mas, en su edición de *Las Zahúrdas,* pp. 96-100.

[67] Raimundo Lulio (1235-1315). En el *Índice* de San Martín figuran bastantes obras suyas, pero tan sólo una pudo ser de Quevedo cuando escribió este sueño: *Opera,* Strasburgo, 1598.

[68] Hermes Trismegisto. Véase Martinengo, *Quevedo e il simbolo alchimistico,* p. 20 y siguientes.

Y así se resolvieron que la cosa más vil del mundo eran los sastres, pues cada punto se condenaban y que era gente más enjuta.

Cerraran con ellos, si no dijera un diablo:

—¿Queréis saber cuál es la cosa más vil? Los alquimistas. Y así, porque se haga la piedra, es menester quemaros a todos.

Diéronles fuego y ardían casi de buena gana sólo por ver la piedra filosofal.

Al otro lado no era menos la trulla de astrólogos[69] y supersticiosos. Un quiromántico iba tomando las manos a todos los otros que se habían condenado, diciendo:

—¡Qué claro que se ve que se habían de condenar éstos, por el monte de Saturno!

Otro que estaba a gatas con un compás, midiendo alturas y notando estrellas, cercado de efemérides y tablas, se levantó y dijo en altas voces:

—Vive Dios, que si me pariera mi madre medio minuto antes, que me salvo: porque Saturno, en aquel punto, mudaba el aspecto y Marte se pasaba a la casa de la vida, el escorpión perdía su malicia, y yo, como di en procurador, *fuera* pobre mendigo.

Otro, tras él, andaba diciendo a los diablos que le mortificaban, que mirasen bien si era verdad que él había muerto; que no podía ser, a causa que tenía *a* Júpiter por ascendente y a Venus en la casa de la vida, sin aspecto ninguno malo, y que era fuerza que viviese noventa años.

—Miren —decía— que les notifico que miren bien si soy difunto, porque por mi cuenta es imposible que pueda ser esto.

En esto iba y venía, sin poderlo nadie sacar de aquí.

Y para enmendar la locura de éstos, salió otro *geomántico,*[70] poniéndose en puntos con las ciencias,

69 En relación con el pasaje que sigue, véase M. Morreale, *La censura de la geomancia,* pp. 409-412, y nuestra inmediata nota 73.

70 Sobre los astrólogos, véase Martinengo, *Quevedo e il simbolo alchimistico,* pp. 32-34.

haciendo sus doce casas gobernadas por el impulso de la mano y rayas, a imitación de los dedos, con supersticiosas palabras y oración. Y luego, después de sumados sus pares y nones, sacando juez y testigos, comenzaba a querer probar *que él* era el astrólogo más cierto. Y si dijera puntual, acertara, pues es su ciencia de punto, como calza, sin ningún fundamento; aunque pese a Pedro *de Abano,*[71] que era uno de los que allí estaban, acompañando a Cornelio Agripa,[72] que, con una alma, ardía en cuatro cuerpos de sus obras malditas y descomulgadas, famoso hechicero.

Tras éste vi, con su *Polygraphia* y *Steganographia,* al abad *Trithemio,*[73] harto de demonios, ya que en vida parece que siempre tuvo hambre de ellos, muy enojado con *Cardano,*[74] que estaba enfrente de él, porque dijo mal de él sólo y supo ser mayor mentiroso en sus libros de *Subtilitate,* por hechizos de viejas que en ellos juntó.

Julio César Scalígero[75] *se* estaba atormentando por otro lado en sus *Ejercitaciones,* mientras *penaba* las desvergonzadas mentiras que escribió de Homero y los testimonios que le levantó por levantar a Virgilio aras, hecho idólatra de Maron.

Estaba riéndose de sí mismo Artefio,[76] con su mágica, haciendo las tablillas para entender el lenguaje de

71 Pedro de Abano (N. 1250). En el *Índice* de San Martín figura el *Conciliator differentiarum,* 1523.

72 Henrico Cornelio Agripa (1486-ca. 1535).

73 Juan Trithemio (1462-1516). Fernández-Guerra (BAE, t. 23, p. 319, nota *b*) comenta la figura y su obra repitiendo el juicio del padre Feijoo de que nuestro satírico no vio ni tuvo clara noticia de los dos libros que cita en este pasaje. Notemos, sin embargo, que en el *Índice* de San Martín figuran ambas, la *Steganographia* en edición de Francfurt 1606, y la *Polygraphia* en dos ediciones de Estrasburgo, 1600 y 1613. En cuanto a la *Philosophia naturalis de Geomantia,* de que también fue autor, ¿será la fuente del anterior pasaje sobre el geomántico?

74 Jerónimo Cardano (1501-1576). En el *Índice* de San Martín se registran las siguientes obras suyas: *De subtilitate,* Basilea, 1611; *De prudentia civili,* Colonia, 1630; *De rerum varietate,* Basilea, 1556.

75 Julio César Scalígero (1484-1558). En el *Índice* de San Martín se consignan varias obras suyas.

76 Artefio, filósofo hermético, vivió hacia el año 1130.

las aves, y Mizaldo,[77] muy triste y pelándose las barbas, porque, tras tanto experimento disparatado, no podía hallar nuevas necedades que escribir.

Teofrasto Paracelso[78] estaba quejándose del tiempo que había gastado en la alquimia; pero contento en haber escrito medicina y mágica, que nadie la entendía, y haber llenado las imprentas de pullas a vuelta de muy agudas cosas.

Y detrás de todos estaba Hubequer[79] el pordiosero, vestido de los andrajos de cuantos escribieron mentiras y desvergüenzas, hechizos y supersticiones, hecho su libro un ginebra de moros, gentiles y cristianos.

Allí estaba el secreto autor de la *Clavicula Salomonis*[80] y el que le imputó los sueños. ¡Oh, cómo se abrasaba burlando de vanas y necias oraciones el hereje que hizo el libro *Adversus omnia pericula mundi*!

¡Qué bien ardía el Catan[81] y las obras de Races![82] Estaba Taysnerio[83] con su libro de fisonomías y manos, penando por los hombres que había vuelto locos con sus disparates *y rayas,* sabiendo el bellaco que las fisonomías no se pueden sacar ciertas de particulares

77 Antonio Mizauld (1520-1578). En el *Índice* de San Martín hay cuatro títulos a su nombre. Quevedo sustituyó su nombre por el de Cecco d'Ascoli cuando publicó *Juguetes.*

78 Teofrasto Paracelso (1493-1541).

79 Jacobo Wecquer, autor de la obra *De secretis, Libri XVII,* Basilea, 1598.

80 En el *Índice* de San Martín se registra *La clauicule, ou la science de Raymon Lulle... par le sieur Paul Iacob,* París, 1653, que a juzgar por la fecha no pudo ser de Quevedo. En España se tradujo al castellano en 1908.

81 Fernández-Guerra relaciona sin convicción este nombre con el astrólogo persa Athassan; Cejador lo identifica con Cristóbal Catan o Cattanes, filósofo hermético suizo.

82 Ahmed Benmohamed el Arrazí (885-ca. 955). Desde que Fernández-Guerra sentó esta identificación, todos la han repetido; sin embargo, y recordando la inseguridad de la transmisión manuscrita, sobre todo en nombres poco frecuentes, no se deseche la posibilidad de que se trate de Angel Raziel (véase Enrique de Villena, *Arte cisoria,* principio del capítulo II), o bien del tratadista cordobés o madrileño Aben Ragel, autor del libro *De judicis seu fatis stellarum,* Venecia, 1485.

83 Jean Taisnier (1509-¿...?), cuya *Physionomia* está incluida en la obra *Opus mathematicum octo libros,* Colonia Agrippinae, 1562, según A. Mas.

rostros de hombres que, o por miedo o por no poder, no muestran sus inclinaciones y las reprimen, sino sólo *de los* rostros y caras de príncipes y señores sin superior, en quien las inclinaciones no respetan nada para mostrarse.

Estaba luego *Eylardo Lubino,* [84] con sus rostros *humanos* y los brutos, concertando por las caras la similitud de las costumbres.

A Escoto [85] el italiano no vi allá por hechicero y mágico, sino por mentiroso y embustero.

Había otra gran copia, y aguardaban sin duda mucha gente, porque había grandes campos vacíos. Y nadie estaba con justicia entre todos estos autores, presos por hechiceros, si no fueron unas mujeres hermosas, porque sus caras fueron *solas* en el mundo [...] verdaderos hechizos. Que *los demás* sólo son veneno de la vida, que perturbando las potencias y ofendiendo los órganos *al alma,* son causa de que la voluntad quiera por bueno lo que ofendidas las especies representan. Viendo esto, dije entre mí:

—Ya me parece que vamos llegándonos al cuartel de la gente peor que Judas. [86]

Dime prisa a llegar allá, y al fin asoméme a parte donde, sin favor particular del cielo, no se podía decir lo que había. A la puerta estaba la justicia de Dios, espantosa, y en la segunda entrada, el vicio desvergonzado y soberbio, la malicia ingrata e ignorante, la incredulidad *resuelta* y ciega y la inobediencia bestial

[84] Eilhardo Lubin (1565-1621), pero a nombre de este filólogo no encontramos ningún tratado de fisonomía; las versiones que de este nombre dan los manuscritos, según Mas, tampoco brindan mejor orientación; en *Juguetes* lo sustituyó por la fórmula 'un triste autor', salvando, acaso, un error tardíamente advertido. Enmendamos a continuación la lectura tradicional 'rostros y manos', que seguramente nació de una mala interpretación de 'rostros vmanos'. Contrasta el desprecio que aquí muestra con el juicio de "hombre curiosamente docto", que aplicó a Juan Batista della Porta en *Providencia de Dios.*

[85] Miguel Scoto (1175-1232). Quevedo le llama el italiano porque sirvió en este país durante muchos años al Emperador Federico II.

[86] Véase R. Lida, *Sobre la religión política de Quevedo,* en especial, la p. 209.

y desbocada. Estaba la blasfemia insolente y tirana llena de sangre, ladrando por cien bocas y vertiendo veneno por todas, con los ojos armados de llamas ardientes. Grande horror me dio el umbral. Entré y vi a la puerta la gran suma de herejes antes de nacer Cristo.[87] Estaban los ofiteos, que se llaman así en griego de la serpiente que engañó a Eva, la cual veneraron a causa de que supiésemos del bien y del mal. Los cainanos, que alabaron a Caín porque, como decían, siendo hijo del mal, prevaleció su mayor fuerza contra Abel. Los sethianos, de Seth. Estaba *Dositheo* ardiendo *en* un horno, el cual creyó que se había de vivir sólo según la carne y no creía la resurrección, privándose a sí mismo (ignorante más que todas las bestias) de un bien

[87] Fernández-Guerra (BAE, t. 23, p. 321, nota *a*) estableció que para confeccionar el apartado siguiente de los herejes, Quevedo se había servido del *Liber de haeresibus* compilado por Filastrio y de la *Officinae* que recopiló Juan Ravisio Textor. La relación entre fuente y texto la estudió M. Morreale, *La censura de la geomancia,* pp. 413-419; dos años más tarde Raúl A. del Piero, *Algunas fuentes de Quevedo,* hizo un examen pormenorizado y demostró que sin necesidad de recurrir a Textor, Quevedo pudo completar su relación de herejes basándose en el *Supplementum incerti scriptoris,* que incluyen las cuatro primeras ediciones del *Liber* de Filastrio. En el *Índice* de San Martín se anota un ejemplar de la segunda edición (Basilea, 1539) y otro de la obra de Textor.

Sin embargo, el aspecto más curioso de este fragmento es que no figura en ninguno de los manuscritos conocidos, cuando probablemente todos corresponden a una versión más primitiva del sueño. Las diferencias que presentan los manuscritos entre sí demuestran que no todos descienden de una misma rama, lo cual hubiera sido, además, una extraordinaria casualidad; luego, el fragmento se omitió en las primeras copias o se añadió más tarde, para la impresión. Es difícil admitir la reiterada omisión casual de un pasaje tan largo, y tampoco tiene mucho sentido la omisión voluntaria en las primeras copias, que irían a poder de los amigos (y enemigos) de Quevedo. ¿No es curioso que el pasaje falte en los once manuscritos conocidos y se conservara, precisamente, en el que sirvió de original para la impresión? Sobre todo teniendo en cuenta que no era una copia muy próxima del original por las impurezas que contiene. Nos inclinamos a suponer que el fragmento se escribió ex-profeso para la impresión; como el episodio se anticipa en el diálogo con Judas, cabe admitir que cubriera un hueco producido por la censura adversa de fray Antolín Montojo. Esto explicaría también lo deslavazado del estilo, como algo improvisado sobre la marcha. De ser apócrifo el pasaje, imaginamos que lo hubiera suprimido Quevedo al corregir *Juguetes.*

tan grande. Pues, cuando fuera así, que fuéramos *sólo* [88] animales como los otros, para morir consolados, habíamos de fingirnos eternidad a nosotros mismos. Y así llama Lucano, [89] en boca ajena, a los que [...] creen la inmortalidad del alma: "*Felices errore sua*", dichosos con su error. Si eso fuera así, que murieran las almas con los cuerpos malditos —dije yo—, siguiérase que el animal del mundo a quien Dios dio menos discurso es el hombre, pues entiende al revés lo que más importa, esperando inmortalidad. Y seguirse hía que a la más noble criatura dio menos conocimiento y crio para mayor miseria la naturaleza, que Dios no, pues quien sigue *esa* opinión no lo *cree.*

Estaba luego *aspado el* autor de los Sadduceos. Los fariseos estaban aguardando a Cristo, no como Dios, sino como hombre.

Estaban los *heliognósticos,* devictíacos, adoradores del sol; pero los más graciosos son los que veneran las ranas, que fueron plaga a Faraón, por ser azote de Dios.

Estaban los *musoritas* [90] haciendo ratonera al arca a puro ratón de oro.

Estaban los que adoraron la mosca accaronita: Ozías, el que quiso pedir a una mosca antes salud que a Dios, por lo cual Elías le castigó.

Estaban los trogloditas, los de la fortuna del cielo, los de Baal, los de Astarot, los del ídolo Moloch y *Renfan,* de la ara de Tofet, los *puteoritas,* herejes *veraniscos* de pozos, los de la serpiente de metal.

Y entre todos sonaba la baraúnda y el llanto de las judías, que, debajo de tierra, en las cuevas, *lloraban a Thamuz* en su simulacro. Seguían los *bahalitas,* luego

88 Aceptamos en este pasaje algunas enmiendas que sugiere M. Morreale, *La censura de la geomancia,* pp. 417-418, si bien introducimos algunas más y al final de este pasaje sustituimos el tradicional y poco intelegible 'fíe' por el verbo 'cree' que figura en *Desvelos.*

89 *Farsalia,* I, 459.

90 Véase Martinengo, *Quevedo e il simbolo alchimistico,* p. 5, nota 3.

la Pitonisa arremangada, y detrás los de Asthar y Astharot, y al fin, los que aguardaban a Herodes, y de esto se llaman herodianos. Y hube a todos éstos por locos y mentecatos.

Mas llegué luego a los herejes que había después de Cristo. Allí vi (¡oh, qué famoso espectáculo!) a Tertuliano, concurriente de los apóstoles catorce años, antes que Orígenes, apóstata doctísimo, atormentado de sus errores y convencido de sí mismo. Luego fui *llegando* y vi que antes de él estaban muchos, como Menandro y simón Mago, su maestro. Estaba *Saturnino,* inventando disparates; estaba el maldito Basílides heresiarca; estaba Nicolás antioqueno, *Carpócrates* y *Cerintho* y el infame *Ebión.* Vino luego Valentino, el que dio por principio de todo el mar y el silencio.

Menandro, el mozo de Samaria, decía que él era el Salvador y que había caído del cielo, y por imitarlo, decía detrás dél Montano frigio que él era el Parácleto. Síguenle las desdichadas *Priscilla* y Maximilla heresiarcas. Llamáronse sus secuaces catafriges, y llegaron a tanta locura, que decían que en ellos, y no en los apóstoles, vino el Espíritu Santo.

Estaba Nepos, obispo, en quien fue coroza la mitra, afirmando que los santos habían de reinar con Cristo en la tierra mil años en lascivias y regalos.

Venía luego Sabino, prelado hereje arriano, el que en el concilio Niceno llamó idiotas a los que no seguían a Arrio.

Después, en miserable lugar, estaban ardiendo por sentencia de Clemente, pontífice máximo que sucedió a Benedicto, los templarios, primero santos en Jerusalén y luego, de puro ricos, idólatras y deshonestos.

¡Y qué fue ver a Guillermo, el hipócrita de *Amberes,* hecho padre de putas, prefiriendo las rameras a las honestas y la fornicación a la castidad! A los pies de éste yacía Bárbara, mujer del emperador Segismundo, llamando necias a las vírgenes, habiendo hartas. Ella, bárbara como su nombre, servía de emperatriz a los diablos, y no estando harta de delitos, ni aun cansada, que en esto quiso llevar ventaja a Mesalina, decía que moría el alma y el cuerpo y otras cosas bien dignas de su nombre.

Fui pasando por éstos y llegué a una parte donde estaba uno solo arrinconado y muy sucio, con un zancajo menos y un chirlo por la cara, lleno de cencerros, y ardiendo y blasfemando.

—¿Quién eres tú —le pregunté—, que entre tantos malos eres el peor?

—Yo —dijo él— soy Mahoma.

Y decíaselo el tallecillo, la cuchillada y los dijes de arriero.

—Tú eres —dije yo— el más mal hombre que ha habido en el mundo y el que más almas ha traído acá.

—Todo lo estoy *pagando* —dijo—, mientras los malaventurados de africanos adoran el zancarrón o zancajo que aquí me falta.

—Picarón, ¿por qué vedaste el vino a los tuyos?

Y respondió que:

—Porque si tras las borracheras que les dejé en mi Alcorán, les permitiera las del vino, *todo* fueran *borracheras.*

—Y el tocino, ¿por qué se lo vedaste, perro esclavo, descendiente de Agar?

—Eso hice por no hacer agravio al tocino,[91] que lo fuera comer torreznos y beber agua, aunque yo vino y tocino gastaba. Y quise tan mal a los que creyeron en mí, que acá los quité la gloria y allá los perniles y las botas. Y, últimamente, mandé que no defendiesen mi ley por razón, porque ninguna hay ni para obedecella ni sustentalla; remitísela a las armas y metílos en ruido para toda la vida. Y el seguirme tanta gente no es en virtud de milagros, sino sólo en virtud de darles la ley a medida de sus apetitos, dándoles mujeres para mudar, y, por extraordinario, *bujarronerías* como las quisiesen, y con esto me seguían todos. Pero no se remató en mí

91 Correas, *Vocabulario,* p. 157: "Dijo el tocino al vino: Bien vengáis, amigo".

todo el daño: tiende por ahí los ojos y verás qué honrada gente topas.

Volvíme a un lado y vi todos los herejes de ahora, y topé con Maniqueo.[92] ¡Oh, qué vi de calvinistas arañando a Calvino![93] Y entre éstos estaba el principal, Josefo Scalígero,[94] por tener su punta de ateísta y ser tan blasfemo, deslenguado y vano y sin juicio.[95]

Al cabo estaba el maldito Lutero,[96] con su capilla y sus mujeres, hinchado como un sapo y blasfemando, y Melanchthon[97] comiéndose las manos tras sus herejías.

Estaba el renegado Beza,[98] maestro de Ginebra, leyendo, sentado en cátedra de pestilencia, y allí *lloré* viendo el doctísimo Enrico Estéfano.[99] Preguntéle no sé qué de la lengua griega, y estaba tal la suya, que no pudo responderme sino con bramidos.

—¡Válgame Dios! —dije, llegándome a Lutero—. ¿Cómo [...], mal hombre, por no decir [...] mal fraile, te atreviste a decir que no se habían de adorar las imágenes; si en ellas no se adora sino la espiritual grandeza que, a nuestro modo, representan? Si dices que para acordarte de Dios no has menester imágenes, es verdad; y no te las dan para eso, sino para que te muevan afectos la representación de la *deidad* que reverenciamos y del Señor que amamos sobre todo bien. Como los enamorados, que el retrato de su dama no le traen para acordarse de ella, pues ya *presupone*

92 Maniqueo (Manes), fundador del maniqueismo (215-6 a 273-7).

93 Juan Calvino (1509-1504).

94 José Justo Scalígero (1540-1609), hijo de Julio César Scalígero, citado en la pasada nota 75.

95 En este punto y dos más, inmediatos, presenta notables adiciones el manuscrtio 4256 de nuestra Biblioteca Nacional. No es evidente la paternidad ni entra en nuestros propósitos el analizar intrínseca y comparativamente ese manuscrito para juzgar el crédito que merece.

96 Martín Lutero (1483-1546).

97 Felipe (Schwarzed) Melanchton (1497-1560).

98 Teodoro Beza (1519-1605).

99 Enrique Stéfano (1528-1598). En el *Índice* de San Martín hay a su nombre un *Thesaurus Graecae Linguae,* de 1572, y un *Glossarium,* de 1573.

memoria de ella *el* acordarse de que le *trae para sacarle,* sino para deleitarse con la parte que se *le* concede del bien ausente. Dices también que Cristo pagó por todos, y que no hay sino vivir como quisiéramos, porque el que me hizo a mí *sin mí,* me salvara a mí sin mí. Bien *que* me hizo a mí sin mí, pero, hecho, siente que yo destruya su obra y manche su pintura y borre su imagen. Y si, como confiesas, sintió en el primer hombre tanto un pecado que, por satisfacerle, mostrando su amor, murió. ¿Cómo te dejas decir que murió para darnos libertad de pecar, quien siente tanto que pequemos? Y si murió y padeció Cristo para enseñarnos lo que cuesta un pecado y lo que hemos de huirle, ¿de dónde coliges que murió para darnos licencia para hacer delitos? Que satisfizo por todos es verdad, luego, ¿no tenemos que trabajar nosotros? ¡Mientes!, pues hay que trabajar en no caer en otros y en pagar los cometidos delitos. Enojóse Dios por un pecado, cuando no le *debíamos* sino la creación sola, ¿y no sentirá las culpas, cuando le debemos redención costosa y trabajosa? Espántome, Lutero, de que supieses nada. ¿De qué te aprovecharon tus letras y agudeza?

Más le dijera si no me enterneciera la desventurada figura en que estaba [...] ahorcado, penando, *Helio Eóbano Hesso,*[100] célebre poeta, competidor *del maldito* Melanchthon. ¡Oh, cómo lloré mirando su gesto torpe con heridas y golpes y afeados con llamas sus ojos! No pude sino suspirar.

Dime prisa a salir de este cercado, y pasé a una galería, donde estaba Lucifer cercado de *diablas,* que también hay hembras como machos. No entré dentro, porque no me atreví a sufrir su aspecto disforme; sólo diré que tal galería, tan bien ordenada, no se ha visto en el mundo, porque toda estaba colgada de empera-

100 Helio Eobano Hesso (1488-1540). Véase María Rosa Lida, *Para las fuentes de Quevedo,* p. 369. En el *Índice* de San Martín se registran dos obras suyas: *De conservanda bona valetudine,* sin referencias de impresión, y *Annotationes in Georgicorum argumentum,* Colonia, 1545.

dores y reyes vivos, como acá muertos. Allá vi toda la casa otomana, los de Roma por su orden. Miré por los españoles, y no vi corona ninguna española; quedé contentísimo, que no lo sabré decir.[101]

Vi graciosísimas figuras: hilando a Sardanápalo,[102] glotoneando a Heliogábalo,[103] a Sapor,[104] emparentando con el sol y las estrellas. *Viriato* andaba a palos tras los romanos; Atila revolvía el mundo; Belisario,[105] ciego, acusaba a los atenienses *y Julio César estaba llamando de traidores a Bruto y Casio. ¡Oh, cuáles andaban el mal obispo don Oppas y el conde don Julián pisando su propia patria y manchándose en sangre cristiana! Allí vi colgados otros muchos de todas naciones, cuando se*[106] llegó a mí el portero y me dijo:

—Lucifer manda que, porque tengáis qué contar en el otro mundo, que veáis su carmín.

Entré allá. Era un aposento curioso y lleno de buenas joyas. Tenía cosa de seis o siete mil cornudos y otros tantos alguaciles manidos.

—¿Aquí estáis? —dije yo—. ¿Cómo, diablos, os había de hallar en el infierno, si estábades aquí?

101 Este fragmento desapareció en las sucesivas versiones impresas. Vase la próxima nota 106.

102 Sardanápalo, rey asirio cuya figura se ha identificado con la de Assurbanipal, por más que la vida de ambos difiera en algunos aspectos.

103 Heliogábalo (204-222).

104 No hemos conseguido dilucidar a cual de los dos primeros monarcas de Persia que llevaron este nombre se refiere Quevedo. El primero, fallecido en 270, persiguió a los cristianos por ser partidarios de Roma, y el segundo, que gobernó del 311 al 380, acogió a los heréticos nestorianos.

105 Belisario, general bizantino (ca. 500-565). Modernamente se ha rechazado la leyenda de que Belisario, ciego, hubiera de pedir limosna para sobrevivir.

106 Este fragmento no figura en las versiones impresas antiguas; lo tomamos de la edición de A. Mas. No hay motivo aparente que justifique la censura de este pasaje y del señalado en la pasada nota 101. Si la omisión fue voluntaria, no cabe buscar las razones en motivos religiosos ni de estilo, sino políticos, por aludir a circunstancias vigentes en 1608, pero ya olvidadas, o consideradas de otra forma, en 1627. ¿Se trata de alusiones al duque de Lerma y al confesor Luis de Aliaga, todo poderosos en la primera fecha?

Había pipotes de médicos y muchísimos coronistas, lindas piezas, aduladores de molde y con licencia. Y en las cuatro esquinas estaban ardiendo por hachas cuatro malos pesquisidores. Y todas las poyatas [...] llenas de vírgenes *hocicadas,*[107] doncellas penadas como tazas, y dijo el demonio:

—Doncellas son que se vinieron al infierno con los virgos fiambres,[108] y por cosa rara se guardan.

Seguíanse luego demandadores, haciendo labor con diferentes sayos, y de las ánimas había muchos, porque piden para sus misas, y consumen ellos *en* vino cuanto les dan, sin ser sacerdotes.

Había madres postizas y *tías tenderas* de sus sobrinas, y aun suegras *terceras* de sus nueras, por mascarones alrededor.

Estaba en una peana Sebastián *Gertel,*[109] general en lo de Alemaña contra el Emperador, tras haber sido

[107] *Las poyatas... tazas*: restauramos el párrafo conforme a la información que da Mas de los manuscritos, para que adquiera, cuando menos, claridad expresiva: las vírgenes inútiles caen o dan de hocicos (Correas, *Vocabulario,* p. 543: "Caer de hocicos. Lo que dar de ojos"; p. 552: "Dar de ojos. Por tropezar y caer") en las poyatas al final de su vida, como corresponde a su condición de solteronas, según lo vio acertadamente Spitzer (*Un passage de Quevedo,* pp. 224-225); lo que no está claro es si la palabra 'hocicadas' sugirió la idea de comprarlas con las tazas que se colocan boca abajo en el vasar, o si ambas ideas unidas pretenden ofrecer una imagen de verticalidad sin más punto de apoyo que las bocas. La primera posición, simplemente de bruces, puede llevar implícita la contraversión de lo graves que son para las mujeres las caídas de espalda, según un dicho famoso, tan extendido que incluso está en Shakespeare; véase *Romeo and Juliet,* I, esc. III, "Nurse.— ... 'Yea', quoth he 'dost thou fall upon thy face? / Thou wilt fall backward when thou hast more wit, / Wilt thou not, Jule?". Cualquier otra explicación, sobre todo recordando que se trata de "doncellas penadas", resultaría harto escabrosa. Véase el final de la *Carta a la rectora del colegio de las vírgenes,* del propio Quevedo, en la que también aparecen las ideas de 'alacena' y de 'virginidad fiambre'.

[108] Véase *Autoridades,* t. III, p. 742; y Mas, Apéndices, pp. 104 y 109.

[109] Sebastián Schertlin von Burtenbach. Compárese con el pasaje siguiente: "...Sebastián Xertel, del cual se dice que fue alabardero de su majestad, y cuando el saco de Roma, tabernero; y después, en la guerra de Sandesir, preboste de justicia en los alemanes por su majestad...", Luis de Ávila y Zúñiga,

alabardero suyo, *tabernero en Roma y borracho en todas partes.*

No acabara yo de contar lo que vi en el *camarín* si lo hubiera de decir todo. Salíme fuera y quedé como espantado, repitiendo conmigo estas cosas. Sólo pido a quien las leyere, las lea de suerte que el crédito que les diere le sea provechoso para no experimentar ni ver estos lugares. Certificando al lector que no pretendo en ello ningún escándalo ni represión sino de los vicios, por los cuales los hombres se condenan y son condenados; pues decir de los que están en el infierno no puede tocar a los buenos. Acabé este discurso en el Fresno, a postrero de abril de 1608, en 28 de mi edad.

Sub correctione Sanctae Matris Ecclesiae.

Comentario del illústre Señor don ———, Comendador mayor de Alcántara: de la Guerra de Alemaña, hecha de Carlo I. Máximo Emperador Romano, Rey de España. En el Año de M.D.XLVI y M.D.XLVII, Amberes, Juan Steelsio, 1550, f. 7v. El párrafo lo copió casi literalmente fray Prudencio de Sandoval en su *Historia de ...Carlos V,* libro 28, cap. 8.

EL MUNDO POR DE DENTRO

A DON PEDRO GIRÓN, DUQUE DE OSUNA

ESTAS son mis obras. Claro está que juzgará vuestra excelencia que, siendo tales, no me han de llevar al cielo. Mas como yo no pretenda de ellas más de que en este mundo me den nombre, y el que más estimo es de criado de vuestra excelencia, se las envío para que como [...] tan gran príncipe las honre; lograrán de paso la enmienda. Dé Dios a vuestra excelencia su gracia y salud, que lo demás merecido lo tiene al mundo su virtud y grandeza. En la aldea, abril, 26, de 1612.

Don Francisco Quevedo Villegas.

AL LECTOR, COMO DIOS ME LO DEPARARE: CÁNDIDO O PURPÚREO, PÍO O CRUEL, BENIGNO O SIN SARNA

ES cosa averiguada, así lo siente Metrodoro Chío[1] y otros muchos, que no se sabe nada y que todos son ignorantes. Y aun esto no se sabe de cierto: que, a saberse, ya se supiera algo; sospéchase. Dícelo así el

1 Metrodoro Chío, filósofo atomista del siglo IV antes de JC, discípulo de Demócrito a quien, sin embargo, discutió.

doctísimo Francisco Sánchez,[2] médico y filósofo, en su libro cuyo título es *Nihil scitur*: No se sabe nada. En el mundo hay algunos que no saben nada y estudian para saber,[3] y éstos tienen buenos deseos y vano ejercicio: porque, al cabo, sólo les sirve el estudio de conocer cómo toda la verdad la quedan ignorando. Otros hay que no saben nada y no estudian, porque piensan que lo saben todo. Son de éstos muchos irremediables. A éstos se les ha de envidiar el ocio y la satisfacción y llorarles el seso. Otros hay que no saben nada, y dicen que no saben nada porque piensan que saben algo de verdad, pues lo es que no saben nada, y a éstos se les había de castigar la hipocresía con creerles la confesión. Otros hay, y en éstos, que son los peores, entro yo, que no saben nada ni quieren saber nada ni creen que se sepa nada, y dicen de todos que no saben nada y todos dicen de ellos lo mismo y nadie miente. Y como gente que en cosas de letras y ciencias no tiene qué perder tampoco, se atreven a imprimir y sacar a luz todo cuanto sueñan. Éstos dan que hacer a las imprentas, sustentan a los libreros, gastan a los curiosos y, al cabo, sirven a las especierías.[4] Yo, pues, como uno de éstos, y no de los peores ignorantes, no contento con haber soñado el *Juicio* ni haber endemoniado un alguacil, y, últimamente, escrito el *Infierno*, ahora salgo sin ton y sin son (pero no importa, que esto no es bailar)[5] con el *Mundo por de dentro*. Si te

[2] Francisco Sánchez, natural de Bracara o de Tuy, fallecido en 1632, acaso de ascendencia judía, cursó estudios de medicina y filosofía en Francia y en Italia, ejerciendo en Toulouse durante los últimos años de su vida. La obra que se cita es *Tractatus de multum nobili et prima universali scientia, quod nihil scitur*, Lyon, 1581.

[3] Diógenes Laercio, *Vidas... de los filósofos más ilustres*, "Sócrates". Cejador relaciona el pasaje con la traducción que hizo Juan de Jarava de los *Apotegmas* de Erasmo. Compárese el tono general de estas consideraciones con las que se hacen sobre los "tres géneros de hombres" en el discurso preliminar de *Alguacil*.

[4] Para envolver las especias con el papel de sus libros.

[5] Correas, *Vocabulario*, p. 78: "Bailar sin son. Dícese de los que vanamente hablan, o hacen algo, sin tiempo ni sazón;

agradare y pareciere bien, agradécelo a lo poco que sabes, pues de tan mala cosa te contentas. Y si te pareciere malo, culpa mi ignorancia en escribirlo y la tuya en esperar otra cosa de mí. Dios te libre, lector, de prólogos largos y de malos epítetos.

Es nuestro deseo siempre peregrino en las cosas de esta vida, y así, con vana solicitud, anda de unas en otras, sin saber hallar patria ni descanso. Aliméntase de la variedad y diviértese con ella, tiene por ejercicio el apetito y éste nace de la ignorancia de las cosas. Pues si las conociera, cuando codicioso y desalentado las busca, así las aborreciera, como cuando, arrepentido, las desprecia. Y es de considerar la fuerza grande que tiene, pues promete y persuade tanta hermosura en los deleites y gustos, lo cual dura sólo en la pretensión de ellos; porque, en llegando cualquiera a ser poseedor, es juntamente descontento. El mundo, que *de* nuestro deseo sabe la condición, para lisonjearla, pónese delante mudable y vario, porque la novedad y diferencia es el afeite con que más nos atrae. Con esto acaricia nuestros deseos, llévalos tras sí y ellos a nosotros.

Sea por todas las experiencias mi suceso, pues cuando más apurado me había de tener el conocimiento de estas cosas, me hallé todo en poder de la confusión, poseído de la vanidad de tal manera, que en la gran población del mundo, perdido, ya corría donde tras la hermosura me llevaban los ojos, ya donde, tras la conversación, los amigos; de una calle en otra, hecho fábula de todos. [6] Y en lugar de desear salida al laberinto, procuraba que se me alargase el engaño. Ya por la calle de la ira, descompuesto, seguía las pendencias pisando sangre y heridas; ya por la de la gula

---

y p. 642: "Salir sin ton ni son. Cuando uno habla sin tiempo ni sazón".

6 *hecho fábula de todos*: "El rumor y hablilla del pueblo, y lo que comúnmente se dice y habla de algún particular". *Autoridades,* t. III, p. 704.

veía responder a los brindis turbados. Al fin, de una calle en otra andaba, siendo infinitas, de tal manera confuso, que la admiración aún no dejaba sentido para el cansancio, cuando llamado de voces descompuestas y tirado porfiadamente del manteo, volví la cabeza.

Era un viejo venerable en sus canas, maltratado, roto por mil partes el vestido y pisado. No por eso ridículo: antes severo y digno de respeto.

—¿Quién eres —dije—, que así te confiesas envidioso de mis gustos? Déjame, que siempre los ancianos aborrecéis en los mozos los placeres y deleites, no que dejáis de vuestra voluntad, sino que por fuerza os quita el tiempo. Tú vas, yo vengo. Déjame gozar y ver el mundo.

Desmintiendo sus sentimientos, riéndose, dijo:

—Ni te estorbo ni te envidio lo que deseo; antes te tengo lástima. ¿Tú, por ventura, sabes lo que vale un día? ¿Entiendes de cuánto precio es una hora? [7] ¿Has examinado el valor del tiempo? Cierto es que no, pues así, alegre, le dejas pasar, hurtado de la hora que, fugitiva y secreta, te lleva, preciosísimo robo. ¿Quién te ha dicho que lo que ya fue volverá, cuando lo hayas menester, si lo llamares? Dime: ¿has visto algunas pisadas de los días? No, por cierto, que ellos sólo vuelven la cabeza a reírse y burlarse de los que así los dejaron pasar. Sábete que la muerte y ellos están eslabonados y en una cadena, y que, cuando más caminan los días que van delante de ti, tiran hacia ti y te acercan a la muerte, que quizá la aguardas y es ya llegada, y, según vives, antes será pasada que creída. Por necio tengo al que toda la vida se muere de miedo que se ha de morir, y por malo al que vive tan sin miedo de ella como si no la hubiese. Que éste *la* viene a temer cuando *la* padece, y, embarazado con el temor, ni halla remedio a la vida ni consuelo a su fin. Cuerdo es sólo el que vive cada día como quien cada día y cada hora puede morir.

[7] Véase *Alguacil*, nota 36.

—Eficaces palabras tienes, buen viejo. Traído me has el alma a mí, que me llevaban embelesada vanos deseos. ¿Quién eres, de dónde y qué haces por aquí?

—Mi hábito y traje dice que soy hombre de bien y amigo de decir verdades, en lo roto y poco medrado; y lo peor que tu vida tiene es no haberme visto la cara hasta ahora. Yo soy el Desengaño. Estos rasgones de la ropa son de los tirones que dan de mí los que dicen en el mundo que me quieren, y estos cardenales *del* rostro, estos golpes y coces me dan, en llegando, porque vine y porque me vaya. Que en el mundo todos decís que queréis desengaño, y, en teniéndole, unos os desesperáis, otros maldecís a quien os le dio, y los más corteses no le creéis. Si tú quieres, hijo, ver el mundo, ven conmigo, que yo te llevaré a la calle mayor, que es adonde salen todas las figuras, [8] y allí verás juntos los que por aquí van divididos, sin cansarte. Yo te enseñaré el mundo como es: que tú no alcanzas a ver sino lo que parece.

—¿Y cómo se llama —dije yo— la calle mayor del mundo donde hemos de ir?

—Llámase —respondió— Hipocresía. Calle que empieza con el mundo y se acabará con él, y no hay nadie casi que no tenga, si no una casa, un cuarto o un aposento en ella. Unos son vecinos y otros paseantes: que hay muchas diferencias de hipócritas, y todos cuantos ves por ahí lo son.

¿Y ves aquel que gana de comer como sastre y se viste como hidalgo? Es hipócrita, y el día de fiesta, con el raso y el terciopelo y el cintillo y la cadena de oro, se desfigura de suerte que no le conocerán las tijeras y agujas y jabón, y parecerá tan poco a sastre, que aun parece que dice verdad.

¿Ves aquel hidalgo con aquel que es como caballero? Pues, debiendo medirse con su hacienda *e* ir solo, por ser hipócrita y parecer lo que no es, se va metiendo a caballero, y, por sustentar un lacayo, ni sustenta lo

[8] *Ibid.*, nota 24.

que dice ni lo que hace, pues ni lo cumple ni lo paga. Y la hidalguía y la ejecutoria le sirve sólo de pontífice en dispensarle los casamientos que hace con sus deudas: que está más casado con ellas que con su mujer.

Aquel caballero, por ser señoría, no hay diligencia que no haga y ha procurado hacerse Venecia por ser señoría, sino que, como se fundó en el viento, para serlo se había de fundar en el agua. Sustenta, por parecer señor, caza de halcones, que lo primero que matan es a su amo de hambre con la costa y luego el rocín en que los llevan, y después, cuando mucho, una graja o un milano.

Y ninguno es lo que parece: el señor, por tener acciones de grande, se empeña, y el grande remeda [...] cosas de Rey.

Pues, ¿qué diré de los discretos? ¿Ves aquél *aciago*[9] de cara? Pues, siendo un mentecato, por parecer discreto y ser tenido por tal, se alaba de que tiene poca memoria, quéjase de melancolías, vive descontento y *préciase* de mal regido; y es hipócrita, que parece entendido y es mentecato.

¿No ves los viejos, hipócritas de barbas, con las canas envainadas en tinta, querer en todo parecer muchachos? ¿No ves a los niños preciarse de dar consejos y presumir de cuerdos? Pues todo es hipocresía.

Pues en los nombres de las cosas, ¿no la hay mayor del mundo? El zapatero de viejo se llama entretenedor del calzado. El botero, sastre del vino, porque le hace de vestir. El mozo de mulas, gentilhombre de camino. El bodegón, estado; el bodegonero, contador. El verdugo se llama miembro de la justicia, y el corchete, criado. El fullero, diestro; el ventero, huésped; la taberna, ermita; la putería, casa; las putas, damas; las alcahuetas, dueñas; los cornudos, honrados. Amistad llaman *al amancebamiento,* trato a la usura, burla a la estafa, gracia la mentira, donaire la malicia, descuido la bellaquería, valiente al desvergonzado, cortesano al

9 *aciago de cara*: Véase *Autoridades,* t. I, p. 518; asimismo, *Muerte,* nota 131.

vagamundo, al negro, moreno; señor maestro al albardero, y señor doctor al platicante. Así que ni son lo que parecen ni lo que se llaman: hipócritas en el nombre y en el hecho.

¡Pues unos nombres que hay generales! A toda pícara, señora hermosa; a todo hábito largo, señor licenciado; a todo gallofero,[10] señor soldado; a todo bien vestido, señor hidalgo; a todo fraile motilón o lo que fuere, reverencia y aun paternidad; a todo escribano, secretario.

De suerte que todo el hombre es mentira por cualquier parte que le examinéis, si no es que, ignorante como tú, crea las *apariencias*. ¿Ves los pecados? Pues todos son hipocresía, y en ella empiezan y acaban y de ella nacen y se alimentan la ira, la gula, la soberbia, la avaricia, la lujuria, la pereza, el homicidio y otros mil.

—¿Cómo me puedes tú decir[11] ni probarlo, si vemos que son diferentes y distintos?

—No me espanto que eso ignores, que lo saben pocos. Oye y entenderás con facilidad eso, que así te parece contrario, que bien se conviene. Todos los pecados son malos: eso bien lo confiesas. Y también confiesas con los filósofos y *teólogos* que la voluntad apetece lo malo debajo de razón de bien, y que para pecar no basta la representación de la ira ni el conocimiento de la lujuria sin el consentimiento de la voluntad, y que eso, para que sea pecado, no aguarda la ejecución, que sólo le agrava más, aunque en esto hay muchas diferencias. Esto así visto y entendido, claro está que cada vez que un pecado de éstos se hace, que la voluntad lo consiente y le quiere, y, según su natural,

10 *gallofero*: "Pobretón holgazán y ocioso que se da a la briba y anda pidiendo limosna". *Autoridades*, t. IV, p. 14. Aclaremos que 'briba' es la "holgazanería y arte picaresca de los que fingen miseria y hacen arenga de pobres, por no trabajar y vivir a su libertad". Véase la próxima descripción del entierro, calificándolos de "hipócritas de la pobreza".

11 Texto adulterado; debiera de ser '¿Cómo *lo* puedes', o bien 'decir *eso*'.

no pudo apetecerle sino debajo de razón de algún bien. Pues ¿hay más clara y más confirmada hipocresía que vestirse del bien en lo aparente para matar con el engaño? ¿Qué esperanza es la del hipócrita?, dice Job. [12] Ninguna, pues ni la tiene por lo que es, pues es malo, ni por lo que parece, pues lo parece y no lo es. Todos los pecadores tienen menos atrevimiento que el hipócrita, pues ellos pecan contra Dios; pero no con Dios ni en Dios. Mas el hipócrita peca contra Dios y con Dios, pues le toma por instrumento para pecar. Y por eso, como quien sabía lo que era y lo aborrecía tanto sobre todas las cosas, Cristo, habiendo dado muchos preceptos afirmativos a sus discípulos, sólo uno les dio negativo, diciendo: "No queráis ser como los hipócritas tristes". [13] De manera que con muchos preceptos y comparaciones, les enseñó cómo habían de ser: ya como luz, ya como sal, ya como el convidado, ya como el de los talentos; [14] y lo que no habían de ser, todo lo cerró en decir solamente: "No queráis ser como los hipócritas tristes"; advirtiendo que en no ser hipócritas está el no ser en ninguna manera malos, porque el hipócrita es malo de todas maneras.

En esto llegamos a la calle mayor. Vi todo el concurso que el viejo me había prometido. Tomamos puesto conveniente para registrar lo que pasaba. Fue un entierro en esta forma. Venían envainados en unos sayos grandes de diferentes colores unos pícaros, haciendo una taracea de mullidores. [15] Pasó esta recua incensando [16] con las campanillas. Seguían los muchachos de la doctrina, meninos de la muerte y lacayuelos del ataúd,

12 Job, 27, 8 y 8, 13.
13 San Mateo, 6, 16 y 6, 2-8.
14 *Sal de la tierra*: San Mateo, 5, 13-16; *Convidados*: San Mateo, 22, 1-14; y *talentos*: San Mateo, 25, 14-30.
15 El mullidor o muñidor es "el criado de las cofradías que sirve para avisar a los hermanos las fiestas, entierros y otros ejercicios a que deben concurrir"; la taracea parece referirse a los colores de que vestirían estos criados, según la respectivas cofradías.
16 Fernández-Guerra (BAE, t. 23, p. 540) recoge la variante 'incitando' de un manuscrito; ambos verbos tienen sentido.

gritando su letanía; luego las Órdenes, y tras ellos los clérigos que, galopeando los responsos, cantaban de portante, abreviando, porque no se derritiesen las velas y tener tiempo para sumir a otro. Seguíanse luego doce galloferos, hipócritas de la pobreza, con doce hachas, acompañando el cuerpo y abrigando a los de la capacha, [17] que, hombreando, testificaban el peso de la difunta. Detrás seguía larga procesión de amigos, que acompañaban en la tristeza y luto al viudo, que anegado en capuz de bayeta y devanado en una chía, perdido el rostro en la falda de un sombrero, de suerte que no se le podían hallar los ojos, corvos e impedidos los pasos con el peso de diez arrobas de cola que arrastraba, iba tardo y perezoso. Lastimado de este espectáculo:

—¡Dichosa mujer —dije—, si lo puede ser alguna en la muerte, pues hallaste marido que pasó con la fe y el amor más allá de la vida y sepultura! ¡Y dichoso viudo, que ha hallado tales amigos, que no sólo acompañan su sentimiento, pero que parece que le vencen en él! ¿No ves qué tristes van y suspensos?

El viejo, moviendo la cabeza y sonriéndose, dijo:

—¡Desventurado! Eso todo es por *de fuer*a y parece así; pero ahora lo verás por de dentro y verás con cuánta verdad el ser desmiente a las apariencias. ¿Ves aquellas luces, campanillas y mullidores, y todo este acompañamiento? ¿Quién no juzgará que los unos alumbran algo y que los otros no es algo lo que acompañan y que sirve de algo tanto acompañamiento y pompa? Pues sabe que lo que allí va no es nada; porque aun en vida lo era y en muerte dejó ya de ser, y que no le sirve de nada todo; sino que también los muertos tienen su vanidad y los difuntos y difuntas su soberbia. Allí no va sino tierra de menos fruto y más

17 Así "llama el vulgo a la sagrada religión de San Juan de Dios, tomado de que en sus principios pedían y recogían sus religiosos la limosna para los pobres en unas cestillas de palma, que en Andalucía llaman capachas, que es donde tuvo principio esta Orden". *Autoridades,* t. II, p. 137.

espantosa de la que pisas,[18] por sí no merecedora de alguna honra ni aun de ser cultivada con arado ni azadón. ¿Ves aquellos viejos que llevan las hachas? Pues no las atizan para que, atizadas, alumbren más, sino por que atizadas a menudo se derritan más y ellos hurten más cera para vender. Estos son los que a la sepultura hacen la salva[19] en el difunto y difunta, pues antes que ella lo coma ni lo pruebe, cada uno le ha dado un bocado, arrancándole un real o dos. ¿Ves la tristeza de los amigos? Pues todo es de ir en el entierro y los convidados van dados al diablo[20] con los que los convidaron; que quisieran más pasearse o asistir a sus negocios. Aquel que habla de mano con el otro le va diciendo que convidar a entierro y a misacantanos, donde se ofrece, que no se puede hacer con un amigo, y que el entierro sólo es convite para la tierra, pues *a ella* solamente llevan que coma. El viudo no va triste del caso y viudez, sino de ver que, pudiendo él haber enterrado a su mujer *en* un muladar y sin coste y fiesta ninguna, le hayan metido en semejante baraúnda y gasto de cofradías y cera; y entre sí dice que le debe poco, y que, ya que se había de morir, pudiera haberse muerto de repente, sin gastarle en médicos, barberos ni boticas y no dejarle empeñado en jarabes y pócimas. Dos ha enterrado con ésta, y es tanto el gusto que recibe de enviudar, que va ya trazando el casamiento con una amiga que ha tenido, y, fiado con su mala condición y endemoniada vida, piensa doblar el capuz[21] por poco tiempo.

Quedé espantado de ver todo eso ser así, diciendo:

18 Véase Correas, *Vocabulario*, pp. 464, 465 y 650, donde se identifica a los mortales con "tierra, y no buena para tapias". Sobre la vanidad de los muertos, véase M. Morreale, *Luciano y Quevedo*, pp. 219-221.

19 Primera acepción del diccionario académico.

20 Correas, *Vocabulario*, p. 551: "estar dado a los diablos, enfadado".

21 Se refiere al de bayeta negra que lleva puesto en señal de luto, significando que pronto le hará falta para enterrar a esa tal amiga con la que aún no se ha casado.

—¡Qué diferentes son las cosas del mundo de como las vemos! Desde hoy perderán conmigo todo el crédito mis ojos y nada creeré menos de lo que viere.

Pasó por nosotros el entierro, como si no hubiera de pasar por nosotros tan brevemente, y como si aquella difunta no nos fuera enseñando el camino y, muda, no nos dijera a todos:

—Delante voy, donde aguardo a los que quedáis, acompañando a otros [...] que yo vi pasar con ese propio descuido.

Apartónos de esta consideración el ruido que andaba en una casa a nuestras espaldas. Entramos dentro a ver lo que fuese, y al tiempo que sintieron gente comenzó un plañido, a seis voces, de mujeres que acompañaban una viuda. Era el llanto muy autorizado,[22] pero poco provechoso al difunto. Sonaban palmadas de rato en rato, que parecía palmeado de diciplinantes. Oíanse unos sollozos estirados, embutidos de suspiros, pujados por falta de gana. La casa estaba despojada, las paredes desnudas. La cuitada estaba en un aposento oscuro sin luz alguna, lleno de bayetas, donde lloraban a tiento. Unas decían:

—Amiga, nada se remedia con llorar.

Otras:

—Sin duda goza de Dios.

Cuál la animaba a que se conformase con la voluntad del Señor. Y ella luego comenzaba a soltar el trapo, y llorando a cántaros decía:

—¿Para qué quiero yo vivir sin Fulano? ¡Desdichada nací, pues no me queda a quien volver los ojos! ¿Quién ha de amparar a una pobre mujer sola?

Y aquí plañían todas con ella y andaba una sonadera de narices que se hundía la cuadra. Y entonces advertí que las mujeres se purgan en un pésame de estos, pues por los ojos y las narices echan cuanto mal tienen. Enternecíme y dije:

22 "...aprobar, calificar alguna cosa, haciéndola digna de atención y aprecio...". *Autoridades,* t. I, p. 491.

—¡Qué lástima tan bien empleada es la que se tiene a una viuda!, pues por sí una mujer es sola, y viuda mucho más. Y así les dio la Sagrada Escritura nombre de mudas, sin lengua. Que eso significa la voz que dice viuda en hebreo, pues ni tiene quien hable por ella ni atrevimiento, y como se ve sola para hablar, y aunque hable, como no la oyen, lo mismo es que ser mudas y peor. Mucho cuidado tuvo Dios de ellas en el Testamento Viejo, y en el Nuevo las encomendó mucho por san Pablo: [23] "cómo el Señor cuida de los solos y mira lo humilde de lo alto". "No quiero vuestros sábados y festividades —dijo por Isaías— [24] y el rostro aparto de vuestros inciensos, cansado me tienen vuestros holocaustos, aborrezco vuestras calendas y solemnidades. Lavaos y estaos limpios, quitad lo malo de vuestros deseos, pues lo veo yo. Dejad de hacer mal, aprended a hacer bien, buscad la justicia, socorred al oprimido, juzgad en su inocencia al huérfano, defended a la viuda". Fue creciendo la oración de una obra buena en otra buena más acepta, y por suma caridad puso el defender la viuda. Y está escrito, con la providencia del Espíritu Santo, decir "defended a la viuda", porque, en siéndolo, no se puede defender, como hemos dicho, y todos la persiguen. Y es obra tan acepta a Dios ésta, que añade el profeta consecutivamente, diciendo: "Y si lo hiciéredes, venid y argüidme". Y conforme a esta licencia que da Dios de que le arguyan los que hicieren bien y se apartaren del mal y socorrieren al oprimido y miraren por el huérfano y defendieren la viuda, bien pudo Job argüir a Dios, libre de las *calumnias* que por argüir con él le pusieron sus enemigos, llamándole por ello atrevido e impío; que lo hiciese *consta* del capítulo 31, donde dice: "¿Negué yo por ventura lo que me pedían los pobrecitos? ¿Hice aguardar los ojos de la viuda?, [25] que convienen con lo dicho, como quien dice: ella no puede, porque es

[23] San Pablo, *1.ª Epístola a Timoteo,* 5, 4-5.
[24] Isaías, 1, 11-17.
[25] Job, 31, 16-17.

muda, con palabras, sino con los ojos, poniendo delante su necesidad. El rigor de la letra hebrea dice: "o consumí los ojos de la viuda", que eso hace el que no se duele del que *le* mira para que le socorra, porque no tiene voz para pedirle.

—Dejadme —dije al viejo— llorar semejante desventura y juntar mis lágrimas a las de estas mujeres.

El viejo, algo enojado, dijo:

—¿Ahora lloras, después de haber *hecho* ostentación vana de tus estudios y mostrádote docto y teólogo, cuando era menester mostrarte prudente? ¿No aguardaras a que yo te hubiera declarado estas cosas para ver cómo merecían que se hablase de ellas? Mas ¿quién habrá que detenga la sentencia ya *imaginada* en la boca? [26] No es mucho, que no sabes otra cosa, y que a no ofrecerse la viuda, te quedabas con toda tu ciencia en el estómago. No es filósofo el que sabe dónde está el tesoro, sino el que trabaja y le saca. Ni aun ése lo es del todo, sino el que después de poseído usa bien de él. ¿Qué importa que sepas dos chistes y dos lugares, si no tienes prudencia para acomodarlos? Oye, verás esta viuda, que por de fuera tiene un cuerpo de responsos, cómo por de dentro tiene una ánima de aleluyas, las tocas negras y los pensamientos verdes. ¿Ves la escuridad del aposento y el estar cubiertos los rostros con el manto? Pues es porque así, como no las pueden ver, con hablar un poco gangoso, escupir y remedar sollozos, *hacen* un llanto casero y hechizo, [27] teniendo los ojos hechos una yesca. ¿Quiéreslas consolar? Pues déjalas solas y bailarán en no habiendo con quien cumplir, y luego las amigas harán su oficio:

—¡Quedáis moza y es malograros! Hombres habrá que os estimen. Ya sabéis quién es Fulano, que cuando no supla la falta del que está en la gloria, etc.

26 "Mas contener las palabras ¿quién podrá?" (Job, 4, 2).
27 "Ruido hechizo. Fue ruido hechizo. El fingido para algún engaño." Correas, *Vocabulario*, p. 439.

Otra:

—Mucho debéis a don Pedro, que acudió en este trabajo. No sé qué me sospeche. Y, en verdad, que si hubiera de ser algo..., que por quedar tan niña os será forzoso...

Y entonces la viuda, muy recoleta de ojos y muy estreñida de boca, dice:

—No es ahora tiempo de eso. A cargo de Dios está: Él lo hará, si viere que conviene.

Y advertid que el día de la viudez es el día que más comen estas viudas, porque para animarla no entra ninguna que no le dé un trago. Y le hace comer un bocado, y ella lo come, diciendo:

—Todo se vuelve ponzoña.[28]

Y medio mascándolo dice:

—¿Qué provecho puede hacer esto a la amarga viuda que estaba hecha a comer a medias todas las cosas y con compañía, y ahora se las habrá de comer todas enteras sin dar parte a nadie de puro desdichada?

Mira, pues, siendo esto así, qué a propósito vienen tus exclamaciones.

Apenas esto dijo el viejo, cuando arrebatados de unos gritos, ahogados en vino, de gran ruido de gente, salimos a ver qué fuese. Y era un alguacil, el cual con sólo un pedazo de vara en la mano y las narices ajadas, deshecho el cuello, sin sombrero y en cuerpo, iba pidiendo favor al Rey, favor a la justicia, tras un ladrón, que en seguimiento de una iglesia, y no de puro buen cristiano, iba tan ligero como pedía la necesidad y le mandaba el miedo.

Atrás, cercado de gente, quedaba el escribano, lleno de lodo, con las cajas en *el* brazo izquierdo, escribiendo sobre la rodilla. Y noté que no hay cosa que crezca *tanto en* tan poco tiempo como culpa en poder de escribano, pues en un instante tenía una resma al cabo.

Pregunté la causa del alboroto. Dijeron que aquel hombre que huía era amigo del alguacil, y que le fió no sé qué secreto tocante en delito, y, por no dejarlo

28 *Ibid.*, p. 651: "Todo se me hace ponzoña, hiel y vinagre".

a otro que lo hiciese, quiso él asirle. Huyósele, después de *haberle* dado muchas puñadas, y viendo que venía gente, encomendóse a sus pies, y fuese a dar cuenta de sus negocios a un retablo.

El escribano hacía la causa, mientras el alguacil con los corchetes, que son podencos del verdugo que *siguen* ladrando, iban tras él y no le podían alcanzar. Y debía de ser el ladrón muy ligero, pues no le podían alcanzar soplones, que por fuerza corrían como el viento.[29]

—¿Con qué podrá premiar una república el celo de este alguacil, pues, porque yo y el otro tengamos nuestras vidas, honras y haciendas, ha aventurado su persona? Éste merece mucho con Dios y con el mundo. Mírale cuál va roto y herido, llena de [...] sangre la cara, por alcanzar aquel delincuente y quitar un entropezón a la paz del pueblo.

—Basta —dijo el viejo—. Que si no te van a la mano,[30] dirás un día entero. Sábete que ese alguacil no sigue a este ladrón ni procura alcanzarle por el particular y universal provecho de nadie; sino que, como ve que aquí le mira todo el mundo, córrese de que haya quien en materia de hurtar le eche el pie delante,[31] y por eso aguija por alcanzarle. Y no es culpable el alguacil porque le prendió, siendo su amigo, si era delincuente. Que no hace mal el que come de su hacienda; antes hace bien y justamente. Y todo delincuente y malo, sea quien fuere, es hacienda del alguacil y le es lícito comer de ella. Estos tienen sus censos sobre azotes y galeras y sus juros sobre la horca. Y créeme que el año de virtudes para éstos y para el infierno es estéril. Y no sé cómo aborreciéndolos el mundo tanto, por *venganza* de ellos no da en ser bueno adrede por un año o dos años, que de hambre y de pena se morirían. Y renegad de oficio que tiene situados sus gajes donde los tiene situados Bercebú.

29 Véase *Infierno*, p. 121.
30 Correas, *Vocabulario*, p. 596: "Ir a la mano. Resistir a uno, reprimirle y vedarle algunas cosas, y estorbar al punto de hablar o hacer".
31 *Ibid.*, p. 564: "Echar el pie delante. Por aventajarse...".

—Ya que en eso pongas también dolo, ¿cómo lo podrás poner en el escribano, que le hace la causa, calificada con testigos?

—Ríete de eso —dijo—. ¿Has visto tú alguacil sin escribano algún día? No, por cierto. Que, como ellos salen a buscar de comer, porque (aunque topen un inocente) no vaya a la cárcel sin causa, llevan escribano que se la haga. Y así, aunque ellos no den causa para que les prendan, hácesela el escribano, y están presos con causa. Y en los testigos no repares, que para cualquier cosa tendrán tantos como tuviere gotas de tinta el tintero: que los más en los malos oficiales los presenta la pluma y los examina la codicia. Y si dicen algunos lo que es verdad, escriben lo que han de menester y repiten lo que dijeron. Y para andar como había de andar el mundo, mejor fuera y más importara que el juramento, que ellos toman al testigo que jure a Dios y a la cruz decir verdad en lo que les fuere preguntado, que el testigo se lo tomara a ellos de que la escribirán como ellos la dijeren. Muchos hay buenos escribanos, y alguaciles muchos; pero de sí el oficio es con los buenos como la mar con los muertos, que no los consiente, y dentro de tres días los echa a la orilla. Bien me parece a mí un escribano a caballo y un alguacil con capa y gorra honrando unos azotes, como pudiera un bautismo, detrás de una sarta de ladrones que azotan; pero siento que cuando el pregonero dice: "A estos hombres por ladrones", que *suena* el eco en la vara del alguacil y en la pluma del escribano.

Más dijera si no le *detuviera* la grandeza con que un hombre rico iba en una carroza, tan hinchado que parecía porfiaba a sacarla de husillo, pretendiendo parecer tan grave, que a las cuatro bestias aun se lo parecían, según el espacio con que andaban. Iba muy derecho, preciándose de espetado, escaso de ojos y avariento de miraduras, ahorrando cortesías con todos, sumida la cara en un cuello abierto hacia arriba, que parecía vela en papel, y tan olvidado de sus conjunturas, que no sabía por dónde volverse a hacer una cortesía ni levantar el brazo a quitarse el sombrero, el cual parecía miembro, según estaba fijo y firme. Cercaban el coche cantidad de criados traídos con artificio,[32] entretenidos con promesas y sustentados con esperanzas. Otra parte iba de acompañamiento de acreedores, cuyo crédito sustentaba toda aquella máquina. Iba un bufón en el coche entreteniéndole.

—Para ti se hizo el mundo —dije yo luego que le vi—, que tan descuidado vives y con tanto descanso y grandeza. ¡Qué bien empleada hacienda! ¡Qué lucida! ¡Y cómo representa bien quién es este caballero!

—Todo cuanto piensas —dijo el viejo— es disparate y mentira, y cuanto dices, y sólo aciertas en decir que el mundo sólo se hizo para éste. Y es verdad, porque el mundo es sólo trabajo y vanidad, y éste es todo vanidad y locura. ¿Ves los caballos? Pues comiéndose van, a vueltas de la cebada y paja, al que la fía a éste, y por cortesía de las ejecuciones trae ropilla. Más trabajo le cuesta la fábrica de sus embustes para comer, que si lo ganara cavando. ¿Ves aquel bufón? Pues has de advertir que tiene por su bufón al que le sustenta y le da lo que tiene. ¿Qué más miseria quieres de estos ricos, que todo el año andan comprando mentiras y adulaciones, y gastan sus haciendas en falsos testimonios? Va aquél tan contento porque el truhán le ha dicho que no hay tal príncipe como él,[33] y que todos los demás son unos escuderos, como si ello fuera así. Y diferencian muy poco, porque el uno es juglar del otro. De esta suerte, el rico se ríe con el bufón, y el bufón se ríe del rico,[34] porque hace caso de lo que lisonjea.

32 *artificio*: "metafóricamente se toma por fingimiento, cautela, astucia y maña...". *Autoridades*, t. I, p. 426.

33 "...os ha faltado / el más sutil primor y más usado: / lo de no hay tan gran príncipe en España", Antonio Hurtado de Mendoza, *El ingenioso entremés del examinador Miser Palomo* (Nueva Biblioteca de Autores Españoles, t. 17, p. 323), estrenado el 10 de octubre de 1617.

34 "...en el mundo todos sois bufones, pues los unos os andáis riendo de los otros" (*Infierno*, p. 119).

Venía una mujer hermosa trayéndose de paso los ojos que la miraban y dejando los corazones llenos de deseos. Iba ella con artificioso descuido escondiendo el rostro a los que ya le habían visto y descubriéndole a los que estaban divertidos. Tal vez se mostraba por velo, tal vez por tejadillo.[35] Ya daba un relámpago de cara con un bamboleo de manto, ya se hacía brújula mostrando un ojo solo,[36] *ya tapada* de medio lado, descubría un *tarazón* de mejilla. Los cabellos martirizados hacían sortijas a las sienes. El rostro era nieve y grana y rosas que se conservaban en amistad, esparcidas por labios, cuello y mejillas. Los dientes transparentes y las manos, que de rato en rato nevaban el manto, abrasaban los corazones. El talle y paso, *ocasionando* pensamientos lascivos. Tan rica y galana como cargada de joyas recebidas y no compradas. Vila, y, arrebatado de la naturaleza, quise seguirla entre los demás, y, a no tropezar en las canas del viejo, lo hiciera. Volvíme atrás [...] diciendo:

—Quien no ama con todos sus cinco sentidos una mujer hermosa, no estima a la naturaleza su mayor cuidado y su mayor obra. Dichoso es el que halla tal ocasión, y sabio el que la goza. ¡Qué sentido no descansa en la belleza de una mujer, que nació para amada del hombre! De todas las cosas del mundo aparta y olvida su amor *correspondido, teniéndolo* todo en poco y *tratándolo* con desprecio. ¡Qué ojos tan hermosos honestamente! ¡Qué mirar tan cauteloso y prevenido en los descuidos de una alma libre! ¡Qué cejas tan negras, esforzando recíprocamente la blancura de la frente! ¡Qué mejillas, donde la sangre mezclada con la leche engendra lo rosado que admira! ¡Qué labios encarnados, guardando perlas, que la risa muestra con recato! ¡Qué cuello! ¡Qué manos! ¡Qué talle! Todos

35 *por tejadillo*: "llaman también la postura del manto de las mujeres encima de la frente, dejándola descubierta. Díjose por semejanza al que defiende la pared", *Autoridades,* t. VI, p. 235, que ilustra con este pasaje.

36 Correas, *Vocabulario,* p. 647: "Taparse de medio ojo. Las mujeres, con el manto; ya se vedó".

son causa de perdición, y juntamente disculpa del que se pierde por ella.

—¿Qué más le queda a la edad que decir y al apetito que desear? —dijo el viejo—. Trabajo tienes, si con cada cosa que ves haces esto. Triste fue tu vida; no naciste sino para admirado.[37] Hasta ahora te juzgaba por ciego, y ahora veo que también eres loco, y echo de ver que hasta ahora no sabes para lo que Dios te dio los ojos ni cuál es su oficio: ellos han de ver, y la razón ha de juzgar y elegir; al revés lo haces, o nada haces, que es peor. Si te andas a creerlos, padecerás mil confusiones, tendrás la sierras por azules, y lo grande por pequeño, que la longitud y la proximidad engañan la vista. ¡Qué río caudaloso no se burla de ella, pues para saber hacia dónde corre es menester una paja o ramo que se lo muestre! ¿Viste esa visión, que, acostándose fea, se hizo esta mañana hermosa ella misma y hace extremos grandes? Pues sábete que las mujeres lo primero que se visten, en despertándose, es una cara, una garganta y unas manos, y luego las sayas. Todo cuanto ves en ella es tienda y no natural. ¿Ves el cabello? Pues comprado es y no criado. Las cejas tienen más de ahumadas que de negras; y si como se hacen cejas se hicieran las narices, no las tuvieran. Los dientes que ves y la boca era, de puro negra, un tintero, y a puros polvos se ha hecho salvadera. La cera de los oídos se ha pasado a los labios, y cada uno es una candelilla. ¿Las manos? Pues lo que parece blanco es untado. ¿Qué cosa es ver una mujer, que ha de salir otro día a que la vean, echarse la noche antes en adobo, y verlas acostar las caras hechas cofines de pasas, y a la mañana irse pintando sobre lo vivo como quieren? ¿Qué es ver una fea o una vieja querer, como el otro tan celebrado nigromántico,[38] salir de nuevo de una redoma? ¿Estáslas mirando? Pues no es cosa suya. Si se lavasen las caras, no las conocerías.

37 *Ibid.*, p. 256: "La admiración es hija de la ignorancia".
38 Se refiere a Enrique de Villena, de quien nuevamente se ocupará Quevedo en *Muerte*, p. 207.

Y cree que en el mundo no hay cosa tan trabajada como el pellejo de una mujer hermosa, donde se enjugan y secan y derriten más *tal vez* que *en* sus faldas.[39] Desconfiadas de sus personas, cuando quieren halagar algunas narices, luego se encomiendan a la pastilla y al *sahumerio* o aguas de olor, y a veces los pies disimulan el sudor con las zapatillas de ámbar. Dígote que nuestros sentidos están en ayunas de lo que es mujer y ahitos de lo que le parece. Si la besas, te embarras los labios; si la abrazas, aprietas tablillas y abollas cartones; si la acuestas contigo, la mitad dejas debajo la cama en los chapines; si la pretendes, te cansas; si la alcanzas, te embarazas; si la sustentas, te empobreces; si la dejas, te persigue; si la quieres, te deja. Dame a entender de qué modo es buena, y considera ahora este animal soberbio con nuestra flaqueza, a quien hacen poderoso nuestras necesidades, más provechosas sufridas o castigadas, que satisfechas, y verás tus disparates claros. Considérala padeciendo los meses, y te dará asco, y, cuando está sin ellos, acuérdate que los ha tenido y que los ha de padecer, y te dará horror lo que te enamora, y avergüénzate de andar perdido por cosas que en cualquier estatua de palo tienen menos asqueroso fundamento.

[*En este punto acaba el texto de* El mundo por de dentro *en la edición* prínceps *y en las que siguieron su versión. Damos a continuación el fragmento final que agrega la edición de* Juguetes.]

Mirando estaba yo confusión de gente tan grande, cuando dos figurones, entre pantasmas y colosos, con caras abominables y facciones traídas, tiraron una cuerda. Delgada me pareció y de mil diferentes colores, y

[39] Fundamos la enmienda en la lección del manuscrito de la Biblioteca Menéndez Pelayo y corregimos la puntuación. Parece, sin embargo, que todavía resulta defectuoso el párrafo: es admisible que las mujeres se enjuguen y sequen en las faldas, pero no que se derritan.

dando gritos por unas simas que abrieron por bocas, dijeron:

—Ea, gente, cuerda, alto a la obra.

No lo hubieron dicho cuando de todo el mundo, que estaba al otro lado, se vinieron a la sombra de la cuerda muchos, y, en entrando, eran todos tan diferentes, que parecía trasmutación o encanto. Yo no conocí a ninguno.

—¡*Válgate* Dios por cuerda —decía yo—, que tales tropelías haces!

El viejo se limpiaba las lagañas, y daba unas carcajadas sin dientes, con tantos dobleces de mejillas, que se arremetían a sollozos mirando mi confusión.

—Aquella mujer allí fuera estaba más compuesta que copla, más serena que la de la mar, con una honestidad en los huesos, anublada de manto, y, en entrando aquí, ha desatado las coyunturas, mira de par en par, y por los ojos está disparando las entrañas a aquellos mancebos, y no deja descansar la lengua en ceceos, los ojos en guiñaduras, las manos en tecleados de moño.

—¿Qué te ha dado, mujer? ¿Eres tú la que yo vi allí?

—Sí es —decía el vejete con una voz trompicada en toses y con juanetes de gargajos—, ella es; mas por debajo de la cuerda hace estas habilidades.

—Y aquel que estaba allí tan ajustado de ferreruelo, tan atusado de traje, tan recoleto de rostro, tan angustiado de ojos, tan mortificado de habla, que daba respeto y veneración —dije yo—, ¿cómo no hubo pasado, cuando se descerrajó de mohatras y de usuras? Montero de necesidades, que las arma trampas, perpetuo vocinglero del tanto más cuanto, anda acechando logros.

—Ya te he dicho que eso es por debajo la cuerda.

—¡*Válgate* el diablo por cuerda, que tales cosas urdes! Aquel que anda escribiendo billetes, sonsacando virginidades, solicitando deshonras y facilitando maldades, yo lo conocí a la orilla de la cuerda, dignidad gravísima.

—Pues por debajo de la cuerda tiene esas ocupaciones —respondió mi ayo.

—Aquel que anda allí juntando bregas, azuzando pendencias, revolviendo caldos, alimentando cizañas, y calificando porfías y dando pistos a temas desmayadas, yo lo vi fuera de la cuerda revolviendo libros, ajustando leyes, examinando la justicia, ordenando peticiones, dando pareceres: ¿cómo he de entender estas cosas?

—Ya te lo he dicho —dijo el buen caduco—. Ese propio por debajo de la cuerda hace lo que ves, tan al contrario de lo que profesa. Mira aquel que fuera de la cuerda viste a la brida en mula tartamuda de paso, con ropilla y ferreruelo y guantes y receta, dando jarabes, cuál anda aquí a la brida en un basilisco, con peto y espaldar y con manoplas, repartiendo puñaladas de tabardillos, y conquistando las vidas, que allí parecía que curaba. Aquí por debajo de la cuerda está estirando las enfermedades para que den de sí y se alarguen, y allí parecía que rehusaba las pagas de las visitas. Mira, mira aquel maldito cortesano, acompañante perdurable de los dichosos, cuál andaba allí fuera a la vista de aquel ministro, mirando las zalemas de los otros para excederlas, rematando las reverencias en desaparecimientos; tan bajas las hacía por pujar a otros la ceremonia, que tocaban en de buces. ¿No le viste siempre inclinada de cabeza como si recibiera bendiciones y negociar de puro humilde a lo Guadiana por debajo de tierra, y aquel amén sonoro y anticipado a todos los otros bergantes a cuanto el patrón dice y contradice? Pues mírale allí por debajo de la cuerda royéndole los zancajos,[40] que ya se le ve el hueso, abrasándose en chismes, maldiciéndole y engañándole, y volviendo en gestos y en muecas las esclavitudes de la lisonja, lo cariacontecido del semblante, y las adulaciones menudas del coleo de la barba y de los entretenimientos de

40 "Frase que vale murmurar, u decir mal de alguno, censurando sus más leves y pequeñas faltas, en ausencia suya". *Autoridades,* t. V, p. 632. Véase también Correas, *Vocabulario,* p. 639: "Roer los zancajos".

la jeta. ¿Viste allá fuera aquel maridillo dar voces que hundía el barrio: "Cierren esa puerta, qué cosa es ventanas, no quiero coche, en mi casa me como, calle y pase, que así hago yo", y todo el séquito de la negra honra? Pues mírale por debajo de la cuerda encarecer con sus desabrimientos los encierros de su mujer. Mírale amodorrido con una promesa, y los negocios, que se le ofrecen cuando le ofrecen: cómo vuelve a su casa con un esquilón por tos tan sonora, que se oye a seis calles. ¡Qué calidad tan inmensa y qué honra halla en lo que come, y en lo que le sobra, y qué nota en lo que pide y le falta, qué sospechoso es de los pobres, y qué buen concepto tiene de los dadivosos y ricos, qué a raíz tiene el ceño de los que no pueden más, y qué a propósito las jornadas para los precipitados de dádiva! ¿Ves aquel bellaconazo que allí está vendiéndose por amigo de aquel hombre casado y arremetiéndose a hermano, que acude a sus enfermedades y a sus pleitos, que le prestaba y le acompañaba? Pues mírale por debajo de la cuerda añadiéndole hijos y embarazos en la cabeza y trompicones en el pelo. Oye cómo reprendiéndoselo aquel vecino, que parece mal que entre a cosas semejantes en casa de su amigo, donde le admiten y se fían de él y le abren la puerta a todas horas, él responde: "¿Pues qué queréis? ¿que vaya donde me aguarden con una escopeta, no se fían de mí y me niegan la entrada? Eso sería ser necio, si estotro es ser bellaco".

Quedé admirado de oír al buen viejo y de ver lo que pasaba por debajo de la cuerda en el mundo, y dije entre mí:

—Si a tan delgada sombra, fiando su cubierta del bulto de una cuerda, son tales los hombres, ¿qué serán debajo de tinieblas de mayor bulto y latitud?

Extraña cosa era de ver cómo casi todos se venían de la otra parte del mundo a declararse de costumbres en estando debajo de la cuerda. Y luego a la postre vi otra maravilla, que siendo esta cuerda una línea invisible, casi debajo della cabían infinitas multitudes, y que hay debajo de cuerda en todos los sentidos y potencias, y en todas partes y en todos oficios. Y yo lo veo por mí, que ahora escribo este discurso, diciendo que es para entretener, y por debajo de la cuerda doy un jabón[41] muy bueno a los que prometí halagos muy sazonados.

Con esto el viejo me dijo:

—Forzoso es que descanses. Que el choque de tantas admiraciones y de tantos desengaños fatigan el seso, y temo se te desconcierte la imaginación. Reposa un poco para que lo que resta te enseñe y no te atormente.

Yo, tal estaba, di conmigo en el sueño y en el suelo, obediente y cansado.

41 Correas, *Vocabulario,* p. 553: "Dar jabón. Por una represión".

SUEÑO DE LA MUERTE

A doña Mirena *Riqueza*[1]

HARTO es que me haya quedado algún discurso después que *vi* a vuesa merced, y creo que me dejó *éste* por ser de la muerte. No se lo dedico porque me lo ampare; llévoselo yo, porque el mayor designio desinteresado es el mío, para la enmienda de lo que puede estar escrito con algún desaliño, o imaginado con poca felicidad. No me atrevo yo a encarecer la invención, por no acreditarme de invencionero. Procurado he *pulir* el estilo y sazonar la pluma con curiosidad; ni entre la risa me he olvidado de la doctrina. Si me han aprovechado el *estudio* y la diligencia, he remitido a la censura, que vuesa merced hiciera de él, si llega a merecer que le mire; y podré yo decir entonces que soy dichoso por sueños. Guarde Dios a vuesa merced, que lo mismo hiciera yo. En la prisión y en la Torre, a 6 de abril, 1622.

[1] Anagrama de doña María Enríquez de Guzmán. Véase Crosby, *En torno a la poesía de Quevedo,* p. 130. Este discurso cambió de título a partir de *Juguetes* llamándose "Visita de los Chistes". Puede verse la interpretación que da del sueño H. Iventosch, *Quevedo and the defense of the slandered.*

A QUIEN LEYERE

HE querido que la muerte acabe mis discursos como las demás cosas; *quiera* Dios que tenga buena suerte. Este es el quinto tratado, *sigue* al *Sueño del juicio,* al *Alguacil endemoniado,* al *Infierno* y al *Mundo por de dentro.* No me queda ya que soñar; y si en la visita de la *muerte* no despierto, no hay que aguardarme. Si te pareciere que ya es mucho sueño, perdona algo a la modorra que padezco; y si no, guárdame el sueño, que yo seré sietedurmiente [2] de las postrimerías. Vale.

ESTÁN siempre cautelosos y prevenidos los ruines pensamientos, la desesperación cobarde y la tristeza, esperando a coger a solas a un desdichado para mostrarse alentados con él. Propia condición de cobardes, en que juntamente hacen ostentación de su malicia y de su vileza. Por bien que lo tengo considerado en otros, me sucedió en mi prisión. Pues habiendo, o por *acariciar* mi *sentimiento* o por hacer lisonja a mi melancolía, leído aquellos versos que Lucrecio escribió con tan animosas palabras, me vencí de la imaginación, y debajo del peso de tan ponderadas palabras y razones me dejé caer tan postrado con el dolor del desengaño que leí, que ni sé si me desmayé advertido o escandalizado. Para que la confesión de mi flaqueza se pueda disculpar, *escribo* por introducción a mi discurso la voz del poeta divino, que suena así, rigurosa, con amenazas tan elegantes:

Denique si vocem rerum natura repente
Mittat et hoc alicui nostrum sic increpet ipsa:
Quid tibi tantopere est, mortalis, quod nimis aegris
Luctibus indulges? Quid mortem congemis ac fles?
Nam si grata fuit tibi vita anteacta, priorque,

2 Correas, *Vocabulario,* p. 168: "Duerme más que los siete durmientes"; y p. 627: "Parecéis a los siete durmientes. El que duerme mucho".

Et non omnia pertusum congesta quasi in vas
Commoda perfluxere atque ingrata interiere:
Cur non, ut plenus vitae, conviva, recedis?
Aequo animoque capis securam, stulte, quietem? [3]

Entróseme luego por la memoria de rondón Job dando voces y diciendo: *Homo natus de muliere,* etc. (Cap. 14).

Al fin, hombre nacido
De mujer flaca, de miserias lleno,
A breve vida como flor traído,
De todo bien y de descanso ajeno,
Que, como sombra vana,
Huye a la tarde y nace a la mañana. [4]

Con este conocimiento propio acompañaba luego el de la *vida* que *vivimos,* diciendo: *Militia est vita hominis super terram,* etc. (Job, 7).

Guerra es la vida del hombre
Mientras vive en este suelo,
Y sus horas y sus días,
Como las del jornalero. [5]

Yo, que arrebatado de la consideración, me vi a los pies de los desengaños, rendido, con lastimoso sentimiento y con celo enojado, le tomé a Job aquellas palabras de la boca, con que empieza su dolor a descubrirse: *Pereat dies in qua natus sum,* etc. (cap. 3).

Perezca el primero día
en que yo nací a la tierra,
y la noche en que el varón
fue concebido, perezca.
Vuélvase aquel día triste
en miserables tinieblas;
no le alumbre más la luz
ni tenga Dios con él cuenta.

3 Lucrecio, *De rerum natura,* Lib. III, versos 945-953.
4 Job, 14, 1-2.
5 Job, 7, 1-2.

Tenebroso torbellino
aquella noche posea;
no esté entre los días del año
ni entre los meses la tengan.
Indigna sea de alabanza,
solitaria siempre sea;
maldíganla los que el día
maldicen con voz soberbia;
los que para levantar
a Leviatán se aparejan,
y con sus obscuridades
se obscurecen las estrellas.
Espere la luz hermosa
y nunca clara luz vea,
ni el nacimiento rosado
de la aurora envuelta en perlas.
Porque no cerró del vientre
que a mí me trujo las puertas,
y porque mi sepultura
no fue mi cuna primera.[6]

Entre estas demandas y respuestas, fatigado y combatido (sospecho que fue cortesía del sueño piadoso, más que de natural), me quedé dormido. Luego que desembarazada el alma se vio ociosa sin la traba de los sentidos exteriores, me embistió desta manera la comedia siguiente, y así la recitaron mis potencias a escuras, siendo yo para mis fantasías auditorio y teatro.

Fueron entrando unos médicos[7] a caballo en unas mulas, que con gualdrapas negras parecían tumbas con orejas. El paso era divertido torpe y desigual, de manera que los dueños iban encima en mareta y algunos vaivenes de serradores;[8] la vista asquerosa de puro pasear los ojos por orinales y servicios; las bocas emboscadas en barbas, que apenas se las hallara un *bra-*

[6] Job, 3, 3-11.
[7] Véase Mas (su edición de *Las Zahúrdas*), p. 95.
[8] En este sueño se inspiró Quevedo para su *Entremés de los refranes del viejo celoso*, cuya versión más depurada puede verse en Crosby, *En torno a la poesía de Quevedo*, pp. 207-215. La imagen de referencia, sin embargo, está relacionada con el *Famoso entremés del Hospital de los malcasados*, v. 62, publicado en la misma obra.

co; [9] sayos con resabios de vaqueros; guantes en infusión, [10] doblados como los que curan; sortijón en el pulgar con piedra tan grande, que cuando toma el pulso pronostica al enfermo la losa. [11] Eran éstos en gran número, y todos rodeados de platicantes, que cursan en lacayos, y, tratando más con las mulas que con los doctores, se graduaron de médicos. Yo, viéndolos, dije:

—Si de éstos se hacen estos otros, no es mucho que estos otros nos deshagan a nosotros.

Alrededor venía gran chusma y caterva de boticarios con espátulas desenvainadas y jeringas en ristre, armados de cala en parche, como de punta en blanco. [12] Los medicamentos que éstos venden, aunque estén caducando en las redomas [13] de puro añejos, y los socrocios tengan telarañas, los dan, y así son medicinas redomadas las suyas. El clamor del que muere empieza en el almirez del boticario, va al pasacalles del barbero, paséase por el *tableteado* [14] de los guantes del doctor, y acábase en las campanas de la iglesia. No hay gente más fiera que estos boticarios. Son armeros de los doctores: ellos les dan armas. No hay cosa suya que no tenga achaques de guerra y que no aluda a armas ofensivas. Jarabes que antes les sobran letras para jara, [15]

9 *braco*: aceptamos la sugerencia de A. Mas, *La critique interne des textes*. Quevedo empleó la misma palabra en el cuarto apartado de la *Tasa de las hermanitas del pecar*.

10 Son varias las ideas que aquí juegan: los guantes, chapines, etc., que se quería perfumar, eran mantenidos *en infusión* por algún tiempo para que tomasen el aroma; el sustantivo tiene además implicaciones farmacéuticas y un doble sentido en el lenguaje familiar que todavía recoge el diccionario académico. La frase siguiente, comentada por Cejador, alude por igual a los guantes (que se están curando) y a los enfermos.

11 Sin duda se refiere a las virtudes curativas que se atribuyó a distintas piedras, sobre todo, a la llamada bezar.

12 *cala en parche*: se trata de la "mecha de jabón, aceite, etcétera", que servía de ayuda, y del inveterado parche farmacéutico. Más adelante dirá que llaman "*glans* o *balanus* la cala". La expresión es caricatura del dicho 'armado de punta en blanco'.

13 *redomadas*: que se guardan en redomas y "adjetivo que se aplica al hombre o bruto cauteloso y astuto", *Autoridades*, t. V, p. 531.

14 *Ibid.*, t. VI, p. 207.

15 Segunda acepción académica.

que les falten. Botes[16] se dicen los de pica, espátulas son espadas en su lengua, píldoras son balas; *clísteres* y melecinas, cañones; y así se llaman cañón de melecina. Y bien mirado, si así se toca la tecla de las purgas, sus tiendas son *purgatorios,* y ellos los infiernos, los enfermos los condenados, y los médicos los diablos. Y es cierto que son diablos los médicos, pues unos y otros andan tras los malos y huyen de los buenos, y todo su fin es que los buenos sean malos y que los malos no sean buenos jamás.

Venían todos vestidos de recetas y coronados de reales erres asaeteadas,[17] con que empiezan las recetas. Y consideré que los dotores hablan a los boticarios diciendo: "Recipe", que quiere decir recibe. De la misma suerte habla la mala madre a la hija, y la codicia al mal ministro. ¡Pues decir que en la receta hay otra cosa que erres asaeteadas por delincuentes, y luego ana, ana,[18] que juntas hacen un Annás para condenar a un justo! Síguense uncias[19] y más onzas: ¡qué alivio para desollar un cordero enfermo! Y luego ensartan nombres de simples, que parecen invocaciones de demonios: *Buphthálmus, opopánax, leontopétalon, tragoríganum, potamogéton, senos pugillos, diacathalicon, petroselinum, scilla,* rapa.[20] Y sabido que quiere decir esta espantosa

[16] *botes*: frascos de botica y golpes que se dan con ciertas armas enastadas, como lanza o pica.

[17] Una *R* cruzada por una barra o rasgo (esto es, asaeteada) era la abreviatura de *Recipe,* palabra inicial de las recetas médicas. La misma cifra se usaba para expresar reales, tratándose de dinero; juega, pues, con el equívoco. Correas, *Vocabulario,* p. 435: "Re, re, roba tú, que yo robaré. Burla del récipe de los médicos interpretándole en robar a una ellos y el boticario"; y p. 437: "Roba tú por allá, que yo robaré por acá. De las recetas de los médicos".

[18] *ana*: segunda acepción del diccionario académico; formando el plural, lo asocia al recuerdo del suegro de Caifás que condenó a Jesús.

[19] *uncías... desollar*: puesto que 'uncía' es "lo mismo que onza en el peso, especialmente en el estilo festivo", la expresión "onzas y más onzas", relativas al peso de los fármacos, se transforma en monetaria, por las que pagan los enfermos, hasta quedar desollados.

[20] Fernández-Guerra (BAE, t. 23, p. 334, nota *b*) identifica todos estos nombres.

baraúnda de voces tan rellenas de letrones, son zanahoria, rábanos y perejil y otras suciedades. Y como han oído decir que quien no te conoce te compre, disfrazan las legumbres porque no sean conocidas y las compren los enfermos. *Elingatis* dicen lo que es lamer, *catapotia* las píldoras, *clyster* la melecina, *glans* o *balanus* la cala, *errhinae* moquear.[21] Y son tales los nombres de sus recetas y tales sus medicinas, que las más veces, de asco de sus porquerías y hediondeces con que persiguen a los enfermos, se huyen las enfermedades.

¿Qué dolor habrá de tan mal gusto, que no se huya de los tuétanos por no aguardar el *emplasto* de Guillén Serven y verse convertir en baúl una pierna o muslo donde él está? Cuando vi a éstos y a los doctores, entendí cuán mal se dice para notar diferencia aquel asqueroso refrán: "Mucho va del c... al pulso"; [22] que antes no va nada, y sólo van los médicos, pues inmediatamente desde él van al servicio y al orinal a preguntar a los meados lo que no saben, porque Galeno los remitió a la cámara y a la orina. Y como si el orinal les hablase al oído, se le llegan a la oreja, avahándose los barbones con su niebla. ¿Pues verles hacer que se entienden con la cámara por señas, y tomar su parecer al bacín, y su dicho a la hedentina? No les esperara un diablo. ¡Oh malditos pesquisidores contra la vida, pues ahorcan con el garrotillo, degüellan con sangrías, azotan con ventosas, destierran las almas, pues las sacan de la tierra de sus cuerpos sin alma y sin conciencia!

Luego se seguían los cirujanos cargados de pinzas, tientas y cauterios, tijeras, navajas, sierras, limas, tenazas y lancetones. Entre ellos se oía una voz muy dolorosa a mis oídos, que decía:

—Corta, arranca, abre, asierra, despedaza, pica, punza, ajigota, rebana, descarna y abrasa.

21 *Ibid.*, nota *c*.
22 Correas, *Vocabulario*, p. 326, lo recoge literalmente. Hay formas similares.

Dióme gran temor, y más verlos el paloteado que hacían con los cauterios y tientas. Unos huesos se me querían entrar de miedo dentro de otros. Híceme un ovillo.

En tanto vinieron unos demonios con unas cadenas de muelas y dientes, haciendo bragueros, y en esto conocí que eran sacamuelas, el oficio más maldito del mundo, pues no sirven sino de despoblar bocas y adelantar la vejez. Estos, con las muelas ajenas y no ver diente que no quieran ver antes en su collar que en las quijadas, desconfían a las gentes de Santa Polonia, levantan testimonio a las encías y desempiedran las bocas. No he tenido peor rato que tuve en ver sus gatillos andar tras los dientes ajenos, como si fueran ratones, y pedir dineros por sacar una muela, como si la pusieran.

—¿Quién vendrá acompañado de esta maldita canalla? —decía yo.

Y me parecía que aun el diablo era poca cosa para tan maldita gente, cuando veo venir gran ruido de guitarras. Alegréme un poco. Tocaban todos pasacalles y vacas.

—¡Que me *maten* si no son barberos! —Ellos que entran.

No fue mucha habilidad el acertar. Que esta gente tiene pasacalles infusos y guitarra gratis data. Era de ver puntear a unos y rasgar a otros. Yo decía entre mí:

—¡Dolor de *la* barba, que, ensayada en saltarenes, se ha de ver rapar, y del brazo que ha de recibir una sangría, pasada por chaconas y folías!

Consideré que todos los demás ministros del martirio, inducidores de la muerte, que estaban en mala moneda y eran oficiales de vellón y hierro bajo, y que sólo los barberos se habían trocado en plata. Y entretúveme en verlos manosear una cara, sobajar otra y lo que se huelgan con un testuz en el lavatorio.

Luego comenzó a entrar una gran cantidad de gente. Los primeros eran habladores. Parecían azudas en con-

Gasp: Bouttats inven: et fec

Gasp: Bouttats . inven: et fecit.

versación, cuya música era peor que la de órganos destemplados. Unos hablaban de *hilván,* otros a borbotones, otros a chorretadas, otros habladorísimos, hablan a cántaros. Gente que parece que lleva pujo de decir necedades, como si hubiera tomado alguna purga confeccionada de hojas de Calepino [23] de ocho lenguas. Estos me dijeron que eran habladores *diluvios,* sin escampar de día ni de noche; gente que habla entre sueños y que madruga a hablar. Había habladores secos y habladores que llaman del río o del rocío y de la espuma; gente que graniza de perdigones. Otros que llaman tarabilla; gente que se va de palabras como de cámaras, que hablan a toda furia. Había otros habladores nadadores, que hablan nadando con los brazos hacia todas partes y tirando manotadas y coces. Otros, jimios, haciendo gestos y visajes. Venían los unos consumiendo a los otros.

Síguense los chismosos, muy solícitos de orejas, muy atentos de ojos, muy encarnizados de malicia. Y andaban hechos uñas [24] de las vidas ajenas, espulgándolos a todos. Venían tras ellos los mentirosos, contentos, muy gordos, risueños y bien vestidos y medrados, que, no teniendo otro oficio, son milagro del mundo, con un gran auditorio de mentecatos y ruines.

Detrás venían los entremetidos, muy soberbios y satisfechos y presumidos, que son las tres lepras de la honra del mundo. Venían injiriéndose en los otros y penetrándose en todo, tejidos y enmarañados en cualquier negocio. *Son lapas* de la ambición y pulpos de la prosperidad. Estos venían los postreros, según pareció, porque no entró en gran rato nadie. Pregunté que cómo venían tan apartados, y dijéronme unos habladores, sin preguntarlo yo a ellos:

—Estos entremetidos son la quinta esencia de los enfadosos, y por eso no hay otra cosa peor que ellos.

23 Ambrosio Calepino, lexicógrafo italiano, autor de un famoso diccionario que llegó a ser de once lenguas.

24 *uñas*: Mas propone la enmienda 'monas', pero no es evidente que la lección tradicional esté corrompida.

En esto estaba yo considerando la diferencia tan grande del acompañamiento y no sabía imaginar quién pudiese venir.

En esto entró una que parecía mujer, muy galana y llena de coronas, cetros, hoces, abarcas, chapines, tiaras, caperuzas, mitras, monteras, brocados, pellejos, seda, oro, garrotes, diamantes, serones, perlas y guijarros.[25] Un ojo abierto y otro cerrado, vestida y desnuda de todas colores. Por el un lado era moza y por el otro era vieja. Unas veces venía despacio y otras aprisa. Parecía que estaba lejos y estaba cerca. Y cuando pensé que empezaba a entrar, estaba ya a mi cabecera.

Yo me quedé como hombre que le *preguntan* qué es cosi y cosa,[26] viendo tan extraño ajuar y tan desbaratada compostura. No me espantó; suspendióme, y no sin risa, porque, bien mirado, era figura donosa. Preguntéle quién era, y díjome:

—La muerte.

¿La muerte? Quedé pasmado. Y apenas abrigué en el corazón algún aliento para respirar; y muy torpe de lengua, dando trasijos con las razones, la dije:

—Pues ¿a qué vienes?

—Por ti —dijo.

—¡Jesús mil veces! Muérome según eso.

—No te *mueres* —dijo ella—; vivo has de venir conmigo a hacer una visita a los difuntos. Que pues han venido tantos muertos a los vivos, razón será que vaya un vivo a los muertos y que los muertos sean oídos.

[25] Véase M. Levisi, *Las figuras compuestas de Arcimboldo,* p. 224, y Aranguren, *Comentario a dos textos,* pp. 59-64.
A. Mas, fundado en la lectura de dos manuscritos, propone la enmienda 'serones' - '*terrones*', porque esta última palabra se opone a 'diamantes' en una línea más coherente. La enmienda tiene sentido e incluso puede ser acertada, pero luego de analizar todo el párrafo, tal y como se conserva, la serie de oposiciones paralelas y las dos cadenas de elementos afines acusan otras faltas de coherencia y de regularidad, restando seguridad a una enmienda que se apoya en motivos de correlación.

[26] Cosicosa o quisicosa.

¿Has oído decir que yo ejecuto sin embargo? [27] Alto, ven conmigo.

Perdido de miedo, le dije:

—¿No me dejarás vestir?

—No es menester —respondió—. Que conmigo nadie va vestido, ni soy embarazosa. Yo traigo los trastos de todos, porque vayan más ligeros.

Fui con ella donde me guiaba. Que no sabré decir por dónde, según iba poseído del espanto. En el camino la dije:

—*Yo no* veo señas de la muerte, porque a ella nos la pintan unos huesos descarnados con su guadaña.

Paróse y respondió:

—Eso no es la muerte, sino los muertos, o lo que queda de los vivos. Esos huesos son el dibujo sobre que se labra *y forma* el cuerpo del hombre. La muerte no la conocéis, y sois vosotros mismos vuestra muerte. Tiene la cara de cada uno de vosotros, y todos sois muertes de vosotros mismos. La calavera es el muerto, y la cara es la muerte. Y lo que llamáis morir es acabar de morir, y lo que llamáis nacer es empezar a morir, y lo que llamáis vivir es morir viviendo. Y los huesos es lo que de vosotros deja la muerte y lo que le sobra a la sepultura. Si esto entendiérades así, cada uno de vosotros estuviera mirando en sí su muerte cada día y la ajena en el otro, y viérades que todas vuestras casas están llenas de ella y que en vuestro lugar hay tantas muertes como personas, y no la estuviérades aguardando, sino acompañándola y disponiéndola. Pensáis que es huesos la muerte y que hasta que veáis venir la calavera y la guadaña no hay muerte para vosotros, y primero sois calavera y huesos que creáis que lo podéis ser. [28]

—Dime —dije yo—: ¿qué significan estos que te acompañan, y por qué van, siendo tú la muerte, más

27 Como ejecución es el "procedimiento judicial con embargo y venta de bienes para pago de deudas", la Muerte no puede cobrar la vida del escritor sin que el juez (Dios) haya dispuesto su embargo.

28 Véase C. Marcilly, *L'angoisse du temps*, pp. 380-381.

cerca de tu persona los enfadosos y habladores que los médicos?

Respondióme:

—Mucha más gente enferma de los enfadosos que de los tabardillos y calenturas, y mucha más gente matan los habladores y entremetidos que los médicos.[29] Y has de saber que todos enferman del exceso o destemplanza de humores; pero, lo que es morir, todos mueren de los médicos que los curan. Y así, no habéis de decir, cuando preguntan: "¿De qué murió Fulano?", de calentura, de dolor de costado, de tabardillo, de peste, de heridas, sino murió de un doctor Tal que le dio, de un doctor Cual. Y es de advertir que en todos los oficios, artes y estados se ha introducido el don: en hidalgos, en villanos y en frailes, como se ve en la Cartuja. Yo he visto sastres y albañiles con don y ladrones y galeotes en galeras. Pues si se mira en las ciencias: clérigos, millares; teólogos, muchos; letrados, todos. Sólo de los médicos ninguno ha habido con don, pudiéndolos tener muchos; y todos tienen don de matar, y quieren más *din*[30] al despedirse que don al llamarlos.

En esto llegamos a una *sima* grandísima, la muerte predicadora y yo desengañado. Zabullóse sin llamar, como de casa, y yo tras ella, animado con el esfuerzo que me daba mi conocimiento tan valiente. Estaban a la entrada tres bultos armados a un lado y otro monstruo terrible enfrente, siempre combatiendo entre sí todos, y los tres con el uno y el uno con los tres. Paróse la Muerte, y díjome:

—¿Conoces a esta gente?

—Ni Dios me la deje conocer —dije yo.

29 Correas, *Vocabulario,* p. 459: "Si quieres matar a un cuerdo, átale al pie de un necio".

30 *din*: en las primeras ediciones dice 'don', que también tiene sentido, pero aceptamos la enmienda de Fernández-Guerra porque la expresión es claro trasunto del dicho "más vale din que don", Correas, *Vocabulario,* p. 299 ("Breve y gracioso refrán: que vale más el dinero y hacienda que la presunción, y el tener que el linaje").

—Pues con ellos andas a las vueltas —dijo ella— desde que naciste. Mira cómo vives —replicó—. Estos son los tres enemigos del alma: el Mundo es aquél, éste es el Diablo y aquélla la Carne.

Y es cosa notable que eran todos parecidos unos a otros, que no se diferenciaban. Díjome la Muerte:

—Son tan parecidos, que en el mundo tenéis a los unos por los otros. Así que quien tiene el uno, tiene a todos tres. Piensa un soberbio que tiene todo el mundo, y tiene al diablo. Piensa un lujurioso que tiene la carne, y tiene al demonio. Y así anda todo.

—¿Quién es —dije yo— aquel que está allí apartado, haciéndose pedazos con estos tres, con tantas caras y figuras?

—Ese es —dijo la Muerte— el Dinero, que tiene puesto pleito a los tres enemigos del alma, diciendo que quiere ahorrar de émulos y que adonde él está no son menester, porque él solo es todos los tres enemigos. Y fúndase para decir que el dinero es el diablo, en que todos decís: "Diablo es el dinero" y que "Lo que no hiciere el dinero, no lo hará el diablo", "Endiablada cosa es el dinero". [31]

Para ser el Mundo, dice que vosotros decís que "No hay más mundo que el dinero", "Quien no tiene dinero, váyase del mundo"; al que le quitan el dinero decís que "Le *echan* del mundo", y que "Todo se da *y alcanza* por el dinero".

Para decir que es la carne el dinero, dice el Dinero: "Dígalo la Carne"; y remítese a las putas y mujeres malas, que es lo mismo que interesadas.

—No tiene mal pleito el Dinero —dije yo—, según se platica por allá.

Con esto, nos fuimos más abajo, y, antes de entrar por una puerta muy chica y lóbrega, me dijo:

31 No vemos en Correas registradas éstas y las frases siguientes, sino otras más generales; p. 158: "El dinero todo lo puede y vence; todo lo puede el dinero; el dinero lo puede todo; el dinero lo acaba todo; todo lo acaba el dinero"; p. 482, repite: "Todo lo puede el dinero".

—Estos dos, que saldrán aquí conmigo, son las postrimerías.

Abrióse la puerta, y estaban a un lado el infierno y al otro el Juicio, así me dijo la Muerte que se llamaban. Estuve mirando al infierno con atención, y me pareció notable cosa. Díjome la Muerte:

—¿Qué miras?

—Miro —respondí— al Infierno, y me parece que le he visto *mil* veces.

—¿Dónde? —preguntó.

—¿Dónde? —dije—. En la codicia de los jueces, en el odio de los poderosos, en las lenguas de los maldicientes, en las malas intenciones, en las venganzas, en el apetito de los lujuriosos, en la vanidad de los príncipes. Y donde cabe el infierno todo, sin que se pierda gota, es en la hipocresía de los mohatreros de las virtudes, que hacen logro del ayuno y del oír misas. Y lo que más he estimado es haber visto el Juicio, porque hasta ahora he vivido engañado, y ahora *que* veo al Juicio como es, echo de ver que el que hay en el mundo no es juicio ni hay hombre de juicio, y que hay muy poco juicio en el mundo. ¡Pesia tal! —decía yo—. Si de este juicio hubiera allá, no digo parte, sino nuevas creídas, sombra o señas, otra cosa fuera. Si los que han de ser jueces han de tener de este juicio, buena anda la cosa en el mundo. Miedo me da de tornar arriba, viendo que, siendo éste el juicio, se está aquí casi entero, y qué poca parte está repartida entre los vivos. Más quiero muerte con juicio que vida sin él.[32]

Con esto, bajamos a un grandísimo llano, donde parecía estaba depositada la oscuridad para las noches. Díjome la Muerte:

—Aquí has de parar, que hemos llegado a mi tribunal y audiencia.

Aquí estaban las paredes colgadas de pésames. A un lado estaban las malas nuevas, ciertas y creídas y no esperadas; el llanto, en las mujeres engañoso, en-

32 Véase Bergamín, *Fronteras infernales*, pp. 129-130.

gañado en los amantes, perdido de los necios y desacreditado en los pobres. El dolor se había desconsolado y *crecido,* y solos los cuidados estaban solícitos y vigilantes, hechos carcomas de reyes y príncipes, alimentándose de los soberbios y ambiciosos. Estaba la envidia con hábito de viuda, tan parecida a dueña, que la quise llamar Álvarez o González. En ayunas de todas las cosas, cebada en sí misma, magra y exprimida. Los dientes, con andar siempre mordiendo de lo mejor y de lo bueno, los tenía amarillos y gastados. Y es la causa que lo bueno y santo, para morderlo, lo llega a los dientes; mas nada bueno le puede entrar de los dientes adentro.[33] La discordia estaba debajo de ella, como que nacía de su vientre, y creo que es su hija legítima. Ésta, huyendo de los casados, que siempre andan a voces, se había ido a las comunidades y colegios, y, viendo que sobraba en ambas partes, se fue a los palacios y cortes, donde es lugarteniente de los diablos. La ingratitud estaba en un gran horno, haciendo de una masa de soberbios y odios demonios nuevos cada momento. Holguéme de verla, porque siempre había sospechado que los ingratos eran diablos y caí entonces en que los ángeles, para ser diablos, fueron primero ingratos. Andaba todo hirviendo de maldiciones.

—¿Quién diablos —dije yo— está lloviendo maldiciones aquí?

Díjome un muerto que estaba a mi lado:

—¿Maldiciones queréis que falten donde hay casamenteros y sastres, que son la gente más maldita del mundo, pues todos decís: "Mal haya quien me casó", "Mal haya quien con vos me juntó", y los más, "Mal haya quien me vistió"?

—¿Qué tiene que ver —dije yo— sastres y casamenteros en la audiencia de la muerte?

33 Correas, *Vocabulario,* p. 367: "Nunca me entró de los dientes adentro", y p. 618: "No me entra de los dientes adentro... Dícese de uno que no se quiere bien".

—¡Pesia tal! —dijo el muerto, que era impaciente—. ¿Estáis loco? Que, si no hubiera casamenteros, ¿hubiera la mitad de los muertos y desesperados? ¡A mí me lo decid, que soy marido cinco, como bolo,[34] y se me quedó allá la mujer y piensa acompañarme otros diez! Pues sastres, ¿a quién no matarán las mentiras y largas de los sastres y hurtos? Y son tales, que para llamar a la desdicha peor nombre, la llaman desastre, del de sastre, y es el principal miembro de este tribunal que aquí veis.

Alcé los ojos y vi la Muerte en su trono, y a los lados, muchas muertes. Estaba la muerte de amores, la muerte de frío, la muerte de hambre, la muerte de miedo y la muerte de risa, todas con diferentes insignias. La muerte de amores estaba con muy poquito seso. Tenía, por estar acompañada, porque no se le *corrompiesen* por la antigüedad, a Píramo y Tisbe, embalsamados, y a Leandro y Hero y a Macías, en cecina, y algunos portugueses derretidos.[35] Mucha gente vi que estaba ya para acabar debajo de su guadaña y, a puros milagros del interés, resucitaban.

En la muerte de frío vi a todos los obispos y prelados y a los más eclesiásticos, que como no tienen mujer ni hijos ni sobrinos que los quieran, sino a sus haciendas, estando malos, cada uno carga en lo que puede y mueren de frío.

En la muerte de hambre vi todos los ricos, pues, como a gente bien mantenida, en cayendo malos, todo es dieta y regla, de miedo de crudezas; de suerte que mueren de hambre; como los pobres de ahito, a causa

[34] Parece que juega con las palabras 'cinco' (marido quinto) y 'cinca', término del juego de los bolos, cuando se ha fallado el lance y se pierden cinco rayas (*Autoridades*, t. II, p. 352).

[35] Véase Correas, *Vocabulario*, p. 208: "Es más enamorado que Macías", refrán que comenta en casi dos columnas haciendo imposible la reproducción. Recoge frases sobre los portugueses en las pp. 407: "Portugués seboso, portugués rabudo", con largo comentario del que tomamos esta frase aclaratoria, "Llamámoslos sebosos a los portugueses motejándolos de muy enamorados, que así se derriten ellos con el amor como el fuego con el sebo", *sic*, debe de ser al contrario; p. 558: "Derretirse como portugués. Por decir que uno se enamora mucho...".

de que dicen: "Todo es flaqueza", y nadie entra que no les dé algo; y comen hasta que revientan.

La muerte de miedo estaba la más rica y pomposa y con acompañamiento más magnífico, porque estaba toda cercada de gran número de tiranos y poderosos, por quien se dijo: *Fugit impius, nemine persequente.*[36] Estos mueren a sus mismas manos, y sus sayones son sus conciencias, y ellos son verdugos de sí mismos, y sólo un bien hacen en el mundo, que, matándose a sí de miedo, recelo y desconfianza, vengan de sí propios a los inocentes. Estaban con ellos los avarientos, cerrando cofres y arcones y ventanas, enlodando resquicios, hechos sepulturas de sus talegos, y pendientes de cualquier ruido del viento, los ojos hambrientos de sueño, las bocas quejosas de las manos,[37] las almas trocadas en plata y oro.

La muerte de risa era la postrera, y tenía un grandísimo cerco de confiados y tarde arrepentidos. Gente que vive como si no hubiere justicia y muere como si no hubiere misericordia. Estos son los que, diciéndoles: "Restituid lo mal llevado", dicen: "Es cosa de risa".[38] "Mirad que estáis viejo y que ya no tiene el pecado que roer en vos: dejad la mujercilla que embarazáis inútil, que cansáis enfermo; mirad que el mismo diablo os desprecia ya por trasto embarazoso y la misma culpa tiene asco de vos". Responden: "Es cosa de risa", y que nunca se sintieron mejores. Otros hay que están enfermos, y, exhortándolos a que hagan testamento, que se confiesen, dicen que se sienten buenos y que han estado de aquella manera mil veces. Estos son gente que están en el otro mundo y aún no se persuaden a que son difuntos.

Maravillóme esta visión, y dije, herido del dolor y conocimiento:

36 Proverbios, 28, 1.
37 Véase Correas, *Vocabulario*, p. 286: "Mal dan manos a boca, cuando no tienen, que coma".
38 *Ibid.*, p. 574: "Deshaciendo la importancia de alguna cosa".

—¡Diónos Dios una vida sola y tantas muertes! ¡De una manera se nace y de tantas se muere! Si yo vuelvo al mundo, yo procuraré empezar a vivir.

En esto estaba, cuando se oyó una voz que dijo tres veces:

—Muertos, muertos, muertos.

Con esto se rebulló [...] el suelo y todas las paredes, y empezaron a salir cabezas y brazos y bultos extraordinarios. Pusiéronse en orden con silencio.

—Hablen por su orden —dijo la Muerte.

Luego salió uno con grandísima cólera y priesa y se vino para mí, que entendí que me quería maltratar, y dijo:

—Vivos de Satanás, ¿qué me queréis, que no me dejáis, muerto y consumido? ¿Qué os he hecho que, sin tener parte en nada, me disfamáis en todo y me echáis la culpa de lo que no sé?

—¿Quién eres —le dije con una cortesía temerosa— que no te entiendo?

—Soy yo —dijo— el malaventurado Juan de la Encina,[39] el que, habiendo muchos años que estoy aquí, toda la vida andáis, en haciéndose un disparate, o en diciéndole vosotros, diciendo: "No hiciera más Juan de la Encina", "Daca los disparates de Juan de la Encina". Habéis de saber que para hacer y decir disparates, todos los hombres sois Juan de la Encina, y que este apellido de Encina es muy largo en cuanto a disparates. Pero pregunto si yo hice los testamentos en que dejáis que otros hagan por vuestra alma lo que no habéis querido hacer. ¿He porfiado con los poderosos? ¿Teñíme la barba y, por no parecer viejo, fui viejo, sucio y mentiroso? *¿Enamoréme contra mi dinero*? *¿Llamé favor el pedirme lo que tenía y el quitarme lo que no tenía*? ¿Entendí yo que sería bueno para mí el que a

[39] *Ibid.*, p. 162: "Disparates de Juan de la Encina. Escribió coplas de ellos con gracia, y acomódose a todos disparates"; y p. 465: "Son los disparates de Juan de la Encina. Fue racionero en la iglesia de Salamanca, y compuso unos graciosos disparates y otras cosas, y compáranse a ellos las cosas disparatadas".

mi intercesión fue ruin con otro que se fió de él? ¿Gasté yo la vida en pretender con qué vivir, y, cuando tuve con qué, no tuve vida que vivir? ¿Creí las sumisiones del que me hubo menester? ¿Caséme por vengarme de mi amiga? ¿Fui yo tan miserable que gastase un real segoviano en *buscar* un cuarto incierto? ¿Pudríme de que otro fuese rico o medrase? ¿He creído las apariencias de la fortuna? ¿Tuve yo por dichosos a los que al lado de los príncipes dan toda la vida por una hora? ¿Heme preciado de hereje y de mal reglado en todo y peor contento, porque me tengan por entendido? ¿Fui desvergonzado por campear de valiente? Pues si Juan de la Encina no ha hecho nada de esto, ¿qué necedades hizo este pobre Juan de la Encina? Pues en cuanto *a* decir necedades, sacadme un ojo con una. ¡Ladrones, que llamáis disparates los míos y parates los vuestros! Pregunto yo: ¿Juan de la Encina fue acaso el que dijo: "Haz bien y no cates a quién"? [40] Siendo contra el Espíritu Santo, que dice: *Si benefeceris scito cui feceris, & erit gratia in bonis tuis multa* (*Eclesiástico,* 12, 1), "si hicieres bien, mira a quién". ¿Fue Juan de la Encina quien, para decir que uno era malo, *dijo*: "Es hombre que ni teme ni debe", [41] habiendo de decir que ni teme ni paga? Pues es cierto que la mejor señal de ser bueno es ni temer ni deber, y la mayor de la maldad, ni temer ni pagar. ¿Dijo Juan de la Encina: "De los pescados, el mero; de las carnes, el carnero; de las aves, la perdiz; de las damas, Beatriz"? [42] No lo dijo, porque él no dijera sino: "De las carnes, la mujer; de los pescados, el carnero; de las aves, la Ave

40 Correas, *Vocabulario,* p. 236: "Haz bien y no cates a quién; haz mal y guárdate", con un extenso comentario de muy distinto cariz, que comienza, "Con letras de oro había de estar escrito este refrán, digno de la nobleza y caridad española, que no le he visto en otra lengua..."

41 *Ibid.,* p. 341: "Ni teme ni debe. Dícese de un atrevido y arrojado y de un desvergonzado"; lo repite en p. 613 con muy ligera diferencia.

42 Véase F. Sánchez Escribano y A. Pasquariello, *Más personajes, personas y personillas del refranero español,* New York, 1959, p. 25.

María, y después la presentada; de las damas, la más barata". Mirad si es desbaratado Juan de la Encina: no prestó sino paciencia, no dio sino pesadumbre; él no gastaba con los hombres que piden dinero ni con las mujeres que piden matrimono. ¿Qué necedades pudo hacer Juan de la Encina, desnudo por no tratar con sastres, que se dejó quitar de la hacienda por no haber de menester letrados, que se murió antes de enfermo que de curado, para ahorrarse el médico? Sólo un disparate hizo, que fue, siendo calvo, quitar a nadie el sombrero, pues fuera menos mal ser descortés que calvo, y fuera mejor que le mataran a palos porque no quitaba el sombrero, que no *a* apodos porque era calvario. *Sólo una necedad dije, que fue dar el sí, casándome con una mujer roma, morena y con ojos azules.* Y si por hacer una necedad *y decir otra,* anda Juan de la Encina *de disparate en disparate, encinen* todos esos púlpitos, cátedras, *conventos, gobiernos* y estados *mayores y menores.* ¡Enhoramala para ellos! Que todo el mundo es *monte* y todos son Encinas.

En esto estábamos, cuando, muy estirado y con gran ceño, emparejó otro muerto conmigo, y dijo:

—Volved acá la cara; no penséis que habláis con Juan de la Encina.

—¿Quién es vuesa merced —dije yo—, que con tanto imperio habla, y donde todos son iguales presume diferencia?

—Yo soy —dijo— el Rey que rabió.[43] Y si no me conocéis, por lo menos no podéis dejar de acordaros de mí, porque sois los vivos tan endiablados, que a *todo* decís que se *acuerda* del Rey que rabió, y, en habiendo un paredón viejo, un muro caído, una gorra calva, un ferreruelo lampiño, un *trapajo* rancio, un *vestigio* caduco, una mujer manida de años y rellena de siglos, luego decís que se acuerda del Rey que rabió. No ha habido tan desdichado rey en el mundo, pues no se acuerdan

[43] Correas, *Vocabulario,* p. 10: "Acuérdase del rey que rabió. Para decir que una cosa es muy vieja, principalmente si es pasada muy antigua".

de él sino vejeces y harapos, antigüedades y visiones. Y ni ha habido rey de tan mala memoria ni tan asquerosa ni tan carroña ni tan caduca, carcomida y apolillada. Han dado en decir que rabié, y juro a Dios que mienten; sino que han dado todos en decir que rabié, y no tiene ya remedio. Y no soy yo el primero rey que rabió ni el solo, que no hay rey, ni le ha habido, ni le habrá, a quien no levanten que rabia. Ni sé yo cómo pueden dejar de rabiar todos los reyes. Porque andan siempre mordidos por las orejas de envidiosos y aduladores que rabian.

Otro, que estaba al lado del Rey que rabió, dijo:

—Vuesa merced se consuele conmigo, que soy el rey Perico,[44] y no me dejan descansar de día ni de noche. No hay cosa sucia, ni desaliñada, ni pobre, ni antigua, ni mala, que no digan que fue en tiempo del rey Perico. Mi tiempo fue mejor que ellos pueden pensar. Y para ver quien fui yo y mi tiempo y quién son ellos, no es menester más que oirlos, porque en diciendo a una doncella ahora la madre: "Hija, las mujeres, bajar los ojos y mirar a la tierra, y no a los hombres", responden: "Eso fue en tiempo del rey Perico; los hombres han de mirar a la tierra, pues fueron hechos de ella, y las mujeres al hombre, pues fueron hechas de él".[45] Si un padre dice a un hijo: "No jures, no juegues, reza las oraciones cada mañana, persígnate en levantándote, echa la bendición a la mesa", dice que "Eso se usaba en tiempo del rey Perico", *y que* ahora le tendrán por un *maricón* si sabe persignarse, y se reirán de él si no jura y blasfema. Porque en nuestros tiempos más tienen por hombre al que jura que al que tiene barbas.

El que acabó de decir esto, se llegó un muertecillo muy agudo, y sin hacer cortesía, dijo:

—Basta lo que han hablado, que somos muchos y este hombre vivo está fuera de sí y aturdido.

44 *Ibid.*, p. 190: "En el tiempo del rey Perico. Denotando vejez de lo que fue y pasó".

45 Véase María Rosa Lida, *Para las fuentes de Quevedo*, p. 369, en que relaciona la respuesta de la moza con un epigrama latino del poeta alemán Sebastián Schefer.

Yo, que le vi tan bullicioso, dije:

—No dijera más Mateo Pico.[46]

Y apenas lo hube acabado de decir, cuando dijo el tal difunto:

—¡A buen tiempo sacaste el refrancito! Sábete que yo soy Mateo Pico, y no vengo a otra cosa. Pues, bellaco vivo, ¿qué dijo Mateo Pico, que luego andáis si dijera más, no dijera más? ¿Cómo sabéis que no dijera más Mateo Pico? Dejadme tornar a vivir *sin* tornar a nacer: que no me hallo bien en barrigas de mujeres, que me han costado mucho, y veréis si digo más, ladrones *vivos.* Pues si yo viera vuestras maldades, vuestras tiranías, vuestras insolencias, vuestros robos, ¿no dijera más? Dijera más y más, y dijera tanto, que enmendárades el refrán, diciendo: "Más dijera Mateo Pico". Aquí estoy, y digo más, y avisad de esto a los habladores de allá; que yo apelo de este refrán con *las* mil y *quinientas.*[47]

Quedé confuso de mi inadvertencia y desdicha en topar con el mismo Mateo Pico. Era un hombrecillo menudo, todo chillido, que parecía que *se rezumaba* de palabras por todas sus conjunturas, zambo de ojos y bizco de piernas, y me parece que le he visto mil veces en diferentes partes.

Quitóse de delante y descubrióse una grandísima redoma de vidrio. Dijéronme que llegase, y vi un jigote, que se bullía en un ardor terrible, y andaba danzando por todo el garrafón, y poco a poco se fueron juntando unos pedazos de carne y unas tajadas, y *de éstas* se fue componiendo un brazo y un muslo y una pierna, y, al fin, se *zurció* y enderezó un hombre entero. De todo lo que había visto y pasado me olvidé, y esta visión me dejó tan fuera de mí, que no diferenciaba de los muertos.

46 Correas, *Vocabulario,* p. 614: "A la cosa disparatada que dicen".

47 Cejador (p. 231, nota 16) ilustra bien la expresión, relacionándola con las mil quinientas doblas que debían depositarse para recurrir en última instancia.

—¡Jesús mil veces! —dije—. ¿Qué hombre es éste, nacido en guisado, hijo de una redoma?

En esto oí una voz que salía de la vasija, y dijo:

—¿Qué año es éste?

—De seiscientos y *veintiuno*[48] —respondí.

—Este año esperaba yo.

—¿Quién eres —dije—, que, parido de una redoma, hablas y vives?

—¿No me conoces? —dijo—. La redoma y las tajadas, ¿no te advierten que soy *el marqués de Villena*?[49] ¿No has oído decir que me hice tajadas dentro de una redoma para ser inmortal?

—Toda mi vida lo he oído decir —le respondí—; mas túvelo por conversación de la cuna y cuento de entre dijes y *babador*. ¿Que tú eres? Yo confieso que lo más que llegué a sospechar fue que *eras* algún alquimista, que penabas en esa redoma, o algún boticario. Todos mis temores doy por bien empleados por haberte visto.

—Sábete —dijo *entonces— que no fui marqués de Villena, que este título me da la ignorancia. Llamáronme don Enrique de Villena, fui infante de Castilla,* estudié y escribí muchos libros; y los míos quemaron, no sin dolor *de los* doctos.

—Sí me acuerdo —dije yo—. Oído he decir que *estabas enterrado en San Francisco de Madrid;* mas hoy me he desengañado.

—Ya que has venido aquí —dijo—, desatapa esa redoma.

Yo empecé a hacer fuerza y a desmoronar tierra con que estaba enlodado el vidrio de que era hecha, y *detúvome, diciendo:*

48 *seiscientos y veintiuno*: es el año que figura en *Desvelos* y en el manuscrito citado por Fernández-Guerra. Se corresponde con la fecha que aguardaba don Enrique de Villena, como lo demuestra el final de este episodio.

49 Enrique de Villena (1384-1434). Véase Emilio Cotarelo y Mori, *Don Enrique de Villena, su vida y sus obras*, Madrid, 1896, y Martinengo, *Quevedo e il simbolo alchimistico*, pp. 18-20.

—Espera, dime primero: ¿hay paz en el mundo?

—Paz —respondí yo— universal, sí hay, porque no hay guerra con nadie.

—¿Eso pasa? Torna a tapar. Que en tiempo de paz mandarán los poltrones, medrarán los viciosos, valdrán los ignorantes, gobernarán los tiranos, tiranizarán los letrados, letradeará el interés; porque la paz es amiga de pícaros. No quiero nada de allá fuera; bien me estoy en mi redoma, vuélvome jigote.

Afligíme grandemente porque empezaba ya a desmigajarse, y díjele:

—Aguarda, que toda paz que no se hace con una buena guerra es sospechosa. Paz rogada, comprada y pretendida, es salsa y apetito para guerras; y no hay ya para quién sea la paz; porque si los ángeles dijeron "Paz a los hombres de buena voluntad", el sobrescrito de la paz viene a muy pocos de los que hoy viven. El mundo está para dar un estallido;[50] *todo se va revolviendo.*

Con esto se sosegó y, puesto en pie, dijo:

—Con esperanzas de guerra saldré de aquí, porque la necesidad fuerza a que los príncipes conozcan y diferencien al bueno del que lo parece. Con la guerra se acaban las raposerías de la pluma, la hipocresía de los doctores y se restaña el pujamiento de licenciados. Abre ahí; pero dime primero: ¿hay mucho dinero en España? ¿En que opinión está el dinero? ¿Qué fuerza alcanza? ¿Qué crédito? ¿Qué valor?

Respondíle:

—No han descaecido las flotas de las Indias, aunque Génova ha *echado* unas sanguijuelas desde España al cerro del Potosí, con que se van restañando las venas y a chupones se empezaron a secar las minas.

—¿Genoveses andan a la sacapela con el dinero? —dijo él—. Vuélvome jigote. Hijo mío, los genoveses son lamparones del dinero, enfermedad que procede de

[50] Correas, *Vocabulario,* p. 578: "Está el mundo para dar un estallido".

tratar con gatos.[51] Y vese que son lamparones porque sólo el dinero que va a Francia *sana de esos lamparones, por no admitir el Rey cristianísimo* genoveses en su comercio.[52] ¿Salir tenía yo, andando esos *usagres* de bolsas por las calles? No digo yo hecho jigote en redoma, sino hecho polvos en salvadera quiero estar antes que verlos hechos dueños de todo.

—Señor nigromántico —repliqué yo—, aunque esto es así, han dado en adolecer de caballeros en teniendo caudal, úntanse de señores y enferman de príncipes. Y con esto y los gastos y empréstitos se apolilla la mercancía y se viene todo a repartir en deudas y locuras. Y ordena el demonio que las putas *venguen a* las rentas reales de ellos, porque los engañan, los enferman, los enamoran, los roban, y después los hereda el consejo de Hacienda. La verdad adelgaza y no quiebra;[53] en esto se conoce que los genoveses no son verdad, porque adelgazan y quiebran.

—Animádome has —dijo— con eso. Dispondréme a salir desta vasija, como primero me digas en qué estado está la honra en el mundo.

—Mucho hay que decir en esto —le respondí yo—. Tocado has una tecla del diablo. Todos tienen honra, y todos son honrados, y todos lo hacen todo caso de honra. Hay honra en todos *los* estados, y la honra se está cayendo de su estado, y parece que está ya siete estados debajo de tierra. Si hurtan, dicen que *es* por conservar esta *negra* honra, y que quieren más hurtar que pedir. Si piden, dicen que *es* por conservar esta negra honra, y que es mejor pedir que no hurtar.[54] Si

51 *gatos*: juega con las acepciones segunda y novena del diccionario académico. Vemos citado un trabajo de Américo Castro, "El gato y el ladrón en el léxico de Quevedo", que no hemos conseguido localizar. En cuanto a los problemas económicos que aquí se comentan, véase E. Alarcos García, *El dinero en las obras de Quevedo*.

52 Prosigue el juego de ideas, aprovechando la virtud curativa que se atribuyó a los reyes de Francia.

53 "La verdad adelgaza, mas no quiebra su hilaza." Correas, *Vocabulario*, p. 503.

54 En la nota 33 de *Infierno* se citan algunos refranes relacionados con la honra.

levantan un testimonio, si matan a uno, lo mismo; dicen que un hombre honrado *no ha de perdonar nada, ni ha de sufrir cosa ninguna; que un hombre honrado* antes se ha de dejar morir entre dos paredes, que sujetarse a nadie; y todo lo hacen al revés. Y al fin en el mundo todos han dado en la cuenta, y llaman honra a la comodidad, y con presumir de honrados y no serlo se ríen del mundo.

—*El diablo puede salir a vivir en ese mundillo* —*dijo el marqués*—. Considérome yo a los hombres con unas honras títeres, que chillan, bullen y saltan, que parecen honras, y mirado bien son andrajos y palillos.[55] El no decir verdad será mérito; el embuste y la trapaza, caballería; y la insolencia, donaire. Honrados eran los españoles cuando podían decir *putos* y borrachos a los extranjeros; mas andan diciendo aquí malas lenguas que ya en España ni el vino se queja de malbebido ni los hombres mueren de sed. En mi tiempo no sabía el vino por dónde subía a las cabezas, y ahora parece que se sube hacia arriba. *No había entonces otro puto sino oxte (que siempre fue oxte puto),*[56] *que todos eran mujeriegos a puto el postrero;*[57] *ahora me dicen que los culos se han introducido en barrigas.* Pues los maridos, porque tratamos de honras, considero yo que andarán hechos buhoneros de sus mujeres, alabando cada uno a sus agujas.[58]

—*Si bien lo supieses* —*dije yo*—. Hay maridos *de diferentes maneras: unos son* calzadores, que los meten para calzarse la mujer con más descanso y sacarlos fuera *a* ellos. Hay maridos linternas, muy compuestos, muy lucidos, muy bravos, que vistos de noche y a oscuras parecen estrellas, y llegados cerca son candelilla, cuerno y hierro, rata por cantidad. Otros maridos hay

[55] *palillos*: acepción undécima del diccionario académico.
[56] Correas, *Vocabulario,* p. 371: "Oíste, puto; oste, puto. Lo que 'guarda afuera' cuando se retira de daño"; p. 624: "Oíste, polla; oxte, polla. Retirándose atrás de daño, o viéndole en otro".
[57] *Ibid.*, p. 535: "Ir a porfía, cuál llegará el primero".
[58] *Ibid.*, p. 98: "Cada buhonero alaba sus agujas".

jeringas, que apartados atraen, y llegando se apartan. Pues la cosa más digna de risa es la honra de las mujeres, cuando piden su honra, que es pedir lo que dan. Y si creemos a la gente y a los refranes que dicen: "Lo que arrastra, honra",[59] la honra del *mundo* son las culebras y las faldas.

—*Así —dijo el marqués—*, no estoy dos dedos de volverme jigote [...] para siempre jamás; no sé qué me sospecho. Dime, ¿hay letrados?

—Hay plaga de letrados —dije yo—. No hay otra cosa sino letrados. Porque unos lo son por oficio, otros lo son por presunción, otros por estudio, y de éstos pocos, y otros (éstos son los más) son letrados porque tratan con otros más ignorantes que ellos (en esta materia hablaré como apasionado), y todos se gradúan de doctores y bachilleres, licenciados y maestros, más por los mentecatos con quien tratan que por las universidades, y valiera más a España langosta perpetua que licenciados al quitar.[60]

—Por ninguna cosa saldré de aquí —dijo el *marqués—*. ¿Eso pasa? Ya yo los temía, y por las estrellas alcancé esa desventura, y por no ver los tiempos que han pasado, embutidos de letrados, me avecindé en esta redoma, y por no los ver me quedaré hecho pastel en bote.

Repliqué:

—En los tiempos pasados, que la justicia estaba más sana, tenía menos doctores, y *hala* sucedido lo que a los enfermos, que cuantas más juntas de doctores se hacen sobre él, más peligro muestra y peor le va, sana menos y gasta más. La justicia, por lo que tiene de verdad, andaba desnuda; ahora anda empapelada como *especias*. Un Fuero-Juzgo con su *maguer* y su *cuemo*, y *conusco* y faciamus era todas las librerías. Y aunque son voces antiguas suenan con mayor propiedad, pues

59 "Lo que arrastra, honra; y arrastrábanle las tripas." Correas, *Vocabulario*, p. 270. Se refiere a los trajes, capas y mantos rozagantes.

60 *al quitar*: como los censos, que los hubo 'al quitar' (esto es, amortizables) y perpetuos.

llaman sayón al alguacil y otras cosas semejantes. Ahora ha entrado una cáfila de Menoquios, Surdos y Fabros, Farinacios y *Cujacios,* consejos y decisiones y responsiones y lecciones y meditaciones *con que se ha confundido todo. Y aún si parara en esto, fuera menos mal, pero* cada día salen autores, y cada uno con *una infinidad de* volúmenes: Doctoris Putei, *In legem sextam,* volumen 1, 2, 3, 4, 5, 6, hasta 15; Licenciati Abtitis, *De usuris*; Petri Cusqui, *In Codigum,* Rupis, Bruticarpin, Castani, Montocanense, *De adulterio & parricidio,* Cornarano, Rocabruno,[61] etc. Los letrados todos tienen un cimenterio por librería, y por ostentación andan diciendo: "Tengo tantos cuerpos". Y es cosa brava que las librerías de los letrados todas son cuerpos sin alma, quizá por imitar a sus amos. No hay cosa en que *no* os dejen tener razón; sólo lo que no dejan tener a las partes es el dinero, que le quieren ellos para sí. Y los pleitos no son sobre si lo que deben a uno *se lo* han de pagar a él, que eso no tiene necesidad de preguntas y respuestas; los pleitos son sobre que el dinero sea de letrados y del procurador sin justicia, y la justicia, sin dineros, de las partes. ¿Queréis ver qué tan malos son los letrados? Que si no hubiera letrados, no hubiera porfías; y si no hubiera porfías, no hubiera pleitos; y si no hubiera pleitos, no hubiera procuradores; y si no hubiera procuradores, no hubiera enredos; y si no hubiera enredos, no hubiera de-

[61] Fernández-Guerra (BAE, t. 23, p. 340, nota *b*) trató de identificar autores y títulos para terminar confesando que "esto es hablar a Dios y a ventura". La corrupción de la tradición manuscrita, las erratas de los impresores y la falta de atención con que pasó Quevedo por este pasaje al preparar la edición de *Juguetes,* impiden discernir entre nombres ciertos y amañados, títulos reales y caricaturizados o inventados; tan sólo resta evidente el desprecio por los tratadistas extranjeros y la nostalgia de los viejos cuerpos legales. El fragmento que sigue presenta notables diferencias de forma en *Desvelos*: "En esto verás que toda esta gente tiene por librería un cementerio, y aun ellos mismos lo confiesan, pues todo su fin es hacer ostentación de que tienen tantos cuerpos; y tienen razón, pero son cuerpos sin alma. Una cosa hallo en ellos buena, y es que en todo dejan al pleiteante tenga razón, aunque no le dejan el dinero, porque le quieren ellos para sí...".

litos; y si no hubiera delitos, no hubiera alguaciles; y si no hubiera alguaciles, no hubiera cárcel; y si no hubiera cárcel, no hubiera jueces; y si no hubiera jueces, no hubiera pasión; y si no hubiera pasión, no hubiera cohecho. Mirad la retahila de infernales sabandijas que se producen de un licenciadito, lo que disimula una barbaza y lo que autoriza una gorra. Llegaréis a pedir un parecer, y os dirán:

—Negocio es de estudio. Diga vuesamerced que ya estoy al cabo. Habla la ley en propios términos.

Toman un quintal de libros, danle dos bofetadas hacia arriba y hacia abajo, y leen de prisa, *remedando un abejón*; luego dan un gran golpe con el libro patas arriba sobre una mesa, muy esparrancado de capítulos, y dicen:

—En el propio caso habla el jurisconsulto. Vuesamerced me deje los papeles, que me quiero poner bien en el hecho del negocio, y téngalo por más que bueno, y vuélvase por acá mañana en la noche. Porque estoy escribiendo sobre la tenuta de Trasbarras;[62] mas por servir a vuesamerced lo dejaré todo.

Y cuando al despediros le queréis pagar, que es para ellos la verdadera luz y entendimiento del negocio que han de resolver, dice, haciendo grandes cortesías y acompañamientos:

—¡Jesús, señor!

Y entre Jesús y señor alarga la mano, y para gastos de pareceres se emboca un doblón.

—No he de salir de aquí —dijo el *marqués*— hasta que los pleitos se determinen a garrotazos. Que en el tiempo que por falta de letrados se determinaban las causas a cuchilladas, decían que el palo era alcalde,[63] y de ahí vino: Júzguelo el alcalde de palo. Y si he de salir, ha de ser sólo a dar arbitrio a los reyes del mundo; que quien quisiere estar en paz y rico, que pague

[62] Correas, *Vocabulario*, p. 653: "Tras barras. Sonido de una cosa que se cae". Quevedo transforma la onomatopeya en el título de un mayorazgo.

[63] Correas, *Vocabulario*, p. 654: "Un alcalde de palo lo mandará".

los letrados a su enemigo para que lo embelequen y roben y consuman. Dime, ¿hay todavía Venecia en el mundo?

—Sí la hay —dije yo—: no hay otra cosa sino Venecia y venecianos.

—¡Oh! Doyla al diablo —dijo el *marqués*— por vengarme del mismo diablo, que no sé que pueda darla a nadie, sino por hacerle mal. Es república esa que, mientras que no tuviere conciencia, durará. Porque si restituye lo ajeno, no *la* queda nada. ¡Linda gente! La ciudad fundada en el agua; el tesoro y la libertad, en el aire,[64] y la deshonestidad, en el fuego. Y, al fin, es gente de quien huyó la tierra y *quedaron por marisco* de las naciones y albañal de las monarquías, por donde purgan las inmundicias de la paz y de la guerra. Y el turco los permite por hacer mal a los cristianos; los cristianos, por hacer mal a los turcos; y ellos, por poder hacer mal a unos y a otros, no son moros ni cristianos. Y así dijo uno de ellos mismos en una ocasión de guerra, para animar a los suyos contra los cristianos:

—Ea, que antes fuisteis venecianos que cristianos.

—Dejemos eso, y dime: ¿hay muchos golosos de valimientos de los *señores* del mundo?

—Enfermedad es —dije yo— esa de que todos los reinos son hospitales.

Y él replicó:

—Antes casas de orates. *Yo entendí salir,* mas según la relación que me haces, no me he de mover de aquí. Mas quiero que tú les digas a esas bestias que en albarda tienen la vanidad y ambición, que los reyes y príncipes son azogue en todo. Lo primero, el azogue, si le quieren apretar, se va: así sucede a los que quieren tomarse con los reyes más [...] mano de lo que es razón.

64 A. Mas, conforme a la lección de un manuscrito, propone intercalar aquí: "los pensamientos en la tierra", completando la serie de los cuatro elementos. Entendemos que la serie queda cerrada con la frase inmediata: "gente de quien huyó la tierra", que subraya la idea de que aquella república se funda en los tres elementos de menor solidez.

El azogue no tiene quietud: así son *sus* ánimos por la continua mareta de negocios. Los que tratan y andan con el azogue, todos andan temblando; así han de hacer los que tratan con los reyes, temblar delante *de* ellos de respeto y temor, porque, si no, es fuerza que *tiemblen* después hasta que *caigan.* ¿Quién reina ahora en España, que es la postrera curiosidad que he de saber, que me quiero volver a jigote, que me hallo mejor?

—Murió Filipo III —dije yo.

—Fue santo Rey *y* de virtud incomparable —dijo el *marqués*—, según *le vi* yo en las estrellas pronosticado.

—Reina Filipo IV días ha [65] —dije yo.

—¿Eso pasa? —dijo—. ¿Que ya ha dado el tercero cuarto para la hora que yo esperaba?

Y diciendo y haciendo subió por la redoma y la trastornó y salió fuera. Iba diciendo y corriendo:

—Más justicia se ha de hacer ahora por un cuarto que en otros tiempos por doce millones.

Yo quise partir tras él, cuando me asió del brazo un muerto, y dijo:

—Déjale ir; que nos tenía con cuidado a todos. Y cuando vayas al otro mundo, di que Agrages estuvo contigo, y que se queja que le levantéis: "Agora lo veredes". Yo soy Agrages. Mira bien que no he *dicho* tal. Que a mí no se me da nada que ahora ni nunca *lo* veáis. Y siempre andáis diciendo: "Ahora lo veredes, dijo Agrages". [66] Sólo ahora, que a ti y al de la redoma os oí decir que reinaba Filipo IV, digo que ahora lo veredes. Y pues soy Agrages, ahora lo veredes, dijo Agrages.

Fuése, y púsoseme delante, enfrente de mí, un hombrecillo, que parecía remate de cuchar, con pelo de limpiadera, erizado, bermejizo y pecoso.

65 "dos días ha" reza en *Juguetes* y en el manuscrito citado por Fernández-Guerra; fecha que corresponde al 2 de abril de 1621.

66 Correas, *Vocabulario,* p. 14. La frase y el personaje proceden del *Amadís.*

—Dígote, sastre[67] —dije yo.

Y él tan presto dijo:

—Oír, que no pica.[68] Pues no soy sino solicitador. Y no pongáis nombres a nadie. Yo me llamo Arbalias, *y os lo he querido decir para que no andéis allá en la vida diciendo a unos y a otros: "Es un Arbalias"*,[69] *sin mirar a quién lo decís.*

Muy enojado, a mí se llegó un hombre viejo, muy ponderado de testuz, de los que traen canas por vanidad, una gran haz de barbas, ojos a la sombra muy metidos, frentaza llena de surcos, ceño descontento y vestido que, juntando lo extraordinario con el desaliño, hacía misteriosa la pobreza.

—Más despacio te he menester que Arbalias —me dijo—. Siéntate.

Sentóse y sentéme. Y como si le dispararan de un arcabuz, en figura de trasgo se apareció entre los dos otro hombrecillo, que parecía astilla de Arbalias, y no hacía sino chillar y bullir. Díjole el viejo, con una voz muy honrada:

—Idos a enfadar a otra parte, que luego vendréis.

—Yo también he de hablar —decía, y no paraba.

—¿Quién es éste? —pregunté.

Dijo el viejo:

—¿No has caído en quién puede ser? Este es Chisgaravís.

[67] Parece remedar el final de dos conocidos refranes: "Bolsa sin dinero, dígola cuero" y "Odre vacío, cuero le digo". La asociación de ideas puede proceder, como indica Cejador, del aspecto ridículo de este personaje y de su pelo rojizo, así como de la expresión que se recoge en el *Quijote* (2.ª parte, cap. IV): "harbar, harbar como sastre en vísperas de pascuas".

[68] Correas, *Vocabulario*, p. 376: "Ox, que pica. *Ox*, por *oxo*, como *guarda fuera*. Los que no advierten, piensan que es partícula para avisar que se huya, como *ox* a las aves". Y en la p. 625: "Ox, que pica; ox, que quema". Retrayéndose de algo que ofende.

[69] No lo vemos registrado en el censo de Santiago Montoto, *Personajes, personas y personillas que corren por las tierras de ambas Castillas*, Sevilla, 1911, y tampoco en el que agregaron Federico Sánchez Escribano y Anthony Pasquariello, *Más personajes, personas y personillas del refranero español*, New York, 1959. Fernández-Guerra conjeturó que pudo formarse tal nombre del verbo 'harbar'.

Gasp: Bouttats. inventor et fecit.

DESVELOS SOÑOLIENTOS, Y VERDADES SOÑADAS.

Por Don Franciſco de Queuedo Ville-gas, Cauallero del Orden de Santia-go, y Señor de la Villa de Iuan Abad.

CORREGIDO Y ENMENDADO agora de nueuo, por el miſmo Autor, y aña-dido vn tratado de la Caſa de Lo-cos de Amor.

Con licencia en Zaragoa.

POR PEDRO VERGES. Año 1627.

Vendeſe en caſa de Roberto Duport en la Cuchilleria.

Portada facsímile de *Desvelos soñolientos y verdades soñadas*

Ejemplar de la Biblioteca Nacional de Florencia

—Docientos mil de éstos *andan* por Madrid —dije yo—, y no hay otra cosa sino Chisgaravises.

Replicó el viejo:

—Este anda aquí cansando los muertos y a los diablos; pero déjate deso y vamos a lo que importa. Yo soy Pedro, y no Pero Grullo,[70] que quitándome una *d* en el nombre, me hacéis el santo, fruta.

Es Dios verdad que, cuando dijo Pero Grullo, me pareció que le veía las alas.

—Huélgome de conocerte —repliqué—. ¿Que tú eres el de las profecías, que dicen de Pero Grullo?

—A eso vengo —dijo el profeta estantigua—; de eso habemos de tratar. Vosotros decís que mis profecías son disparates, y hacéis mucha burla de ellas. Estemos a cuentas. Las profecías de Pero Grullo, que soy yo, dicen así:

> Muchas cosas nos dejaron
> las antiguas profecías:
> dijeron que en nuestros días
> será lo que Dios quisiere.

Pues, bribones, adormecidos en maldad, infames, si esta profecía se cumpliera, ¿había más que desear? Si fuera lo que Dios quisiere, fuera siempre lo justo, lo bueno, lo santo; no fuera lo que quiere el diablo, el dinero y la cudicia. Pues hoy lo menos es lo que Dios quiere y lo más lo que queremos nosotros contra su ley. Y ahora el dinero es todos los quereres, porque él es querido y el que quiere, y no se hace sino lo que él quiere, y el dinero es el Narciso, que se quiere a sí mismo y no tiene amor sino a sí. Prosigo:

> Si lloviere hará lodos,
> y será cosa de ver

70 Correas, *Vocabulario*, p. 410: "Las profecías de Pero Grullo. Para decir cosas vanas y disparatadas; andan de esto unas coplas de donde se toma la comparación"; p. 633: "Profecía de Pedrogrullo. Adivinaciones vanas"; y p. 657: "Verdades de Perogrullo. Por vanas y falsas".

que nadie podrá correr
sin echar atrás los codos.

Hacedme merced de correr los codos adelante y negadme que esto no es verdad. Diréis que de puro verdad es necedad: ¡buen achaquito, hermanos vivos! La verdad, ansí, decís que amarga; poca verdad decís que es mentira; muchas verdades, que es necedad. ¿De qué manera ha de ser la verdad para que os agrade? Y sois tan necios, que no habéis echado de ver que no es tan profecía de Pero Grullo como decís, pues hay quien corra echando los codos adelante, que son los médicos, cuando vuelven la mano atrás al recibir el dinero de la visita al despedirse, que toman el dinero corriendo y corren como una mona al que se lo da porque le mate.

El que tuviere tendrá,
será el casado marido,
y el perdido más perdido,
quien menos guarda y más da.

Ya estás diciendo entre ti: "¿Qué perogrullada es ésta: El que tuviere tendrá?" —replicó luego—. Pues así es. Que no tiene el que gana mucho, ni el que hereda mucho, ni el que recibe mucho; sólo tiene el que tiene y no gasta. Y quien tiene poco, tiene; y si tiene dos pocos, tiene algo; y si tiene dos algos, más es; y si tiene dos mases, tiene mucho; y si tiene dos muchos es rico. Que el dinero (y llevaos esta doctrina de Pero Grullo) es como las mujeres, amigo de andar y que le manoseen y le obedezcan, enemigo de que le guarden, que se anda tras los que no le merecen y, al cabo, deja a todos con dolor de sus almas, amigo de andar de casa en casa. Y para ver cuán ruín es el dinero, que no parece sino que ha sido cotorrera, habéis de ver a cuán ruin gente le da el Señor, quitando a los Profetas, y en esto conoceréis lo que son los bienes de este mundo, en los dueños de ellos. Echad los ojos por esos mercaderes, si no es que estén *ya* allá, pues roban los ojos. Mirad esos joyeros, que a persuasión de la locura, venden enredos resplandecientes y embustes de colores, donde se anegan los dotes de los recién casados. ¡Pues qué, si vais a la platería! No volveréis enteros. Allí cuesta la honra, y hay quien hace creer a un malaventurado *que se ciña* su patrimonio al dedo, y, no sintiendo los artejos al peso, está aullando en su casa. No trato de los pasteleros y sastres, ni de los roperos, que son sastres a Dios y [...] a la ventura [71] y ladrones a diablos y desgracia. Tras éstos se anda el dinero. Y *con ser así, no hay que tenga* asco cualquier bien aliñado de costumbres y pulido de conciencia de comunicarle ningún deseo. Dejemos esto y vamos a la segunda profecía, que dice: "Será el casado marido". Vive el cielo de la cama (dijo muy colérico, porque hice no sé qué gesto oyendo la grullada), que si no os oís con mesura y si os rezumáis de carcajadas, que os pele las barbas. Oíd noramala, que a oír habéis venido y a aprender. ¿Pensáis que todos los casados son maridos? Pues mentís, que hay muchos casados solteros y muchos solteros maridos. Y hay hombre que se casa para morir doncel y doncella que se casa para morir virgen de su marido. Y habéisme engañado y sois maldito hombre, y aquí han venido mil muertos diciendo que los habéis muerto a puras bellaquerías. Y certifícoos que si no mirara..., que os arrancara las narices y los ojos, bellaconazo, enemigo de todas las cosas. Reíos también de esta profecía:

> Las mujeres parirán
> si se empreñan y parieren,
> y los hijos que nacieren
> de cuyos fueren serán.

¿Véis que parece bobada de Pero Grullo? Pues yo os prometo que si se averiguare esto de los padres, había de haber una confusión de daca mi mayorazgo y toma tu herencia. Hay en esto de las barrigas mucho

71 Véase *Juicio,* nota 24.

que decir, y, como los hijos es una cosa que se hace a escuras y sin luz, no hay quien averigüe quién fue concebido a escote ni quién a medias, y es menester creer el parto, y todos heredamos por el dicho del nacer, sin más acá ni más allá. Esto se entiende de las mujeres, que meten oficiales; que mi profecía no habla con la gente honrada, si algún maldito como vos no *la* tuerce. ¿Cuántos pensáis que el día del juicio conocerán por padre a su paje, a su escudero, a su esclavo y a su vecino? Y ¿cuántos padres se hallarán sin descendencia? Allá lo veréis.

—Esta profecía y las demás —dije yo—, no las consideramos allá de esta manera, y te prometo que tienen más veras de las que parecen, y que oídas en tu boca, son de otra suerte. Y confieso que te hacen agravio.

—Pues oye —dijo— otra:

> Volaráse con las plumas,
> andaráse con los pies,
> serán seis dos veces tres.

"Volaráse con las plumas". Pensáis que lo digo por los pájaros, y os engañáis, que eso fuera necedad. Dígolo por los escribanos y genoveses, *que* éstos nos vuelan con las plumas [...] el dinero *de* delante. Y porque vean en el otro mundo que profeticé de los tiempos de ahora y que hay Pero Grullo para los que vivís, llévate este mendrugo de profecías, que a fe que hay que hacer en entenderlo. Fuése y dejóme un papel en que estaban escritos estos ringlones por esta orden:

> *Nació* viernes de Pasión
> para que zahorí fuera,
> y porque en su día muriera
> el bueno y el mal ladrón.
> *Habrá* mil revoluciones
> entre linajes honrados,
> restituirá los hurtados,
> castigará los ladrones.

Y si quisiere primero
las pérdidas remediar,
lo hará sólo con echar
la soga tras el caldero.[72]

Y en estos tiempos que ensarto
veréis (maravilla extraña)
que se desempeña España
solamente con un Cuarto.

Mis profecías mayores
verá cumplidas la ley
cuando fuere Cuarto el rey
y cuartos los malhechores.[73]

Leí con admiración las cinco profecías de Pero Grullo, y estaba meditando en ellas, cuando por detrás me llamaron. Volvíme y era un muerto muy lacio y afligido, muy blanco y vestido de blanco, y dijo:

—Duélete de mí, y, si eres buen cristiano, sácame de poder de los cuentos de los habladores y de los ignorantes, que no me dejan descansar, y méteme donde quisieres.

Hincóse de rodillas, y despedazándose a bofetadas, lloraba como niño.

—¿Quién eres —dije—, que a tanta desventura estás condenado?

—Yo soy —dijo— un hombre muy viejo, a quien levantan mil testimonios y achacan mil mentiras. Yo soy el Otro, y me conocerás, pues no hay cosa que no *la* diga el Otro. Y luego, en no sabiendo cómo dar razón de sí, dicen: "Como dijo el Otro".[74] Yo no he dicho nada ni despego la boca. En latín me llaman *Quidam,*

[72] Correas, *Vocabulario,* p. 167: "Do va la soga, vaya el caldero. O a la contra"; p. 171: "Echar la soga tras el caldero. Es tras lo perdido; soltar el instrumento y remedio con que se ha de cobrar, y echar lo menos tras lo más"; y p. 500: "Váyase la soga tras el caldero. Que do va lo más, vaya lo menos".

[73] En estas coplas se alude a Felipe IV, nacido en Viernes Santo (8 de abril de 1605), al duque de Lerma y a Rodrigo Calderón, encarcelado ya cuando subió al trono el cuarto Felipe, de quien tanta justicia y prosperidad se prometía Quevedo.

[74] Correas, *Vocabulario,* p. 118: "Como dijo el otro. Dicen esto probando lo que hacen, y a veces refiriendo un refrán al propósito".

y por esos libros me hallarás abultando ringlones y *llenando* cláusulas. Y quiero, por amor de Dios, que vayas al otro mundo y digas cómo has visto al Otro en blanco y que no tiene nada escrito y que no dice nada ni lo ha de decir ni lo ha dicho, y que *desmiento* desde aquí a cuantos me citan y achacan lo que no saben, pues soy el autor de los idiotas y el texto de los ignorantes. Y has de advertir que en los chismes me llaman Cierta persona; y en los enredos, No sé quién; y en las cátedras, Cierto autor, y todo lo soy el desdichado Otro. Haz esto y sácame de tanta desventura y miseria.

—¿Aún aquí estáis, y no queréis dejar hablar a nadie? —dijo un muerto hablando, armado de punta en blanco, muy colérico; y *asiéndome* del brazo, dijo:

—Oíd acá, y pues habéis venido por estafeta de los muertos a los vivos, cuando vais allá decidles que me tienen muy enfadado todos juntos.

—¿Quién eres? —le pregunté.

—Soy —dijo— Calaínos.

—¿Calaínos eres? —dije—. No sé cómo no estás *desainado,* porque eternamente dicen: "Cabalgaba Calaínos". [75]

—Dejémonos de eso —replicó—, y vamos a lo que importa. Preguntó: ¿qué razón hay para que en diciendo uno un enredo, una chanza, un embuste, una mentira, digan luego: "Esos son cuentos de Calaínos"? ¿Saben ellos mis cuentos? Mis cuentos fueron muy buenos y muy verdaderos. Y no se metan en cuentos conmigo.

—Mucha razón tiene el señor Calaínos —dijo otro que se allegó—. Y él y yo estamos muy agraviados. Yo soy Cantimpalos. Y no hacen sino decir: "El ánsar de Cantimpalos, que *salió* al lobo al camino". [76] Y es me-

[75] *desainado*: desmedrado, enflaquecido, puesto que 'sainar' es engordar a los animales, según *Autoridades,* t. VI, p. 19. En Correas, *Vocabulario,* p. 512: "Ya cabalga Calaínos; ya cabalga, ya se va. Quedó de una de sus coplas"; en las pp. 355, 552, 561, 601 y 621, se recogen otros dichos tocantes a Calaínos.

[76] *Ibid.*, p. 173: "El ánsar de Cantimplora, que salió al lobo al camino. Adelante se dirá la gansa de Cantimpalos, con su origen"; y en la p. 258 explica: "Los de este lugar cuentan por tradición de los pasados que una mujer llamada la *Gansa,* salía

nester que les digáis que me han hecho de asno ánsar, y que era asno el que yo tenía, y no ánsar, y los ánsares no tienen que ver con los lobos, y que me restituyan a mi asno en el refrán y que me le restituyan luego y tomen su ánsar: justicia con costas, y para ello, etc.[77]

Con su báculo venía una vieja o espantajo, diciendo:

—¿Quién está allá a las sepulturas?

Con una cara hecha de un orejón, los ojos en dos cuévanos de vendimiar, la frente con tantas rayas y de tal color y hechura que parecía planta de pie; la nariz, en conversación con la barbilla, que casi juntándose hacían garra, y una cara de la impresión del grifo; la boca, a la sombra de la nariz, de hechura de lamprea, sin diente ni muela, con sus pliegues de bolsa a lo jimio, y apuntándole ya el bozo de las calaveras en un mostacho erizado; la cabeza, con temblor de sonajas, y la habla danzante; unas tocas muy largas sobre el monjil negro *esmaltando* de mortaja la tumba; con un rosario muy largo colgando, y ella corva, que parecía, con las muertecillas que colgaban dél, que venía pescando calaverillas chicas. Yo, que vi semejante abreviación del otro mundo, dije a grandes voces, pensando que sería sorda:

—¡Ah, señora! ¡Ah, madre! ¡Ah, tía! ¿Quién sois? ¿Queréis algo?

Ella, entonces, levantando el *ab initio et ante saecula*[78] de la cara, y parándose, dijo:

—No soy sorda, ni madre ni tía; nombre tengo y trabajos, y vuestras sinrazones me tienen acabada.

---

al camino de otro lugarejo vecino a tratar a solas con el cura de allí, que se llamaba Lobo. Cantimpalos o Cantipalos, es cerca de Segovia; el otro lugarcillo del cura ya está despoblado. El vulgo ha trocado este refrán en el otro: *El ánsar...*".

77 Fórmula tópica con que se remataban las peticiones de justicia. Como abreviatura, la expresión no puede ser más incongruente. Es muy posible que por esta causa la incluyera Quevedo.

78 Son palabras del *Eclesiástico,* 24, 14, que denotan la antigüedad de la sabiduría, utilizadas aquí para ponderar la vejez de la dueña.

¡Quién creyera que en el otro mundo hubiera presunción de mocedad, y en una cecina como ésta! Llegóse más cerca, y tenía los ojos haciendo aguas, y en el pico de la nariz *columpiándose* una moquita, por donde echaba un tufo de cimenterio. Díjela que perdonase y preguntéle su nombre. Díjome:

—Yo soy Dueña Quintañona.

—¿Qué dueñas hay entre los muertos? —dije maravillado—. Bien hacen de pedir cada día a Dios misericordia más que *requiescant in pace,* descansen en paz; porque si hay dueñas, meterán en ruido a todos. Yo creí que las mujeres se morían cuando se volvían dueñas, y que las dueñas no tenían de morir, y que el mundo está condenado a dueña perdurable, que nunca se acaba; mas ahora que te veo acá, me desengaño y me he holgado de verte. Porque por allá luego decimos: "Miren la Dueña Quintañona, daca la Dueña Quintañona". [79]

—Dios os lo pague y el diablo os lleve —dijo—, que tanta memoria tenéis de mí y sin haberlo yo de menester. Decid: ¿no hay allá dueñas de mayor número que yo? Yo soy Quintañona; ¿no hay deciochenas y setentonas? Pues ¿por qué no dais tras dellas y me dejáis a mí, que ha más de ochocientos años que vine a fundar dueñas al infierno, y hasta ahora no se han atrevido los diablos a recibirlas, diciendo que andamos ahorrando penas a los condenados y guardando cabos de tizones como de velas, y que no habrá cosa cierta en el infierno? Y estoy rogando con mi persona al purgatorio, y todas las almas dicen en viéndome: "¿Dueña?, no por mi casa". [80] Con el cielo no quiero nada, que las dueñas, en no habiendo a quién atormentar y un poco de chisme, perecemos. Los muertos también se quejan de que no los dejo ser muertos como lo habían de ser, y todos me han dejado en mi albedrío si quiero ser dueña en el mundo. Más quiero estarme aquí, por

[79] Personaje que actuó como medianera entre Lanzarote y Ginebra.

[80] Remedo del dicho "Justicia, justicia, mas no por mi casa".

servir de fantasma, *que* en mi *estrado* toda la vida y sentada a la orilla de una tarima guardando doncellas, que son más de trabajo que de guardar. Pues, en viniendo una visita, aquel "llamen a la dueña"; y *haber de bajar con todas las hopalandas de los responsos; o, si dan un recado, el "llamen a la dueña", sin que la dejen descansar, sino que* a la pobre dueña todo el día le están dando su recaudo todos. En faltando un cabo de vela, "llamen a Alvarez, la dueña le tiene". Si falta un retacillo de algo, "la dueña estaba allí". Que nos tienen por cigüeñas, tortugas y erizos de las casas, que nos comemos las sabandijas. Si algún chisme hay, "alto a la dueña". *Esto es penoso para mi condición, y, más que todo, ver* somos la gente más *mal* aposentada del mundo, porque en el invierno nos ponen en los sótanos y los veranos en los zaquizamíes. Y lo mejor es que nadie nos puede ver: las criadas, porque dicen que las guardamos; los señores, porque los gastamos; los criados, porque nos guardamos; los de fuera, por el *coram vobis* de responso, y tienen razón, porque ver una de nosotras encaramada sobre unos chapines, muy alta y muy derecha, parecemos túmulo vivo. Pues ¡cuando en una visita de señoras hay conjunción de dueñas! Allí se engendran las angustias y sollozos, de allí proceden las calamidades y plagas, los enredos y embustes, marañas y parlerías, porque las dueñas influyen acelgas y lentejas y pronostican candiles y veladores y tijeras de espabilar. Pues ¡qué cosa es levantarse ocho *dueñas* como ocho cabos de años o ocho *años* sin cabo, ensabanadas, y despedirse con unas bocas de tejadillo,[81] con unas hablas sin hueso, dando tabletadas con las encías y poniéndose cada una a las espaldas de su ama a entristecerlas, las asentaderas bajas, trompicando y dando de ojos,[82] adonde en una silla, entre andas y ataúd, la llevan *dos* pícaros arrastrando! Antes quiero estarme entre muertos y vivos pereciendo que volver a ser

81 Véase *Mundo,* nota 35.
82 Correas, *Vocabulario,* p. 552: "Dar de ojos. Por tropezar y caer".

dueña. Pues hubo caminante que, preguntando dónde había de parar una noche de invierno, yendo a Valladolid, y diciéndole que en un lugar que se llama Dueñas, dijo que si había dónde parar antes o después. Dijéronle que no, y él a esto, dijo:

—Más quiero parar en la horca que en Dueñas.

Y se quedó fuera, en la picota. Sólo os pido, así os libre Dios de dueñas (y no es pequeña bendición, que para decir que destruirán a uno dicen que le pondrán cual digan dueñas, ¡mirad lo que es decir dueñas!); [83] [...] que *hagáis* que metan otra dueña en el refrán y me dejen descansar a mí, que estoy muy vieja para andar en refranes y querría andar más en zancos, porque no deja de cansar a una persona andar de boca en boca.

Muy angosto, muy a teja vana, las carnes de venado, en un cendal, con unas mangas por gregüescos y una esclavina por capa y un *soportal* por sombrero, amarrado a una espada, se llegó a mí un rebozado y llamóme en la seña de los sombrereros.

—Ce, ce —me dijo.

Yo le respondí luego. Lleguéme a él, entendí que era algún muerto envergonzante. Preguntéle quién era.

—Yo soy el malcosido y peor sustentado don Diego de Noche. [84]

—Más precio haberte visto —dije yo— que a cuanto tengo. ¡Oh, estómago aventurero! ¡Oh, gaznate de rapiña! ¡Oh, panza al trote! ¡Oh, susto de los banquetes! ¡Oh, mosca de los platos! ¡Oh, sacabocados de los señores! ¡Oh, tarasca de los convites y cáncer de las ollas! ¡Oh, sabañón de las cenas! ¡Oh, sarna de los almuerzos! ¡Oh, sarpullido del mediodía! No hay otra cosa en el mundo sino *cofrades,* discípulos y hijos tuyos.

[83] *Ibid.*, p. 413: "Púsele cual digan dueñas; poner cual digan dueñas. Es maltratar de arte que las dueñas hayan lástima, y hablen de ello..."; p. 549: "Cual digan dueñas. Por tratar y poner mal"; y p. 633: "Púsole cual miren dueñas. Por aporreóle, maltratóle".

[84] *Ibid.*, p. 562: "Don Diego de noche. Poner don a quien no le tiene, y para burlarse de mujeres enamoradas".

—Sea por amor de Dios —dijo don Diego de Noche—, que *esto* me faltaba por oír; mas, en pago de mi paciencia, os ruego que os lastiméis *de mí,* pues en vida siempre andaba cerniendo las carnes el invierno por las picaduras del verano, sin poder hartar estas asentaderas de gregüescos; el jubón en pelo sobre las carnes, el más tiempo en ayunas de camisa, siempre dándome por entendido de las mesas ajenas; esforzando, con *pistos* de cerote y ramplones, desmayos *del* calzado; animando a las medias a puras sustancias de hilo y aguja. *Y* llegué a estado *en que,* viéndome calzado de *geomancia,* porque todas las calzas eran puntos, cansado de andar restañando el ventanaje, me entinté la pierna y dejé correr. No se vio jamás socorrido de pañizuelos mi catarro, que, afilando el brazo por las narices, me *pavonaba* de romadizo. Y si acaso alcanzaba algún pañizuelo, porque no le viesen al sonarme, me rebozaba, y, haciendo el coco con la capa, tapando el rostro, me sonaba a escuras. En el vestir he parecido árbol, que en el verano me he abrigado y vestido y en el invierno he andado desnudo.

No me han prestado cosa que haya vuelto: hasta *espadas,* que dicen que no hay ninguna sin vuelta,[85] si todos me las prestasen, todas serían sin vuelta. Y con no haber dicho verdad en toda mi vida y aborrecídola, decían todos que mi persona era buena para verdad: desnuda y amarga. En abriendo yo la boca, lo mejor que se podía esperar era un bostezo o un parasismo, porque todos esperaban el "déme vuesa merced", "présteme", "hágame merced"; y así estaban armados de respuestas a bergantes, y en *despegando* los labios, de tropel se oía: "no hay qué dar", "Dios le provea", "cierto que no tengo", "yo me holgara", "no hay un cuarto".

Y fui tan desdichado, que a tres cosas siempre llegué tarde: [...] a pedir prestado llegué siempre dos horas después, y siempre me pagaban con decir:

85 "Ni espada sin vuelta, ni puta sin alcahueta", Correas, *Vocabulario,* p. 336.

—*Si* llegara vuesamerced dos horas antes, se le prestara ese dinero.

A ver los lugares llegué dos años después, y en alabando cualquier lugar, me decían:

—Ahora no vale nada; ¡si vuesamerced lo viera dos años ha!

A conocer y alabar las mujeres hermosas llegué siempre tres años después, y me decían:

—Tres años atrás me había vuesamerced de ver, que vertía *sangre por las* mejillas.

Según esto, fuera harto mejor que me llamaran don Diego Después, que no don Diego de Noche. ¿Decir que después de muerto descanso?, aquí estoy y no me harto de muerte: los gusanos se mueren de hambre conmigo, y yo me como a los gusanos de hambre; y los muertos andan siempre huyendo de mí, porque no les pegue *el don* o les hurte los huesos o les pida prestado; y los diablos se recatan de mí, porque no me meta de gorra a calentarme, y ando por estos rincones introducido en telaraña.

Hartos don Diegos hay allá, de quien pueden echar mano. Déjenme con mi trabajo, que no viene muerto que luego no pregunte por don Diego de Noche. Y diles a todos los dones a teja vana, caballeros *chirles,* hacia-hidalgos y casi-dones, que hagan bien por mí. Que estoy penando en una bigotera de fuego, porque, siendo gentilhombre mendicante, caminaba con horma y bigotera a un lado y molde para el cuello y la bula en el otro. Y esto y sacar mi sombra llamaba yo mudar mi casa.

Desapareció aquel caballero y visión, y dio gana de comer a los muertos, cuando llegó a mí, con la mayor prisa que se ha visto, un hombre alto y flaco, menudo de facciones, de hechura de cerbatana, y, sin dejarme descansar, me dijo:

—Hermano, dejadlo todo presto, luego, que os aguardan *las muertas,* que no pueden venir acá, y habéis de ir al instante a *oírlas* y a hacer lo que os mandaren sin replicar y sin dilación luego.

Enfadóme la prisa del diablo del muerto, que no vi hombre más súpito, y dije:

—Señor mío, *esto* no es cochite *hervite.*[86]

—Sí es —dijo muy demudado—. Dígoos que yo soy *Cochitehervite,* y el que viene a mi lado (aunque yo no le había visto) es Trochimochi,[87] que somos más parecidos que el freír y el llover.

Yo, que me vi entre *Cochitehervite* y Trochimochi, fui como un rayo donde me llamaban.

Estaban sentadas unas muertas a un lado, y dijo *Cochitehervite*:

—Aquí está doña Fáfula, Mari-Zápalos y Mari-Rabadilla.[88]

Dijo Trochimochi:

—Despachen, señoras, que está detenida mucha gente.

Doña Fáfula dijo:

—Yo soy una mujer muy principal.

—Nosotras somos —dijeron las otras— las desdichadas que vosotros los vivos traéis en las conversaciones disfamadas.

—Por mí no se me da nada —dijo doña Fáfula—; pero quiero que sepan que soy mujer de un poeta de

86 *Ibid.,* p. 114, en la que aclara: "Dícese a los que quieren las cosas muy aceleradas". Parece forma sincopada de la idea que sugieren otros refranes de la p. 53: "Antes cocho que el agua hierva", "Antes cocho que hervido", etc.

87 *Ibid.,* p. 538: "A trochi mochi. Cuando se hace... algo mal y sin atención". Obsérvese que en este caso y en el anterior, Quevedo no extrae sus personajes de los refranes, sino que los crea partiendo de los conceptos respectivos.

88 *Ibid.,* p. 186: "En casa de Marirrabadilla, cada cual en su escudilla; o los hijos de", forma que repite en p. 276; p. 332: "La necesidad obliga al más desvalido nombre que es de Marirrabadilla"; p. 607: "Marirrabadilla. Los desiguales y ruines que quieren ser tanto como otros buenos".

Ibid., p. 607: "Marizárpalos. Por mujer desaliñada, que arrastra y da las faldas en los zancajos".

No hemos encontrado ningún dicho relativo a doña Fáfula; el comentario de Cejador (p. 275, nota 5) tiene bastante fundamento pero no resulta indiscutible.

comedias, que escribió infinitas,[89] y que me dijo un día *el papel*:

—Señora, tanto mejor me hallara en andrajos en los muladares, que en coplas en las comedias cuanto no lo sabré encarecer.

Fui mujer de mucho valor y tuve con mi marido el poeta mil pesadumbres sobre las comedias, autos y entremeses. Decíale yo que por qué cuando en las comedias un vasallo, arrodillado, dice al rey: "Dame esos pies", responde siempre: "Los brazos será mejor". Que la razón era en diciendo: "Dame esos pies", responder: "¿Con qué andaré yo después?" Sobre la hambre de los lacayos y el miedo, tuve grandes peloteras[90] con él. Y *por mis* buenos respetos [...], le hice mirar al fin de las comedias por la honra de las infantas, porque las llevaba de voleo y era compasión. No me pagarán esto sus padres de ellas en su vida. Fuile a la mano en los dotes de los casamientos para acabar la maraña en la tercera jornada, porque no hubiera rentas en el mundo. Y en una comedia, porque no se casen todos, le pedí que el lacayo, queriéndole casar su señor con la criada, no quisiese casarse ni hubiese remedio, siquiera porque saliere un lacayo soltero. Donde mayores

[89] *Doña Fáfula... infinitas*: La lección de *Desvelos* se presenta muy alterada y es difícil apreciar hasta qué punto intervino la mano de Van der Hammen: "y comenzó a informar de sí doña Fáfula; dijo: Nosotras somos los desdichadas señoras que los vivos traéis en las conversaciones disfamadas. Por mí no se me da nada (aunque soy mujer principal). Pero quiero sepáis como estuve casada con un poeta de comedias, y que escribió infinitas".

Las quince palabras que siguen (*y... andrajos*) parecen adulteradas en todas las impresiones:

"Bien es verdad que un día el papel me dijo se hallaba tanto mejor en andrajos..." (*Desvelos*).

"Bien es verdad que un día en el papel me dijo se hallaba tanto mejor en andrajos..." (*Sueños*, Barcelona, 1628).

"y que me dijo un día: El papel, señora, tanto mejor me hallara en andrajos..." (*Juguetes*).

Estimamos que la versión original debe de aproximarse al texto que ofrecemos, al que presenta *Desvelos* y al de *Juguetes*, prescindiendo de la puntuación.

[90] Correas, *Vocabulario*, p. 653: "Tuvieron gran pelotera. Por gran grita y voces altercando".

voces tuvimos, que casi me quise descasar, fue sobre los autos del Corpus. Decíale yo:

—Hombre del diablo, ¿es posible que siempre en los autos del Corpus ha de entrar el diablo con grande brío, hablando a voces, gritos y patadas, y con un brío que parece que todo el teatro es suyo y poco para hacer su papel, como quien dice: "¡Huela la casa al diablo!"[91] Y Cristo muy *encogido,* que parece que apenas echa la habla por la boca? Por vida vuestra que hagáis un auto donde el diablo no diga esta boca es mía, y pues tiene por qué callar, no hable; y que hable Cristo, pues puede y tiene razón, y enójese en un auto. Que, aunque es la misma paciencia, tal vez se indignó y tomó el azote y trastornó mesas y tiendas y cátedras y hizo ruido.

Hícele que, pues podía decir Padre eterno, no dijese Padre eternal; ni Satán, sino Satanás; que aquellas palabras eran buenas cuando el diablo entra diciendo bú, bú, bú y se sale como cohete. Desagravié los entremeses, que a todos les daban de palos, y con todos sus palos *decían* los entremeses, cuando se dolían de ellos:

—Duélanse [...] de las comedias, que acaban en casamientos y son peores, porque son palos y mujer.

Las comedias, que oyeron esto, por vengarse, pegaron los casamientos a los entremeses, y ellos, por escaparse y ser solteros, algunos se acaban en barbería, guitarricas y cantico.

—¿Tan malas son las mujeres —dijo Mari-Zápalos—, señora doña Fáfula?

Doña Fáfula, enfadada y con mucho toldo, dijo:

—¡Miren con qué nos viene ahora Mari-Zápalos!

Si vengo, no vengo, se quisieron arañar, y *así se asieron,* porque Mari-Rabadilla, que estaba allí, no pudo llegar a meterlas en paz, que sus hijos, por comer cada uno en su escudilla[92] se estaban dando de puñadas.

91 *Ibid.*, p. 227: "Güela la casa a hombre, y él iba rodando la escalera"; la parodia es evidente.
92 Véanse los refranes de la pasada nota 88.

—Mirad —decía doña Fáfula— que digáis en el mundo quién soy.

Decía Mari-Zápalos:

—Mirá que digáis cómo la he puesto.

Mari-Rabadilla dijo:

—Decidles a los vivos que si mis hijos comen cada uno en su escudilla, ¿qué mal les hacen a ellos? ¡Cuánto peores son ellos, que comen en la escudilla de los otros, como don Diego de Noche y otros cofrades de su talle!

Apartéme de allí, que me *hendían* la cabeza, y vi venir un ruido de *piullidos* y chillidos grandísimos y una mujer corriendo como una loca, diciendo:

—Pío, pío.

Yo entendí que era la reina Dido, que andaba tras el pío Eneas por el perro muerto a la zacapela, cuando oigo decir:

—Allá va Marta con sus pollos. [93]

—Válate el diablo, ¿y *acá estás*? ¿Para quién crías esos pollos? —dije yo.

—Yo me lo sé —dijo ella—. Críolos para comérmelos, pues siempre decís: "Muera Marta y muera harta". Y decidles a los del mundo que ¿quién canta bien después de hambriento? y que no digan necedades, que es cosa sabida que no hay tono como el del ahíto. [94] Decidles que me dejen con mis pollos a mí y que repartan esos refranes entre otras Martas, que cantan después de hartas. Que harto embarazada estoy yo acá con mis pollos, sin que ande sosegada en vuestro refrán.

¡Oh, qué voces y gritos se oían por toda aquella *sima*! Unos corrían a una parte y otros a otra, y todo

[93] Correas, *Vocabulario*, p. 126: "¿Con qué viene Marta, la que los pollos harta? A desdén; p. 278: "Los pollos de Marta, piden pan, danles agua"; p. 293: "Marta, la que los pollos harta. A desdén de la impertinente"; p. 295: "Más piadosa que Marta con sus pollos"; p. 326: "Muera Marta, y muera harta".

[94] Parodia de "No hay tono como el de pito", Correas, *Vocabulario*, p. 354.

se turbó en un instante. Yo no sabía dónde me esconder. Oíanse grandísimas voces que decían:

—Yo no te quiero, nadie te quiere.

Y todos decían esto. Cuando yo oí aquellos gritos, dije:

—Sin duda, éste es algún pobre, pues no le quiere nadie: las señas de pobre son, por lo menos.

Todos me decían:

—Hacia ti, mira que va a ti.

Y yo no sabía qué me hacer, y andaba como un loco mirando dónde huir, cuando me asió una cosa, que apenas divisaba lo que era, como sombra. Atemoricéme, púsoseme en pie el cabello, sacudióme el temor los huesos.

—¿Quién eres, o qué eres o qué quieres —le dije—, que no te veo y te siento?

—Yo soy —dijo— el alma de Garibay, que ando buscando quién me quiera, y todos huyen de mí, y tenéis la culpa vosotros los vivos, que habéis introducido decir que el alma de Garibay no la quiso Dios ni el diablo. [95] Y en esto decís una mentira y una herejía. La herejía es decir que no la quiso Dios: que Dios todas las almas quiere y por todas murió. Ellas son las que no quieren a Dios. Así que Dios quiso el alma de Garibay como las demás. La mentira consiste en decir que no la quiso el diablo. ¿Hay alma que no la quiera el diablo? No por cierto. Que, pues él no hace asco de las de los pasteleros, roperos, sastres ni sombrereros, no lo hará de mí. Cuando yo viví en el mundo, me quiso una mujer calva y chica, gorda y fea, melindrosa y sucia, con otra docena de faltas. Si esto no es querer el diablo, no sé qué es diablo, pues veo, según esto, que me quiso por poderes, y esta mujer, en virtud de ellos, me endiabló, y ahora *ando* en pena por todos estos sótanos y sepulcros. Y he tomado por arbitrio volverme

95 *Ibid.*, p. 118: "Como el alma de Garibay, que ni la quiso Dios ni el diablo. Cuando algo se da por perdido se dice: Tan perdido como el alma de Garibay".

al mundo y andar entre los desalmados corchetes y mohatreros, que, por tener alma, todos me reciben. Y así, todos estos y los demás oficios de este jaez tienen el ánima de Garibay. Y decidles que muchos de ellos, que allá dicen que el alma de Garibay no la quiso Dios ni el diablo, la quieren ellos por alma y la tienen por alma, y que dejen a Garibay y miren por sí.

En esto se desapareció con otro tanto ruido. Iba tras ella gran chusma de traperos, mesoneros, *venteros,* pintores, chicharreros y joyeros, diciéndola:

—Aguarda, mi alma.

No vi cosa tan requebrada. Y espantóme que nadie la quería al entrar y casi todos la requebraban al salir.

Yo quedé confuso cuando se llegaron a mí Perico de los Palotes y Pateta, Juan de las calzas blancas, Pedro por demás, el Bobo de Coria, Pedro de *Urdemalas,* [96] así me dijeron que se llamaban, y dijeron:

—No queremos tratar del agravio que se nos hace a nosotros en los cuentos y en conversaciones, que no se ha de hacer todo en un día.

Yo les dije que hacían bien, porque estaba tal con la variedad de cosas que había visto, que no me acordaba de nada.

[96] *Ibid.*, p. 629: "Perico de los palotes. Apodo de bobo y necio".

Ibid., p. 628: "Pateta. Nombre enfático. —¿Quién hizo esto? —Pateta".

Ibid., p. 598: "Juan de las calzas blancas. Dícenlo por un difunto que salía de la sepultura".

Ibid., p. 120: "Como Pedro por demás", que comenta en p. 546, "Por desocupado"; p. 628: "Pedro por demás. Sin hacer nada".

Ibid., p. 173: "El bobo de Coria, que empreñó a su madre y a sus hermanas, y preguntaba si era pecado"; p. 565: "El bobo de Coria. Llaman así a uno por ser tal o por bellaco".

Ibid., p. 155: "Dice Pedro de Urdemalas que quien no tiene ovejas no tiene bragas"; p. 388: "Pedro de Urdimalas. Así llaman a un trotero; de Pedro de Urdimalas andan cuentos por el vulgo de que hizo muchas tretas y burlas a sus amos y a otros"; poco más adelante: "Pedro Urdimalas, o todo el monte o nonada"; p. 583: "Es un Pedro de Urdemalas. El que es tretero, taimado y bellaco"; p. 628: "Pedro de Urdemalas. Es tenido por un mozo que sirviendo hizo muchas burlas a los que sirvió".

—Sólo queremos —dijo Pateta— que veas el retablo que tenemos de los muertos a puro refrán.

Alcé los ojos y estaban a un lado el santo Macarro,[97] jugando al abejón, y a su lado la de santo Leprisco.[98] Luego, en medio, estaba san Ciruelo[99] y muchas mandas y promesas de señores y príncipes aguardando su día, porque entonces las harían buenas, que sería el día de san Ciruelo. Por encima de él estaba el santo de Pajares[100] y fray Jarro, hecho una bota, por sacristán junto a san Porro,[101] que se quejaba de los carreteros. Dijo fray Jarro, con una vendimia por ojos, escupiendo racimos y oliendo a lagares, hechas las manos dos *piezgos* y la nariz espita, la habla remostada con un *tonillo de lo caro*:

—Estos son santos que ha canonizado la picardía con poco temor de Dios.

Yo me quería ir y oigo que decía el santo de Pajares:

—Ah, compañero, decidles a los del siglo que muchos picarones, que allá tenéis por santos, tienen acá guardados los pajares; y lo demás que tenemos que decir se dirá otro día.[102]

97 *Ibid.*, p. 445: "El Santo Macarro jugando al abejón".

98 *Ibid.*, p. 257: "La de Santo Leprisco. Dicho de donaire, como San Ciruelo, San Pito".

99 *Ibid.*, p. 382: "Para el día de San Ciruelo, que es un día después de la fin"; p. 642: "San Ciruelo. Por santo no determinado ni cierto; y así, diciendo para tal día, es para nunca jamás".

100 *Ibid.*, p. 313: "El milagro del Santo de Pajares, que ardía él y no las pajas"; p. 567: "El Santo de Pajares. Dicho a desdén".

101 *Ibid.*, p. 584: "Fray Jarro; fraile cucarro. Apodo a niños frailitos".

102 La versión que se publicó en *Desvelos* pone aquí el anterior episodio con don Diego de Noche, reuniendo toda la acción de este personaje. Nos inclinamos a suponer que sea un arreglo de Van der Hammen, porque al revisar Quevedo este discurso para la edición de *Juguetes,* mantuvo el orden que tenía la edición príncipe, y no cabe achacarlo a indiferencia o descuido, porque se preocupó, al cabo de unos renglones, de añadir un fragmento que se había omitido en la primera impresión; véase la nota inmediata siguiente.

Volví las espaldas y topé cosido conmigo *a* don Diego de Noche, rascándose en una esquina; conocíle y díjele:

—¿Es posible que aún hay que comer en vuesamerced, señor don Diego?

Y díjome:

—Por mis pecados soy refitorio y bodegón de piojos. Querría suplicaros, pues os vais y allá habrá muchos y acá no se hallan, por el bien parecer, que ando *sin* él desabrigado, que me enviéis algún mondadientes. Que, como yo le traiga en la boca, todo me sobra, que soy amigo de traer las quijadas hechas jugador de manos, y, al fin, se masca y se chupa y hay algo entre los dientes, y, poco a poco, se roe. Y si es de lentisco, es bueno para las opilaciones.

Dióme grande risa y apartéme de él huyendo por no le ver aserrar con las costillas un paredón a puros *concomos.* [103]

Con esto se desapareció aquel caballero ilusión. [104] *Dando gritos y alaridos venía un muerto y* [105] *diciendo:*

—A mí me toca. Yo lo sabré. Ello dirá. Entenderémonos. ¿Qué es esto? —y otras razones tales.

Yo, confuso con la barahunda del razonado, pregunté quién era aquel [106] *tan entremetido en todas las cosas; y respondióme otro difunto, que me hallé a mi lado sin pensar:* [107]

—Este es Vargas, que, como dicen "Averígüelo Vargas", [108] *viene averiguándolo todo.*

103 Todo lo que sigue (*Con esto... traté de dejarlos*), hasta iniciarse el episodio con Diego Moreno, falta en la edición príncipe. Las dos versiones impresas más antiguas de tan largo pasaje se hallan en *Desvelos* y en *Juguetes*, difiriendo entre sí a menudo. La lección del primer título tiene la desventaja de los retoques introducidos por Van der Hammen; la del segundo se debe al propio Quevedo, pero está castigada por la censura. Brindamos el texto menos conocido (*Desvelos*) y anotamos excepcionalmente a pie de página las variantes de *Juguetes*.

104 *Con... ilusión* = om.

105 *y* = om.

106 *Yo... aquel* = ¿Quién es este

107 *otro difunto... pensar* = un difunto

108 Correas, *Vocabulario*, p. 74: "Averígüelo Vargas. Dicen que [*fue*] un mayordomo de un obispo de Segovia, muy solí-

Topóse[109] *en el camino a Villadiego.*[110] *El pobre estaba afligidísimo, hablando entre sí, y llamóle,*[111] *díjole:*

—Señor Vargas, pues v.m. lo averigua todo, hágame merced de averiguar quiénes[112] *fueron las de Villadiego, que todos las toman; porque yo soy Villadiego, y en tantos años como viví y ha que estoy aquí,*[113] *no lo he podido saber ni las echo de*[114] *menos, y querría salir de este encanto.*

Vargas le respondió:[115]

—Tiempo hay para eso, y en casa nos quedamos; dejadme ahora, por vuestra vida, que[116] *ando averiguando cuál fue primero: la mentira o el sastre. Porque si la mentira fue primero, ¿quién la pudo decir, si no había sastres?; y si fueron*[117] *primero los sastres, ¿cómo pudo haber sastres sin mentira? Que, en averiguándolo,*[118] *volveré al punto.*[119]

Con[120] *esto se desapareció. Venía tras él Miguel de Bergas diciendo:*

—Yo soy el Miguel de las negaciones sin qué ni para qué, y siempre ando con un 'no' a las ancas (eso[121]

---

cito, y por eso malquisto de los culpados, y los con quien tenía negocios,... a quien el obispo remitía todas las cosas diciendo: "Averígüelo Vargas". Otros dicen que fue Vargas, el secretario de Felipe II; y por ser tan moderno no lo apruebo; antes juzgo que éstos son dichos vulgares a plácito, sin historia".

109 *Topóse* = Topó

110 Correas, *Vocabulario*, p. 484: "Tomar las de Villadiego... Para decir que alguno huyó de algún trance y aprieto; no se sabe cuándo de su principio..."; p. 485: "Tomó calzas de Villadiego. Por huir, acogerse"; p. 652: "Tomar las de Villadiego. Por huir".

111 *y llamóle* = llamóle y

112 *quiénes* = quién

113 *como... aquí* = om.

114 *de* = om.

115 *respondió* = dijo

116 *para... que* = que ahora

117 *fueron* = fueran

118 *Que... averiguándolo* = En averiguando esto

119 *al punto* = om.

120 *Con* = Y con

121 *eso* = ese

no, Miguel de Bergas),[122] *y nadie me concede nada, y no sé cierto*[123] *por qué ni qué he hecho yo.*

Más dijera, según estaba apasionado,[124] *si no llegara una pobre mujer, cargada de bodigos,*[125] *llena de males y plañendo.*

—¿Quién eres —la dije—, mujer desdichada? —Y respondióme:

—La manceba del abad, aquella[126] *que anda en los cuentos de niños partiendo el mal con el que le va a buscar; así dicen las empuñaduras de las consejas: "Y el mal para quien le fuere a buscar y para la manceba del abad". Yo no descaso a nadie, antes hago que se casen todos; yo me contento con pitanza de un manteo; si hago vinajeras, me sustentan; ándome tras responsos como ánima de purgatorio;*[127] *¿qué me quieren, pues,*[128] *que no hay mal que no sea para mí?*

Con esto se fue[129] *y quedó a su lado un hombre triste, entre calavera y hermitaño, ceñudo y solo.*[130]

122 Correas, *Vocabulario,* p. 210: "Eso no, Miguel de Vergas; que tenéis muchos pecados. Este refrán nació de Salamanca, adonde hubo un ciudadano rico y que casó dos hijas con dos doctores y hizo racionero un hijo, que después fue canónigo y tuvo otras dignidades. Y en la torre de la Trinidad, parroquia del arrabal, están dos pinturas de bulto relevadas en la pared por la parte de afuera: la una de Dios Padre, y la otra de un hombre arrodillado delante; y por los efectos ya vistos y por la postura de las figuras, fingió el vulgo que Miguel de Vergas hace esta oración: "—Señor, case yo mis hijas con doctores y a mi hijo véale canónigo de la Iglesia mayor, y después de mis días llévame con vos a la gloria". A esto dicen: "—Eso no, Miguel de Vergas". Y parece que lo dice el ademán de la pintura, dando a entender que no puede haber dos glorias, acá y allá. Fue Miguel de Vergas virtuoso y pío, y hizo la dicha torre, y reparó la iglesia, y fundó en ella una capilla para su entierro, y lucióse su virtud en su descendencia".

123 *cierto* = om.

124 *estaba apasionado* = mostraba pasión

125 *bodigos* = bodigos y

126 *Y... aquella* = La Manceba del Abad, respondió ella Véase Correas, *Vocabulario,* p. 204: "Érase que se era, el bien para todos sea y el mal para la manceba del abad".

127 *yo me... purgatorio* = om.

128 *pues* = om.

129 *Con... fue* = Fuese

130 *hermitaño... solo* = mala nueva

—¿Quién eres —le dije—, tan aciago que aun para martes sobras? [131]

—Yo soy —dijo— Matalascallando; [132] *y nadie sabe por qué me llaman así; y es bellaquería, que quien mata, es a puro hablar y su nombre había de ser* [133] *Matalashablando. Que las mujeres no quieren en un hombre sino que otorgue, supuesto que ellas piden siempre; y si quien calla, otorga, yo me he de llamar Resucitalascallando; y no que andan por ahí unos mozuelos con unas lenguas de portante, matando a cuantos los oyen, y así hay infinitos oídos con mataduras.*

—Verdad es [134] *—dijo Lanzarote—.* [135] *Y aun* [136] *a mí me tienen esos consumido a puro lanzarotar, con si vine o no vine* [137] *de Bretaña; y son tan grandes habladores, que viendo que mi romance dice:*

> *doncellas curaban dél*
> *y dueñas de su rocino,*

han dicho que de aquí se saca que en mi tiempo las dueñas eran mozos de caballos, pues curaban del rocino. ¡Bueno estuviera el rocín en poder de dueñas! ¡El diablo se lo daba! Es verdad (y yo no lo puedo negar) que las dueñas, por ser mozas, [138] *aunque fuese de caballos, se entremetieron en eso (como en otras cosas); mas yo hice lo que me convenía.*

—Crean al señor Lanzarote —dijo un pobre mozo, sencillo, humilde y caribobo—, que yo lo certifico.

131 Correas, *Vocabulario*, p. 607: "Martes. Tiene el vulgo por aciago este día, y es opinión errada".

132 *Ibid.*, p. 305: "Mátalas callando y tómalas a tiento, y pálpalas a tiento, o a ciegas. Dícese del que con sosiego y secreto hace las cosas cautamente". Sin apenas diferencias lo repite en pp. 576 y 583.

133 *su nombre... ser* = esos son

134 *Verdad es* = Así es verdad

135 No vemos citado en el *Vocabulario* de Correas a este personaje, sin embargo de que los dos primeros versos de su romance se han venido repitiendo como lugar común hasta nuestros días: "Nunca fuera caballero / de damas tan bien servido...".

136 *Y aun* = que

137 *vine... vine* = viene o no viene

138 mozas = *mozos*

—¿Quién eres tú —pregunté yo—,[139] *que entre los podridos pretendes crédito? —Y respondió:*[140]

—Yo soy el pobre Juan de Buen Alma;[141] *que ni me ha aprovechado tener* buen *alma ni nada para que me dejen ser muerto. ¡Extraña cosa que sirva yo en el mundo de apodo a lo peor que en él hay!*[142] *"Es un Juan de buen alma", dicen al marido que sufre, al*[143] *galán que engañan, al*[144] *hombre que estafan, al*[145] *señor que roban y a la mujer que embelecan. Y*[146] *yo estoy aquí sin meterme con nadie.*

—Eso es nonada —dijo Juan Ramos—,[147] *que voto a N*[148] *que los diablos me hicieron tener una gata. Más me valiera comerme de ratones, porque*[149] *no me dejan descansar: "Daca la gata de Juan Ramos", "Toma la gata de Juan Ramos". Y lo peor de todo es que*[150] *ahora no hay doncellita, ni contadorcito (que ayer no tenía que contar sino duelos y quebrantos), ni secretario, ni ministro, ni hipócrita, ni pretendiente, ni juez, ni pleiteante, ni viuda, que no se haga la gata de Juan Ramos; y todo soy gatas, que parezco a febrero, y quisiera ser antes el sastre del Campillo que Juan Ramos.*

Tan presto saltó el sastre del Campillo[151] *y dijo que quién le*[152] *metía a Juan Ramos con el sastre. Sobre si yo me quiero meter, o no se ha de meter; o si dijeran el gato en adelante y no la gata; si mejoraba de sexo o*

139 *pregunté yo* = om.
140 *entre... respondió* = pretendes crédito entre los podridos
141 Correas, *Vocabulario*, p. 253: "Juan de buena alma. A uno, que es bonazo y flojo"; en la p. 583 agrega otro adjetivo: "descuidado".
142 *a lo... hay* = om.
143, 144 y 145 *al* = y al
146 *Y* = om.
147 Correas, *Vocabulario*, p. 258: "La gata de Juan Ramos cierra los ojos y abre las manos".
148 *N.* = Cristo
149 *porque* = que
150 *lo peor... que* = om.
151 Correas, *Vocabulario*, p. 446: "El sastre de Peralvillo, que hacía la costura de balde y ponía el hilo".
152 *le* = om.

no mejoraba; comenzaron a dar grandes voces.[153] *El sastre desconfió de las tijeras y fió de las uñas, con razón, y empezóse una brega del diablo. Viendo tal escarapela, traté de dejarlos.*[154]

Íbame poco a poco y buscando quien me guiase, cuando, sin hablar palabra ni chistar, como dicen los niños, un muerto de buena disposición, bien vestido y de buena cara, cerró[155] conmigo. Yo temí que era loco y cerré con él. Metiéronnos en paz. Decía el muerto:

—Déjenme a ese bellaco, deshonrabuenos.[156] Voto al cielo de la cama,[157] que le he de hacer que se quede acá.

Yo estaba colérico y díjele:

—Llega y te tornaré a matar, infame, que no puedes ser hombre de bien: llega, cabrón.

¡Quién tal dijo! No le hube llamado la mala palabra, cuando otra vez se quiso abalanzar a mí y yo a él. Llegáronse otros muertos y dijeron:

—¿Qué habéis hecho? ¿Sabéis con quién habláis? ¿A Diego Moreno llamáis cabrón? ¿No hallastes sabandijas de mejor frente?

—¿Que éste es Diego Moreno? —dije yo.

Enojéme más y alcé la voz, diciendo:

—Infame, pues ¿tú hablas? ¿Tú dices a los otros deshonrabuenos? La muerte no tiene honra, pues consiente que éste ande aquí. ¿Qué *te* he hecho yo?

—Entremés[158]. —dijo tan presto Diego Moreno—. ¿Yo soy cabrón y *otras* bellaquerías que compusiste a él semejantes? ¿No hay otros Morenos de quien echar mano? ¿No sabías que todos los Morenos, aunque se

153 *Sobre si... voces* = Y él dijo pues no mejoraba de apellido aunque mudaba de sexo, pues dijeran el gato de Juan Ramos y no la gata. Si dijeran, no dijeran

154 *traté de dejarlos* = om.

155 Acepción 29.ª de *cerrar* en el diccionario académico.

156 Correas, *Vocabulario*, p. 540: "Bellacos, deshonrabuenos".

157 *Ibid.*, p. 659: "Voto al cielo de la cama. Jura de poca pasión".

158 Véase Eugenio Asensio, *Hallazgo de Diego Moreno*, e *Itinerario del entremés*, pp. 204-215 y 259-285, en las que estudia los dos entremeses y publica el texto inédito de ambos.

llamen Juanes, en casándose se vuelven Diegos y que el color de los más maridos es *moreno*? ¿Qué he hecho yo que no hayan hecho otros *muchos más*? ¿Acabóse en mí el cuerno? ¿Levantéme yo a mayores con la cornamenta? ¿Encareciéronse por mi muerte los cabos de cuchillos y los tinteros? Pues ¿qué *te* ha movido a traerme por tablados? Yo fui marido de tomo y lomo,[159] porque tomaba y engordaba: sietedurmientes[160] era con los ricos y grulla con los pobres. Poco malicioso, lo que podía echar a la bolsa no lo echaba a mala parte. Mi mujer era una picaronaza y ella me disfamaba, porque dio en decir:

—Dios me le guarde al mi Diego Moreno, que nunca me dijo malo ni bueno.

Y miente la bellaca, que yo dije malo y bueno doscientas veces. Y si está el remedio en eso, a los cabronazos que hay ahora en el mundo decidles que se anden diciendo malo y bueno a sus mujeres, a ver si les desmocharán las testas y si podrán restañar el flujo del hueso. Lo otro: yo, dicen que no dije malo ni bueno, y es tan al revés, que en viendo entrar en mi casa poetas, decía ¡malo!; y en viendo salir genoveses, decía ¡bueno! Si veía con mi mujer galancetes, decía ¡malo!; si veía mercaderes, decía ¡bueno! Si topaba en mi escalera valientes, decía ¡remalo!; si encontraba obligados y tratantes, decía ¡*rebueno*![161] Pues ¿qué más bueno y malo había de decir? En mi tiempo hacía tanto ruido un marido postizo, que se vendía el mundo por uno y no se hallaba. Ahora se casan por suficiencia y se ponen a maridos como a sastres y escribientes. Y hay platicantes de cornudo y aprendices de maridería. Y anda el negocio de suerte, que, si volviera al mundo, con ser el propio Diego Moreno, a ser cornudo, me pusiera

159 Correas, *Vocabulario*, p. 560; "De tomo y lomo. Por cosa fornida".

160 Véase nuestra nota 2.

161 "Bien, rebien; bueno y rebueno", Correas, *Vocabulario*, p. 151.

a platicante y aprendiz delante del acatamiento de los que peinan medellín[162] y barban de cabrío.

—¿Para qué son esas humildades —dije yo— si fuiste el primer hombre que endureció de cabeza los matrimonios, el primero que crió *debajo del* sombrero vidrieras de linternas, el primero que injirió los casamientos sin montera? Al mundo voy sólo a escribir de día y de noche entremeses de tu vida.

—No irás esta vez —dijo.

Y asímonos a bocados, y a la grita y ruido que traíamos, después de un vuelco que dí en la cama, diciendo: "¡Válgate el diablo! ¿Ahora te enojas, propia condición de cornudos enojarse después de muertos?..."

Con esto me hallé en mi aposento tan cansado y tan colérico como si la pendencia hubiera sido verdad y la peregrinación no hubiera sido sueño. Con todo eso, me pareció no despreciar del todo esta visión y darle algún crédito, pareciéndome que los muertos pocas veces se burlan y que, gente sin pretensión y desengañada, más atiende a enseñar que a entretener.

Fin del *Sueño de la Muerte.*

162 "La fruta de Medellín. Los cuernos. Hay infinitas alusiones a esto en la literatura española, sin que acertemos con la explicación." Antonio Rodríguez-Moñino, *Diccionario geográfico popular de Extremadura,* Madrid, 1965, p. 274.

REGISTRO DE VARIANTES

Como ya hemos dicho, el texto de los *Sueños* que antecede es el de la primera edición (Barcelona, 1627), aunque la tarea depuradora nos ha obligado en ocasiones a modificar aquella lección. A continuación ofrecemos un registro general de todas las variantes introducidas, a excepción de las sintácticas; figuran en letra cursiva, como en el libro, y van seguidas de la lectura original (en letra redonda) y de la fuente de nuestra corrección. Cuando esta última no se indica, la rectificación nos incumbe por entero. Las obras y siglas utilizadas son estas:

Desvelos (Zaragoza, 1627) ... ... *D.*
Sueños (Barcelona, 1628) ... ... *S.*
Juguetes (Madrid, 1631) ... ... *J.*
Obras, ed. Fernández-Guerra ... ... *F-G* (aunque algunas de las enmiendas que allí se observan, proceden de la edición de Sancha, Madrid, 1791).
Sueños, ed. Cejador ... ... *C.*
Las Zahúrdas de Plutón, ed. Amédée Mas. *M.*

Preliminares y Juicio final

éstos) aquestos, 62.
[...]) Y, *S.*
su dueño) del sueño, *S.*
a) om., 65.
es parcial) esparciar, *S.*, 67.
con) en, 68.
y) om., *D.*, 73.
no...porque) om., *J.*
cuesta) cueva, *D.*, 74
de) om., *J.*
y) om., *D.*, 75
ejemplo) om., *J.*, 76
estaban...la) de allá, *J.*
y con) de, *D.*, 77.

haciendo) a, *D.*, 78.
hojas) ojo, *J.*, 79.
Sicelides) Celides, 80.
levantarás) levantarán, *J.*, 81.
importaban) importaba, *D.*, 82.
les) om.
a) om.
medicinas) om., *D.*
quedó) cuando, *D.*, 83.
niños) om., *D.*
en) om.
azotaba) se acostaba con, *D.*, 84.
había) habían.
ella...disfamada) ellas, *D.*
consigo) om., *D.*, 86.
comiéndose las) conociendo sólo, *D.*
[...]) solo, *D.*
los) om., *D.*
penando) pensando, *D.*

El alguacil endemoniado

a) om., 88.
del pollo) om., *J.*, 89.
[...]) y, 90.
lanzador) cazador, *J.*
con) en, 91.
acertar, me) acertarme, *F-G.*
llamar) llamarme, *F-G.*
alguaciles) diablos, *F-G.*, 92.
si) om., *S.*
merinos) misinos, *F-G.*
reñimos) venimos, *F-G.*
se) le, *F-G.*, 93.
Radamanto) Rodamonte.
alabar) om., *J.*
Yo) ya, *S.*, 94.
que) om., *S.*
amantes de monjas) que han querido doncellas, enamorados de doncellas, *F-G.*, 95.
condenados por tocas) destos, unos se condenan por tocar, *F-G.*
metiendo...vísperas) siempre en vísperas, *F-G.*
[...]) sólo, *F-G.*
de...condenado) otros se condenan, *F-G.*
adúlteros) aduladores, *F-G.*
ha) acá, *S.*, 96.
desterrando...suyos) destruyendo, *F-G.*, 97.
ponzoña) grandeza, *F-G.*
[...]) de vicios de sus vasallos y suyos, *F-G.*
amazonas) almacenes, *F-G.*
traseros) otra cosa que me corro de nombrarla, *F-G.*, 98.
bujarrón) deshonesto, *F-G.*, 99.
estanco) estanque, *J.*
su nombre) sus nombres, *F-G.*, 100.
ase) hace, *J.*
y) y y, 101.
[...]) la, *J.*
el) del, *J.*
como) om., *F-G.*
conocerlos... aborrecerlos) cometerlos, *F-G.*
de hacerlos) que admitirlos, *F-G.*
[...]) que, *F-G.*
se usan) están, *J.*

Sueño del Infierno

hallé) hallo, *M.*, 106.
noté) noten, *D.*, 107.
Uno) Unos, *D.*
en él) om., *M.*
lo) el, *D.*, 108.
él) al, *S.*, 109.
en) a, *D.*
a) de, *J.*, 110.
del) de.
gobierna) gobiernan, *J.*

contando) cantando, *J.*, 111.
Camaradas) Camarada.
hacían fe) hacíanse.
los) lo, *D.*, 114.
empezó) om., *D.*, 115.
burlones) burlosos, *D.*
porque) por lo que, 116.
encubrísteis) encubristes.
facilitasteis) facilitastes.
mentisteis) mentistes.
y) om., 117.
aunque...virgo) om., *M.*
lodos) robos.
lleguéme) llegóme, *D.*, 118.
cáfila) casilla.
los) dos, *D.*, 119.
ladrar) lidiar, *F-G.*, 120.
atormentadores) atormentados, *S.*, 121.
en) om., *D.*, 122.
estos) Esteban, *M.*
[...]) y, *F-G.*, 123.
descienda) deciendo, *J.*
a sí) assí, *D.*
de...desciende) om., *M.*
gustos) gastos, *D.*, 124.
le) se.
cuanto) cuantos, *D.*, 125.
sedicioso) codicioso, *J.*
[...]) son, *M.*
dueñas) dueños, *D.*, 126.
ton) tono, *D.*
comen) come, *F-G.*
Este) Esta, *S.*
médico) miedo, *F-G.*, 127.
oiga) oigo.
que) om.
le) se.
importancia) importancias, *J.*
de) que, *F-G.*
a...Dios) om., *M.*, 128.
y) om., *F-G.*
pasando) pasado, *D.*
putos) sodomitas, *M.*, 129.
de...tonsura) om., *M.*
putos) sodomitas, *M.*
por) pro, *D.*
Géber) Hebrer, *J.*, 130.
boticarios) boticario, *F-G.*, 131.
[...]) Pero, *D.*
con) en, *M.*, 132.
con) en, *M.*
con) en, *M.*
la mujer) las mujeres, 133.
la cáscara) la carne, *M.*
hacerse) om., *M.*
Válgame) Váleme, *D.*
quien) que, *S.*
penas) pena, *D.*
¡Qué...Dios!) om., *M.*
alzó) salió, 134.
atenaceando) atanaceando, *D.*
de su) sin, *M. Morreale*, 135.
los...pintan) om., *M.*
escarban) descarnaban, *M.*, 136.
hijos suyos) sus hijos, *M.*
[...]) que, *D.*
trujese) truje, 137.
la) lo, *S.*
[...]) y, *M.*
confesores...muchos) om., *M.*
los...absoluciones) om., *M.*, 138.
que...putas) om., *M.*
[...]) si, *M.*
destruidos) descuidados, *M.*, 139.
es) om., *D.*, 140.
descansaros) de cansaros, *M.*, 141.
verlos cargados) verlas cargadas.
dejélos) díjelos, *D.*, 142.
vio) ve.
cercados...ofrendas) cerrados de ofensas, *M.*
vuestra) una, *M.*
todo? ¿Qué) toque.
lámparas) campanas, *D.*
ingratas) ingratos, *M.*, 143.
las) la, *J.*, 144.
embelecaron) embelesaron, *D.*
les) los, *J.*
la) lo, 145.
tenían) tienen.
los) lo, *D.*
ahuyentando...sutil) oyera por hodola, *D.*, 146.
sigilo) siclo, *M.*
daban) daba, *D.*
proposición) proporción, *F-G.*
del) el, *F-G.*
y tornarlo) om., *J.*
fuera) fui, *D.*, 147.
a) om.
geomántico) geométrico, *M.*
que él) cual, 148.
de Abano) Albano, *F-G.*
Steganographía) estenografía, *F-G.*
Trithemio) Tritenio, *D.*

Cardano) Cardeno, *D.*
se) le, *J.*
penaba) pensaba, *M.*
rayas) reíase, *M.*, 149.
de los) om., 150.
Eylardo Lubino) Cicardo Eubino.
humanos) en manos.
solas) soles, *D.*
[...]) ¡Oh, *D.*
los demás) las damas.
al alma) a la vista, *M.*
resuelta) resulta, *D.*
Dositheo) Dorileo, *S.*, 151.
en) con.
sólo) solos, 152.
[...]) no.
esa) ese.
cree) fíe, *D.*
aspado el) Aspad, *D.*
heliognósticos) heliogaristas, *F-G.*
musoritas) muscoritos, *D.*
Renfán) Tenfán, *F-G.*
puteoritas) pateoritas, *F-G.*
veraniscos) veraniesos, *D.*
lloraban...Thamuz) lloraba Shamar, *F-G.*
bahalitas) dathalitas, *F-G.*
llegando y) y llegando, 153.
Saturnino) Saturno, *F-G.*
Carpócrates) Carpoerates, *D.*
Cerintho) cherinto, *F-G.*
Ebión) Elión, *F-G.*
Priscilla) Prisca, *F-G.*
Amberes) Anvers.
pagando) pasando, *M.*, 154.
todo) todos, *M.*
borracheras) borrachos, *M.*
bujarronerías) deshonestidades tan feas, *M.*
lloré) lore, *D.*, 155.
[...]) a.
[...]) como a.
deidad) verdad, *M.*
presupone) presuponen, *M.*
el) en, *M.*, 156.
trae...sacarle) traen, *M.*
le) les, *M.*
sin mí) om., *M.*
que) om.
debíamos) debemos.
[...]) el miserable Lutero. Estaba, *M.*
Helio...Hesso) Heliovano, este.
del maldito) de, *M.*
diablas) diablos, *J.*
Viriato) Virdato, 157.
[...]) que son los estantes, *M.*, 158.
hocicadas) rociadas, *F-G.*
en) con.
tías tenderas) trastenderas.
y) om., *J.*
terceras) om., *M.*
Gertel) Gortel, *J.*
tabernero...partes) om., *M.*, 159.
camarín) camino, *M.*

El mundo por de dentro

[...]) a, 161.
de) a, 163.
Sea) Sean, *J.*
la) lo, *F-G.*, 164.
la) lo, *F-G.*
del) de, *S.*, 165.
e) om.
[...]) discretos, 166.
aciago) ciego, *J.*
préciase) depréciase, *J.*
al amancebamiento) el mancebamiento, *S.*
apariencias) experiencias, *C.*, 167.
teólogos) theolos, *S.*
de fuera) fuerza, *F-G.*, 169.
a ella) allá, *F-G.*, 170.
en) a, *F-G.*
[...]) y, 171.
calumnias) columnias, 172.
consta) con esta.
le) la, 173.
hecho) hecha.
imaginada) imeginada.
hacen) hace.
el) om., *F-G.*, 174.
tanto en) en tanto, *J.*
haberle) haber, *J.*, 175.
siguen) sigue, *F-G.*
[...]) la, *J.*

venganza) vergüenza, *J.*
suena) fuera, 176.
detuviera) tuviera, *S.*
ya tapada) y atapada, 178.
tarazón) tarrancón, *F-G.*
ocasionando) ocasionado, *F-G.*
[...]) y, *F-G.*
correspondido) correspondiendo, *J.*
teniéndolo) teniéndole.
tratándolo) tratándole.
tal vez) jalbegues, *ms. B. Menéndez Pelayo*, 180.
en) om.
sahumerio) sahumero, *J.*
Válgate) Válate, 181.

Sueño de la Muerte

Mirena) María, *D.*, 185.
vi) veo, *D.*
éste) esto, *J.*
pulir) pedir, *F-G.*
estudio) estilo, *C.*
quiera) querrá, *F-G.*, 186.
sigue) om.
muerte) munere, *S.*
acariciar) cariciar, *D.*
sentimiento) consentimiento, *D.*
escribo) escribió, *D.*, 187.
vida) om., *D.*
vivimos) vimos, *D.*
braco) brazo, *M.*, 188.
tableteado) tablado, *D.*, 189.
clísteres) clisteris, 190.
purgatorios) purgatorias, *S.*
Buphthalmus...scilla) Rupti, Talmus, Opoponach, Leon, Tipelatum, Tregoricarum, Postamegotum, Senipugino, Diacatolicon, Petros, Chinum, Scilia, *F-G.*
Elingatis) Eglematis, *F-G.*, 191.
catapotia) Catapocia, *F-G.*
clyster) Clistes, *F-G.*
glans o balanus) Gles o bolanos, *F-G.*
errhinae) errhina, *F-G.*
emplasto) emplastro.
maten) matan, *D.*, 192.
la) om., *D.*
hilván) railuan, *D.*, 193.
diluvios) de luvios, *D.*
Son lapas) solo paz, *F-G.*
preguntan) pregunta, *D.*, 194.
mueres) mueras, *D.*
Yo no) ya se, *D.*, 195.
y forma) sobre, *D.*
y) y y.
din) don, 196.
sima) cima, *D.*
echan) echen, *S.*, 197.
y alcanza) om., *S.*
mil) tres, *D.*, 198.
que) om., *D.*
crecido) creido, *D.*, 199.
corrompiesen) corrompiese, *D.*, 200.
En...revientan) om., *D.*
[...]) en, *D.*, 202.
y) om., *M.*
¿Enamoréme...tenía) ¿Llamé favor el pedirme lo que tenía? ¿Enamoréme con mi dinero, y el quitarme lo que tenía?, *D.*
buscar) busar, *D.*, 203.
a) ha de, *D.*
dijo) om., *D.*
a) om., *D.*, 204.
Solo...azules) om., *D.*
y...otra) om., *D.*
de...encinen) por, *D.*
conventos) con votos, *D.*
gobiernos) gobierno, *D.*
mayores y menores) om., *D.*
monte) muerte, *D.*
todo) todos.
acuerda) acuerde, *D.*
trapajo) trabajazo, *D.*
vestigio) vestigo.
rabia) rabie, *D.*
y que) om., *D*, 205.
maricón) mal tiempo, *D.*
El) Al, *D.*
Yo...cosa) No dijera más Mateo Pico, y vengo a eso sólo, *S*, 206.
sin) son, *D.*
vivos) viejos, *D.*
las) los, *D.*

quinientas) quinientos, *D*.
se rezumaba) resumaba, *D*.
de estas) desta, *D*.
zurció) coció, *D*.
veintiuno) veintidós, *D*, 207.
el...Villena) aquel famoso nigromántico de Europa, *D*.
babador) bebedor, *D*.
eras) eres, *D*.
entonces...Castilla) que mi nombre no fue del título que me da la ignorancia, aunque tuve muchos, sólo te digo que, *D*.
de los), om., *D*.
estabas...Madrid) estás enterrado en un convento de religiosos, *D*.
detúvome...primero) díjome: —Espera, dime primero, *D*.
echado) hecho, *D*, 208.
sana...cristianísimo) no admite, *D*, 209.
usagres) usajes, *D*.
venguen a) vendan, *D*.
los) estos, *D*.
es) om.
negra) nueva, *D*.
es) om., *D*.
no...honrado) om., *D*, 210.
El...marqués) om., *D*.
putos) deshonestos, *F-G*.
No...barrigas) om., *F-G*.
Si...yo) om., *D*.
de...son) om., *D*.
a) om., *D*.
mundo) marido, *D*, 211.
Así...marqués) om., *D*.
[...]) dijo el nigromántico, *D*.
marqués) nigromántico, *D*.
hala) hales, *D*.
especias) especico, *D*.
maguer) muger, *D*.
cuemo) cuerno, *D*.
conusco) conuseo,
Cujacios) Cuyaseos, *D*., 212.
con...pero) Y, *D*.
una...de) tres, *D*.
no) om.
se lo) solo, *F-G*.
remedando...abejón) reméndanle un anexión, *D*., 213.
y) om., *D*.
marqués) nigromántico, *S*.
marqués) nigromántico, *S*, 214.
la) les, *D*.
quedaron...marisco) son narices, *D*.
señores) hombres, *D*.
Yo...salir) Entendí yo, *D*.
[...]) a, *D*.
sus) los, *D*., 215.
de) om., *D*.
tiemblen) tiemble, *D*.
caigan) caiga, *D*.
y) om., *D*.
marqués) nigromántico, *D*.
le vi) leí, *D*.
dicho) hecho, *D*.
lo) le, *D*.
y...Arbalias) a unos y a otros, *D*, 216.
andan) andáis, *D*., 217
ya) om., *D*., 218.
que...ciña) y finge, *D*., 219.
[...]) que, *S*.
con...tenga) no tendrá, *S*.
la) lo, *D*., 220.
que) y, *D*.
[...] mas, *D*.
de) om., *D*.
Nació) Nací, *D*.
Habrá) Había, *D*.
la) lo, *D*., 221.
llenando) llevando, *D*., 222.
desmiento) desmiente, *D*.
asiéndome) haciéndome, *D*.
desaínado) desasnado, *J*.
Dejémonos...Calaínos) om., *D*.
salió) salía, *D*.
esmaltando) esmaltado, *D*., 223.
columpiándose) cumpliéndose, *D*., 224.
que) om., 225.
estrado) estado, D.
haber...que) om., *D*.
Esto...ver) Y, *D*.
mal) bien, *D*.
dueñas) velas, *D*.
años) om., *D*.
dos) los, *D*.
[...]) ruégote encarecidamente, *D*., 226.
hagáis) hagas, *D*.
soportal) esportal, *D*.
cofrades) confrades, *D*.
esto) om., *D*., 227.
de mí) om., *D*.
pistos) pitos, *D*.
del) de, *D*.

Y) om., *D.*
en que) que en, *J.*
geomancia) geomangia, *D.*
pavonaba) panonaba, *D.*
espadas) espada, *D.*
despegando) desplegando, *D.*
[...]) y, *D.*
Si) Que, *D.*, 228.
sangre...las) perlas, *D.*
el don) azadón, *D.*
chirles) con chirlos, *D.*
las muertas) los muertos, *D.*
oírlas) oírlos, *D.*, 229.
esto) este, *D.*
hervite) hermite, *D.*
Cochitehervite) Cochitehermite, *D.*
el papel) om., *D.*, 230
por mis) tuve, *D.*
[...]) que.
encogido) enojado, *D.*, 231.
decían) hacían, *D.*
[...]) decía yo, *D.*
así...asieron) si se hicieron, *J.*
hendían) hendía, 232.
piullidos) pullidos, *D.*
acá estás) a casa estáis, *D.*
sima) cima, *D.*
ando) anda, *D.*, 233.
venteros) ventores, *D.*, 234.
Urdemalas) Urdemales, *D.*
piezgos) priesgos, *D.*, 235.
tonillo...caro) tomillo del carro, *D.*
a) om., *D.*
sin) so, *D.*, 236.
concomos) carcomos, *D.*
te) le, *D.* 241.
otras) otros, *D.*
moreno) morenos, *D.*
muchos) mucho, *D.*
te) los, *D.*, 242.
rebueno) rebuenos, *J.*
debajo del) desde el, *D.*, 243.

ÍNDICE DE LÁMINAS *

* Los grabados que ilustran esta edición proceden de *Obras de Don Francisco de Quevedo Villegas*. Amberes, Henrico y Cornelio Verdussen, M.DC. XCIX.

ESTE LIBRO
SE TERMINÓ DE IMPRIMIR
EL DÍA 2 DE SEPTIEMBRE DE 1984

ÚLTIMOS TÍTULOS PUBLICADOS

/ **Fernán Caballero**
A FAMILIA DE ALVAREDA
dición, introducción y notas
Julio Rodríguez Luis.

/ **Emilio Prados**
A PIEDRA ESCRITA
dición, introducción y notas
José Sanchis-Banús.

/ **Rosalía de Castro**
N LAS ORILLAS DEL SAR
dición, introducción y notas
Marina Mayoral Díaz.

/ **Alonso de Ercilla**
A ARAUCANA. Tomo I
dición, introducción y notas
e Marcos A. Morínigo e
saías Lerner.

/ **Alonso de Ercilla**
A ARAUCANA. Tomo II
dición, introducción y notas
e Marcos A. Morínigo e
saías Lerner.

3 / **José María de Pereda**
A PUCHERA
dición, introducción y notas
e Laureano Bonet.

4 / **Marqués de Santillana**
OESÍAS COMPLETAS.
omo II
dición, introducción y notas
e Manuel Durán.

5 / **Fernán Caballero**
A GAVIOTA
dición, introducción y notas
e Carmen Bravo-Villasante.

96 / Gonzalo de Berceo
SIGNOS QUE APARECERÁN ANTES DEL JUICIO FINAL. DUELO DE LA VIRGEN. MARTIRIO DE SAN LORENZO
Edición, introducción y notas
de Arturo Ramoneda.

97 / Sebastián de Horozco
REPRESENTACIONES
Edición, introducción y notas
de F. González Ollé.

98 / Diego de San Pedro
PASIÓN TROVADA. POESÍAS MENORES. DESPRECIO DE LA FORTUNA
Edición, introducción y notas
de Keith Whinnom y Dorothy S. Severin.

99 / Ausias March
OBRA POÉTICA COMPLETA. Tomo I
Edición, introducción y notas
de Rafael Ferreres.

100 / Ausias March
OBRA POÉTICA COMPLETA. Tomo II
Edición, introducción y notas
de Rafael Ferreres.

101 / Luis de Góngora
LETRILLAS
Edición, introducción y notas
de Robert Jammes.

102 / Lope de Vega
LA DOROTEA
Edición, introducción y notas
de Edwin S. Morby.

103 / Ramón Pérez de Ayala
TIGRE JUAN Y EL CURANDERO DE SU HONRA
Edición, introducción y notas de Andrés Amorós.

104 / Lope de Vega
LÍRICA
Selección, introducción y notas de José Manuel Blecua.

105 / Miguel de Cervantes
POESÍAS COMPLETAS, II
Edición, introducción y notas de Vicente Gaos.

106 / Dionisio Ridruejo
CUADERNOS DE RUSIA. EN LA SOLEDAD DEL TIEMPO. CANCIONERO EN RONDA. ELEGÍAS
Edición, introducción y notas de Manuel A. Penella.

107 / Gonzalo de Berceo
POEMA DE SANTA ORIA
Edición, introducción y notas de Isabel Uría Maqua.

108 / Juan Meléndez Valdés
POESÍAS SELECTAS
Edición, introducción y notas de J. H. R. Polt y Georges Demerson.

109 / Diego Duque de Estrada
COMENTARIOS
Edición, introducción y notas de Henry Ettinghausen.

110 / Leopoldo Alas, Clarín
LA REGENTA, I
Edición, introducción y notas de Gonzalo Sobejano.

111 / Leopoldo Alas, Clarín
LA REGENTA, II
Edición, introducción y notas de Gonzalo Sobejano.

112 / P. Calderón de la Ba
EL MÉDICO DE SU HON
Edición, introducción y no de D. W. Cruickshank.

113 / Francisco de Queved
OBRAS FESTIVAS
Edición, introducción y no de Pablo Jauralde.

114 / POESÍA CRÍTICA Y SATÍRICA DEL SIGLO
Selección, edición, introdu ción y notas de Julio Rod guez-Puértolas.

115 / EL LIBRO DEL CABALLERO ZIFAR
Edición, introducción y no de Joaquín González Muela

116 / P. Calderón de la Bar
ENTREMESES, JÁCARAS Y MOJIGANGAS
Edición, introducción y not de E. Rodríguez y A. Torde

117 / Sor Juana Inés de la Cruz
INUNDACIÓN CASTÁLIDA
Edición, introducción y no de Georgina Sabat de Rive

118 / José Cadalso
SOLAYA O LOS CIRCASIANOS
Edición, introducción y not de F. Aguilar Piñal.

119 / P. Calderón de la Bar
LA CISMA DE INGLATER
Edición, introducción y not de F. Ruiz Ramón.

120 / Miguel de Cervantes
NOVELAS EJEMPLARES,
Edición, introducción y not de J. B. Avalle-Arce.

121 / **Miguel de Cervantes**
NOVELAS EJEMPLARES, II
Edición, introducción y notas de J. B. Avalle-Arce.

122 / **Miguel de Cervantes**
NOVELAS EJEMPLARES, III
Edición, introducción y notas de J. B. Avalle-Arce.

123 / **POESÍA DE LA EDAD DE ORO I. RENACIMIENTO**
Edición, introducción y notas de José Manuel Blecua.

124 / **Ramón de la Cruz**
SAINETES, I
Edición, introducción y notas de John Dowling.

125 / **Luis Cernuda**
LA REALIDAD Y EL DESEO
Edición, introducción y notas de Miguel J. Flys.

126 / **Joan Maragall**
OBRA POÉTICA
Edición, introducción y notas de Antoni Comas.
Edición bilingüe, traducción al castellano de J. Vidal Jové.

127 / **Joan Maragall**
OBRA POÉTICA
Edición, introducción y notas de Antoni Comas.
Edición bilingüe, traducción al castellano de J. Vidal Jové.

128 / **Tirso de Molina**
LA HUERTA DE JUAN FERNÁNDEZ
Edición, introducción y notas de Berta Pallares.

129 / **Antonio de Torquemada**
JARDÍN DE FLORES CURIOSAS
Edición, introducción y notas de Giovanni Allegra.

130 / **Juan de Zabaleta**
EL DÍA DE FIESTA POR LA MAÑANA Y POR LA TARDE
Edición, introducción y notas de Cristóbal Cuevas.

131 / **Lope de Vega**
LA GATOMAQUIA
Edición, introducción y notas de Celina Sabor de Cortazar.

132 / **Rubén Darío**
PROSAS PROFANAS
Edición, introducción y notas de Ignacio de Zuleta.

133 / **LIBRO DE CALILA E DIMNA**
Edición, introducción y notas de María Jesús Lacarra y José Manuel Cacho Blecua.

134 / **Alfonso X**
LAS CANTIGAS
Edición, introducción y notas de W. Mettman.

135 / **Tirso de Molina**
LA VILLANA DE LA SAGRA
Edición, introducción y notas de Berta Pallares.

136 / **POESÍA DE LA EDAD DE ORO, II: BARROCO**
Edición, introducción y notas de José Manuel Blecua.

137 / **Luis de Góngora**
LAS FIRMEZAS DE ISABELA
Edición, introducción y notas de Robert Jammes.

140 / **Camilo José Cela**
LA COLMENA
Edición, introducción y notas de Raquel Asún.